Toi seul

Toi seul

Elizabeth Lowell

Traduit de l'anglais par
Guy Rivest

Titre original anglais : Only You

Éditeur : François Doucet
Traduction : Guy Rivest
Révision linguistique : Nicolas Whiting
Correction d'épreuves : Nancy Coulombe, Émilie Leroux
Conception de la couverture : Matthieu Fortin
Photo de la couverture : © Thinkstock
Mise en pages : Sébastien Michaud
ISBN papier 978-2-89767-885-2
ISBN PDF numérique 978-2-89767-886-9
ISBN ePub 978-2-89767-887-6
Première impression : 2017
Dépôt légal : 2017
Bibliothèque et Archives nationales du Québec
Bibliothèque et Archives Canada

Éditions AdA Inc.
1385, boul. Lionel-Boulet
Varennes (Québec) J3X 1P7, Canada
Téléphone : 450 929-0296
Télécopieur : 450 929-0220
www.ada-inc.com
info@ada-inc.com

Diffusion

Canada :	Éditions AdA Inc.
France :	D.G. Diffusion
	Z.I. des Bogues
	31750 Escalquens — France
	Téléphone : 05.61.00.09.99
Suisse :	Transat — 23.42.77.40
Belgique :	D.G. Diffusion — 05.61.00.09.99

Imprimé au Canada

Participation de la SODEC.
Nous reconnaissons l'aide financière du gouvernement du Canada par l'entremise du Fonds du livre du Canada (FLC) pour nos activités d'édition.
Gouvernement du Québec — Programme de crédit d'impôt pour l'édition de livres — Gestion SODEC.

LA FAMILLE « SEULEMENT L'AMOUR »

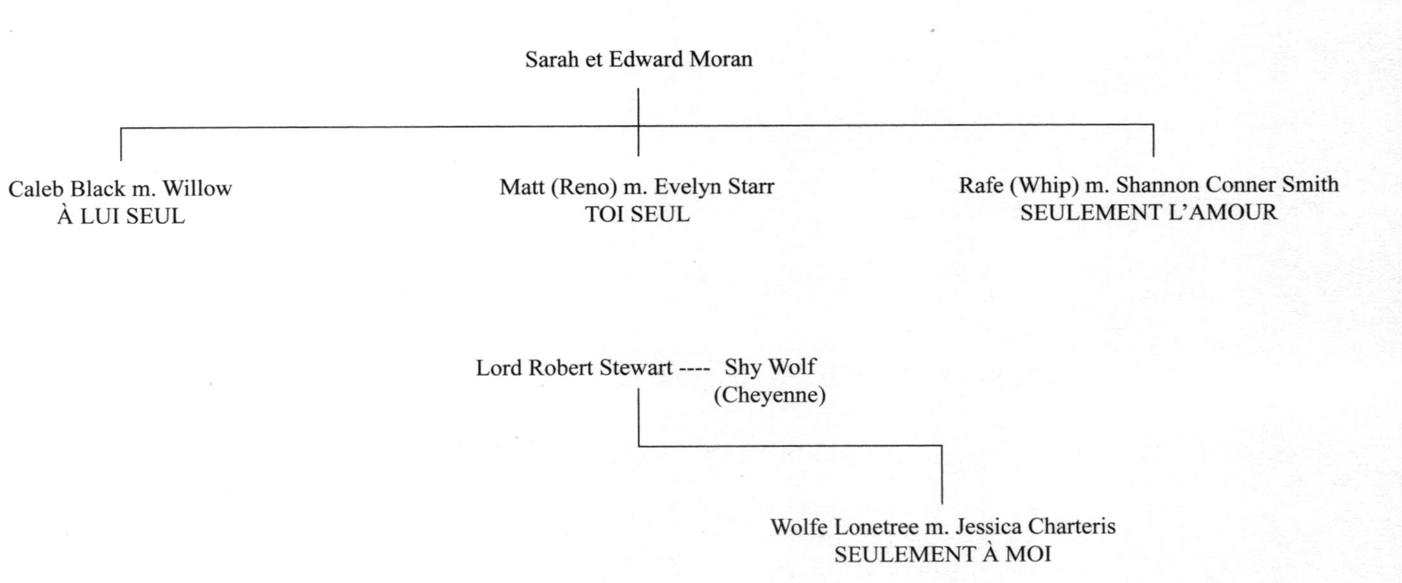

1

Canyon City, Colorado
Fin de l'été 1867

À court d'argent et de chance, seule et effrayée, la jeune femme connue sous le nom d'Evening Star[1*] fit l'unique seule chose à laquelle elle pouvait penser pour rester à la table de poker du saloon.

Elle se paria.

Mais d'abord, Eve brassa les cartes avec une rapidité stupéfiante, les arrangeant subtilement comme le lui avait enseigné Donna Lyon. Ce faisant, elle essaya de ne pas regarder l'étranger aux cheveux noirs qui s'était tout à coup assis à sa table. La beauté rude de l'homme était perturbante.

La présence de hors-la-loi comme Raleigh King et Jericho Slater était suffisante pour elle. Elle n'avait pas besoin d'un bel étranger pour faire trembler ses mains douloureuses.

Elle prit une inspiration discrète pour se calmer et dit :

— Poker fermé. Enjeu sur la table. Je relance.

— Un instant ma petite dame, intervint Raleigh King. Vous êtes fauchée. Où est votre relance ?

1. N.d.T.: « Étoile du soir » en français.

— Assise devant vous.

— Hein ?

— Je suis la relance, monsieur King.

— Vous vous pariez vous-même ? demanda Raleigh, incrédule.

Reno Moran n'avait pas à le demander. Il avait vu la détermination dans la posture de la jeune femme quand il s'était assis et avait pris ses cartes. C'était la combinaison de son regard ferme et de ses lèvres légèrement tremblantes qui l'avaient attiré de l'autre bout de la pièce.

Quoi qu'il puisse arriver, il savait qu'elle était absolument sérieuse.

— Oui, je parie ma propre personne.

Eve jeta un coup d'œil aux bijoux et aux pièces de monnaie empilés sur la table devant chaque homme.

— Je vaux autant que tout ce que vous pouvez avoir en ce moment, ajouta-t-elle.

Puis elle afficha un sourire brillant, vide, et continua à battre les cartes.

Le silence se fit autour de la table de poker, suivi d'une marée de murmures tandis que les autres hommes dans la pièce se demandaient l'un l'autre s'ils avaient bien entendu.

Reno comprit par ces murmures qu'un tas d'hommes avaient voulu la fille, mais qu'aucun ne l'avait eue. Un sourire cynique apparut sous sa moustache noire. Il n'y avait rien de nouveau dans ce petit jeu. Depuis longtemps, les filles avaient joué les allumeuses et promis leur corps pour finalement le refuser.

Reno porta son regard du jeu dans les mains de la fille à la fille elle-même. Dans la lumière tamisée du salon, ses yeux étaient d'une couleur claire, inhabituellement dorée, qui s'agençait à la lumière du fanal ondulant à travers sa chevelure fauve. La coupe de sa robe était plutôt modeste, mais elle était faite de soie pourpre qui poussait un homme à penser à ce que ce serait que d'en détacher tous les boutons noirs luisants et de toucher la peau lumineuse sous le tissu.

Reno se sentit irrité par l'orientation que prenaient ses pensées. Il était assez âgé pour ne pas être naïf. Des femmes expertes l'avaient éduqué et allumé depuis que la femme d'Adam lui avait fait mordre le fruit défendu.

Slater le regarda et agita les perles et les pièces d'or qu'il venait tout juste de gagner contre d'Eve.

— Je suppose que ceci pourrait égaler l'anneau que tu as remporté auprès de Raleigh, dit-il à Reno, et que ça vaut beaucoup plus que le journal qu'il te reste, ajouta-t-il en direction de Raleigh.

— Tu parles, répliqua Raleigh. Je sais de source sûre que ce vieux journal contient une vraie carte au trésor espagnol qui vaut plus que toutes les perles de l'Orient.

Slater jeta un regard froid sur le livre, mais il ne souleva pas d'objection concernant la déclaration de Raleigh.

Reno saisit le vieil anneau élégant qu'il avait gagné plus tôt au détriment de Raleigh. Des émeraudes brillaient subtilement, entourées d'un or si pur que l'empreinte de son ongle y paraissait.

Les pierres étaient assez jolies, mais c'était l'or qui retenait l'attention de Reno. À ses yeux, rien n'égalait la sensation et le poids de l'or dans sa main. La chair des femmes était tendre et douce, mais elles étaient aussi inconstantes qu'un vent de printemps. L'or ne changeait jamais ; il ne se corrompait jamais, ne devenait jamais moins que ce qu'il semblait être.

Silencieusement, Reno compara l'anneau à la fille dont le nom était aussi improbable que l'innocence de ses yeux fauves.

Ce fut Raleigh qui exprima à haute voix les doutes de Reno.

— Alors, dit-il à Eve, vous croyez valoir autant que l'anneau, les perles ou la carte au trésor ? Vous devez connaître quelques trucs vraiment sophistiqués.

Le sourire qu'il adressa à Eve était franchement insultant.

— Donne à la petite dame ce qu'elle veut, dit froidement Slater. D'une façon ou d'une autre, elle va payer. Selon les prix de Denver, un mois de son temps devrait couvrir la mise.

Eve réussit à peine à s'empêcher de frissonner à l'idée de se retrouver à la merci d'un homme comme Jericho Slater pour une seule nuit, voire un mois entier.

Elle se dit qu'elle n'avait pas à s'inquiéter. Elle n'aurait pas à payer sa mise, parce qu'elle n'avait aucune intention de perdre.

Pour une fois, l'idée de tricher aux cartes ne la rendit pas mal à l'aise. Il y avait une certaine justice à tricher avec Slater et sa bande. Tout ce qui se trouvait sur la table avait été volé quelques jours plus tôt par Raleigh King. Si elle devait tricher pour reprendre tout ça, elle le ferait.

Son seul regret était de ne pas pouvoir faire pire à l'homme qui avait assassiné Don et Donna Lyon.

Avec une nonchalance apparente, elle continua de mélanger les cartes en attendant que le troisième joueur accepte la mise inattendue. Comme il se taisait, elle lui jeta un regard prudent de sous ses cils épais.

L'étranger aux yeux verts s'était assis à la table une heure plus tôt, juste avant qu'Eve ait commencé à distribuer la première main. D'un simple regard, elle avait compris deux choses à propos de lui : elle n'avait jamais vu un homme qui l'attirait autant, et elle n'avait jamais vu un homme aussi dangereux.

Elle soupçonnait que son accent virginien était aussi trompeur que l'indolence apparente de ses mouvements. Il n'y avait aucune fainéantise dans ses yeux verts. La vigilance faisait tout autant partie de lui que sa chevelure noire et son corps puissant.

Pourtant, instinctivement, Eve ne pouvait s'empêcher de se dire que cet homme était d'une manière ou d'une autre différent des gens comme Slater et Raleigh, des hommes cruels qui ne se souciaient nullement de blesser ou de détruire ceux qui étaient plus faibles qu'eux.

— Juste une chose, ajouta froidement Slater. Assurez-vous bien que chaque carte que vous donnez vient du sommet de la pile.

Eve se força de sourire malgré son estomac noué. Elle n'avait aucun doute sur le fait que Slater tuerait une femme qu'il surprendrait à tricher aussi rapidement que si c'était un homme.

— Es-tu en train de m'accuser de tricher ? demanda-t-elle.

— Vous avez été prévenue, répondit simplement Slater.

Reno bougea légèrement. Le geste rapprocha son six-coups de sa main gauche. Silencieusement, il évalua l'élégance féline de la fille au regard résolu et à la bouche tendre.

— Vous êtes sûre que vous voulez vous miser, mademoiselle… ? Comment vous appelez-vous, déjà ? demanda Reno, même s'il le savait très bien.

— Star, fit-elle doucement. Je m'appelle Evening Star.

Le calme de sa voix n'était pas à l'image de ce qu'elle ressentait. Elle avait si souvent menti à propos de son nom qu'elle n'avait plus aucune hésitation en le prononçant. De toute façon, le mensonge ne signifiait rien ; plus aucun être vivant ne se souvenait d'elle comme étant Evelyn Starr Johnson.

— D'accord, mademoiselle Star, fit Reno d'une voix traînante. Êtes-vous sûre de savoir ce que vous faites ?

— En quoi ça te regarde ? demanda Raleigh. Elle est assez vieille pour avoir tout ce dont un homme a besoin. Et elle est certainement assez belle pour que ce soit un plaisir.

— Mademoiselle ? répéta Reno en ignorant l'autre homme.

— J'en suis sûre.

Reno secoua les épaules, faussement indifférent. Sous la table, sa main gauche se posa sur son six-coups.

Dans le saloon, les murmures se transformèrent en bourdonnements de voix mâles alors que les hommes laissaient leurs verres au bar et se concentraient sur la table de poker où les enjeux potentiels consistaient maintenant en un collier de perles, un ancien anneau d'émeraudes, la carte d'un trésor espagnol…

Et une fille du nom d'Evening Star.

Reno était certain que l'anneau était un vrai, mais il avait des doutes à propos de la carte au trésor et des perles. Et il se demandait comment la fille aux lèvres tremblantes et au regard calme avait fini par se retrouver comme enjeu dans le saloon le plus tristement célèbre de Canyon City.

— Poker fermé, dit Eve tranquillement. Je distribue. D'accord ?

— Nous avons déjà accepté, fit Raleigh d'une voix impatiente. Distribuez.

— Tu as vraiment peur de perdre le reste de ton argent, n'est-ce pas ? demanda nonchalamment Reno.

— Écoute, fils de p...

— La ferme, Raleigh, l'interrompit froidement Slater. Tu pourras te faire tuer quand tu voudras. Moi, je suis venu ici pour jouer aux cartes.

— Le seul qui risque de mourir ici sera ce traître de rebelle, rétorqua Raleigh.

— Je ne vois aucun traître rebelle, dit Reno avec un sourire nonchalant. Et toi ?

D'après le sourire féroce de Reno et l'avertissement clair de Slater à propos du fait de se faire tuer, Raleigh comprit qu'il avait fait une erreur en estimant que l'étranger à l'air indolent ne représentait pas une menace.

— Je ne voulais pas t'offenser, marmonna Raleigh.

— Pas de problème, répondit Reno.

Tous deux mentaient.

Eve sentit son cœur s'accélérer à mesure qu'approchait le moment où elle devrait cesser de mélanger les cartes et les distribuer. Si elle avait eu le choix, elle se serait levée et aurait quitté le saloon crasseux et les trois hommes dangereux. Mais elle ne l'avait pas réellement.

Elle n'avait aucun endroit où aller, aucun argent pour partir. Elle avait faim, et surtout, un désir de vengeance brûlait dans son sang comme de l'acide. Raleigh King avait tué les deux seuls amis qu'elle avait.

Et elle venait tout juste de trouver une façon de les venger.

En priant pour que l'étranger aux yeux verts soit aussi dangereux qu'elle le croyait, Eve prit une profonde inspiration discrète et commença à distribuer les cartes minutieusement et avec une rapidité renversante. Les cartes émirent un petit bruit sec tandis qu'elle les plaçait sur la table, une à la fois, devant les trois hommes et elle-même.

Slater et l'étranger surveillaient ses mains. Raleigh fixait l'endroit où la soie rouge se gonflait sur les seins de la jeune femme. Même si le col de la robe était modeste, l'ajustement ne laissait aucun doute sur le fait qu'il se trouvait une femme dessous.

Pendant qu'elle distribuait les cartes, Eve évitait de regarder Jericho Slater, car elle savait que ses yeux bleus et froids lui diraient qu'elle n'allait plus s'en tirer en se donnant de bonnes cartes. Compte tenu de ses doigts, qui étaient encore douloureux et couverts d'ampoules après qu'elle ait enterré Don et Donna Lyon, elle n'était tout simplement pas assez rapide pour affronter pendant longtemps un parieur de talent comme Slater.

Et le derringer dissimulé dans la poche de sa robe de soie rouge ne l'aiderait en rien contre les lourds pistolets que portaient Slater et Raleigh.

Il faut que ça marche, songea-t-elle désespérément. *Seulement une fois; les faibles doivent l'emporter sur les méchants et les forts.*

Elle ne regarda pas de nouveau l'étranger aux yeux verts. Un aussi bel homme aurait été une source de distraction en n'importe quelle circonstance, et il l'était encore plus quand la vie d'une fille dépendait de sa concentration.

Chaque joueur avait maintenant devant lui cinq cartes renversées. Eve déposa le paquet et prit ses cartes en se demandant ce qu'elle s'était attribué. Elle regarda l'étranger du coin de l'œil. Si les possibilités qu'offraient les cartes qu'elle lui avait données le réjouissaient, ça ne paraissait pas sur son visage ni dans le vert cristallin de ses yeux.

Elle ne s'étonna pas quand Slater misa d'abord, parce qu'elle lui avait distribué deux paires, et elle ne fut pas surprise non plus quand Raleigh s'empressa de relancer, parce qu'elle lui avait donné une suite. Tout comme Eve, l'étranger se contenta de passer pour cette fois. Sans un mot, elle tendit aux deux hommes les cartes qu'ils demandaient et glissa les cartes rejetées sous le dessous de la pile. Elle se permit de regarder brièvement le visage de chacun des hommes qui examinaient leur main. L'étranger avait du talent. Aucune émotion ne transparaissait sur son visage tandis qu'il ramassait l'unique carte qu'il avait demandée.

Rien ne paraissait non plus sur le visage d'Eve. Les cartes qu'elle s'était distribuées n'avaient rien d'inspirant. Un valet, un neuf, un six, un trois et un deux. Les couleurs ne s'accordaient pas du tout. Presque toutes les cartes n'étaient bonnes qu'à cacher le léger tremblement de ses doigts pendant qu'elle attendait que la fusillade se déclenche.

Dieu du ciel, faites que l'étranger soit aussi rapide qu'il est beau. Je ne veux pas avoir sa mort sur la conscience.

Cependant, il en allait tout autrement de la mort de Raleigh. Eve n'avait aucun scrupule à ce sujet. Quiconque pouvait torturer à mort un vieil homme pendant que sa femme à l'agonie le regardait, impuissante, méritait une mort beaucoup plus douloureuse que celle qu'il aurait sans doute du six-coups de l'étranger.

Slater ouvrit la mise en jetant au milieu de la table deux pièces d'or de 20 dollars. Raleigh relança puis augmenta la mise et l'étranger en fit autant.

Eve jeta ses cartes et attendit que la fusillade commence. Au dernier tour de table, Slater misa les perles. Raleigh suivit avec le journal. Reno lança l'anneau dans la cagnotte.

— Je suis, dit froidement Reno.

Slater étendit ses cartes ouvertes en éventail sur la table.

— Un full. Roi et as.

Les yeux bleus de Slater commencèrent à évaluer Eve à la façon dont un homme évaluait une nouvelle jument qu'il s'apprêtait à chevaucher.

Raleigh émit un gloussement et retourna ses cartes.

— Quatre neufs et une reine, fit-il d'un air triomphant. Il semble que la petite dame me revienne.

Reno lança à Eve un regard étrange. Lentement, il commença à retourner ses cartes une à une de sa main droite. Sous la table, sa gauche reposait, détendue, près de son pistolet.

— 10 de cœur, dit-il. Valet. Roi. As.

Tandis qu'il retournait la dernière carte, il regarda les mains de Slater. Une quinte flush royale brillait comme du sang sur la table.

— Reine de cœur.

Pendant un instant, le silence régna dans la pièce. Puis Raleigh et Slater tendirent une main vers leurs armes. Slater était beaucoup plus rapide que Raleigh, mais ça n'avait pas d'importance.

Reno agit à la vitesse de l'éclair. Avant que Slater puisse prendre son pistolet, Reno renversa la table et la projeta sur les deux hommes avec sa main droite. De sa gauche, il prit son propre pistolet.

Eve s'empara de l'anneau, des perles, du journal et des pièces de monnaie avant que tout se répande sur le plancher. Elle se précipita immédiatement vers la porte arrière du saloon, passant devant les hommes, qui étaient trop surpris pour l'arrêter. Juste avant qu'elle atteigne la porte, elle risqua un coup d'œil par-dessus son épaule en se demandant pourquoi personne ne tirait.

Slater avait su immédiatement qu'il n'était pas à la hauteur de l'étranger. Les mains écartées, il regarda Reno avec une intensité reptilienne.

Raleigh n'était ni aussi intelligent ni aussi rapide que son ami. Il croyait pouvoir dégainer et tirer plus rapidement que Reno. Il mourut avant de comprendre son erreur.

Quand le tonnerre de la fusillade explosa dans la pièce, un homme du nom de Steamer s'avança entre Eve et Reno. Elle regarda, horrifiée pendant qu'il dégainait pour abattre Reno par-derrière.

Elle n'avait pas le temps de prendre son derringer dans sa poche secrète. Elle fourra sa main dans la poche de sa jupe, saisit le petit pistolet et appuya sur la gâchette. Les couches de soie rouge ne ralentirent nullement la balle, mais, dans sa hâte, elle faillit rater sa cible.

La balle s'enfonça dans la cuisse de Steamer. Il émit un cri de surprise, son bras se crispa, et la balle qu'il tira s'enfonça dans le plafond.

Avant que le doigt de Steamer puisse appuyer de nouveau sur la gâchette, Reno se retourna et l'abattit d'un seul mouvement fluide. Alors que Steamer s'étalait, mort, sur le plancher, Reno pivota sur lui-même pour faire face à Slater.

Renversée par la rapidité mortelle de l'étranger, Eve se figea sur place avant que le bon sens reprenne ses droits, et elle s'élança vers l'écurie toute proche.

Elle s'était bien préparée pour ce moment. Elle avait échangé le vieux chariot usé qui appartenait aux Lyon contre une selle et des sacoches aussi usées. Elle avait été surprise de découvrir qu'une fois libéré des attelles, le vieux hongre du nom de Whitefoot était à la fois rapide et impatient de s'engager sur la piste.

Il était sellé, attelé et prêt à partir. Tout ce qu'elle possédait se trouvait dans les sacoches et le tapis de couchage derrière la selle. Plus tard, elle prendrait le temps de changer de vêtements. Pour l'instant, la vitesse était plus importante que la pudeur. Elle passa l'anneau à un doigt de sa main droite, fit passer le collier de perles par-dessus sa tête et enfouit le journal et les pièces d'or dans une sacoche.

Dans un tourbillon de soie pourpre, elle bondit en selle, fit pivoter Whitefoot et se dirigea à fond de train vers la sortie de la ville. Au moment où Whitefoot passait devant le saloon, la jupe s'était relevée jusqu'à ses cuisses.

Du coin de l'œil, Reno vit un enchevêtrement de pourpre et un bout de jambe à couper le souffle que couvrait un sous-vêtement de coton si transparent que la femme semblait presque nue. Le roulement de tambour des sabots des chevaux remplit le silence qui avait suivi le tonnerre de la fusillade.

Slater adressa un sourire amer à l'homme qui le surveillait par-dessus le canon de son six-coups.

— Apparemment, nous nous sommes fait avoir tous les deux, dit-il d'une voix calme.

— Apparemment, dit Reno.

— Une de tes amies ?

— Non.

Slater grogna.

— C'est tout aussi bien comme ça. Il faudrait qu'un homme soit fou pour tourner le dos à cette petite.

Reno ne dit rien.

Slater se tut. La parole était au donneur, et c'était celui qui tenait le six-coups.

Sans détourner les yeux de Slater, Reno évalua les hommes qu'il restait dans le saloon. Raleigh et Steamer étaient morts.

— Des amis à toi ? demanda Reno.

— Pas particulièrement. Je ne m'attache pas aux hommes stupides.

— Mais tu chevauches avec eux.

— Non, le corrigea Slater. Ils chevauchent avec *moi*.

Reno lui sourit d'un air sarcastique.

— Eh bien, tu vas voyager plus léger, dit-il, mais pas pour longtemps. Dieu doit avoir aimé les imbéciles et les taons. En tout cas, il en a créé en abondance.

Les yeux verts de Reno comptèrent les hommes qui restaient dans le saloon. Trois d'entre eux étaient des gens de passage. Les autres appartenaient à la bande de Slater. Tous faisaient très attention de ne pas donner à Reno une raison de tirer.

— Tu ne t'appellerais pas Reno, par hasard ? demanda Slater.

— Certains m'appellent comme ça.

Un murmure se répandit à travers les hommes dans le saloon. Ensemble, ils reculèrent ; ils donnèrent à Reno tout l'espace qu'il aurait pu vouloir, voire un peu plus, seulement pour être sûrs.

Le seul mouvement que fit Slater fut d'incliner la tête, comme si ce qu'il avait deviné venait de se confirmer.

— C'est ce que je pensais, dit-il. Seulement quelques hommes peuvent bouger comme ça.

Slater se tut un instant puis demanda avec un réel intérêt :

— Est-ce que l'Homme de Yuma te pourchasse encore ?

— Non.

— Dommage. Il paraît qu'il est rapide. Vraiment rapide.

Reno sourit.

— Tu as raison.

— L'as-tu tué ? demanda Slater. C'est pour cette raison qu'il ne te pourchasse plus ?

— Je n'avais aucune raison de le tuer.

— Moi, oui.

— C'est ce que j'ai entendu. C'est dommage que tu n'aies pas été avec ton jumeau Jed quand il est mort. Wolfe aurait pu se débarrasser de toi en même temps.

Slater devint parfaitement immobile.

— C'était toi, le troisième homme, ce jour-là. Celui avec un six-coups.

Même si ce n'était pas une question, Reno acquiesça.

— J'y étais. Le meilleur travail que j'aie effectué. Plein de gens dorment mieux, maintenant que Jed et ses hommes mangent les pissenlits par la racine.

Le visage de Slater se durcit.

— Étendez-vous tous face contre terre, dit calmement Reno. Je me sens un peu nerveux en ce moment, alors ne faites rien qui puisse m'effaroucher pendant que je prends vos armes.

Il y eut une série de mouvements pendant que les hommes se couchaient sur le plancher. Reno passa rapidement de l'un à l'autre en rassemblant les pistolets. Ce faisant, il garda un œil sur Slater, dont la main droite se dirigeait lentement vers sa ceinture.

— Après avoir pris toutes les armes, dit Reno d'un ton nonchalant, je vais attendre à l'extérieur avant de partir. Si vous vous sentez chanceux, vous n'avez qu'à relever la tête pour voir si j'y suis encore.

Aucun des hommes ne semblait pressé d'accepter la proposition de Reno.

— Slater, j'ai entendu dire que tu gardais un pistolet caché dans ta ceinture, poursuivit Reno. Peut-être que c'est vrai, et peut-être que c'est faux. Je détesterais tuer un homme non armé, mais pas autant que je détesterais me faire tirer dans le dos par un coyote qui bat les femmes et triche assez aux cartes pour faire honte à Satan lui-même.

La main de Slater s'immobilisa.

Reno traversa la pièce en ramassant les pistolets et en jetant les balles sur le plancher. Son passage était suivi du son des balles qui tombaient et bondissaient sur les planches inégales.

Quand plusieurs minutes se furent écoulées sans que se fasse entendre le bruit des munitions qui tombaient, un des hommes releva lentement la tête et regarda autour.

— Il est parti, dit-il.

— Vérifie la rue, dit Slater.

— Fais-le toi-même.

Au moment où les hommes de Slater retrouvèrent assez de courage pour vérifier la rue, Reno se trouvait à des kilomètres, chevauchant à bride abattue pendant qu'il suivait la piste de la fille qui se faisait appeler Evening Star.

Chapitre 2

Après les trois premiers kilomètres de course rapide, Eve fit ralentir Whitefoot et commença à chercher les repères que lui avait décrits Donna Lyon en mourant.

Tout ce qu'elle voyait en direction de l'ouest, c'étaient les contreforts escarpés des Rocheuses. Aucun ravin ou repli de terrain ombrageux ne paraissait plus attrayant ou plus facile à franchir qu'un autre. En fait, si elle n'avait pas su qu'il y avait un col qui traversait les hauts sommets, elle aurait cru qu'il n'en existait aucun. Les pics rocailleux et droits s'élevaient vers le ciel bleu de l'après-midi et ne présentaient ici ou là aucun indice d'un chemin possible à travers les remparts.

Autour, il n'y avait pas de cavaliers, de maisons, de fermes ou de hameaux. Eve n'entendait par-dessus la respiration lourde de Whitefoot que le long soupir du vent descendant des sommets de granit. Des nuages nacrés couronnaient certaines cimes, laissant présager des orages de l'après-midi et du soir qui s'abattaient sur les Rocheuses en été.

Elle avait espéré qu'une bonne averse dissimulerait ses traces, mais elle n'allait pas avoir cette chance. Les nuages étaient loin d'être assez épais pour lui venir en aide.

— Désolée, Whitefoot, nous allons devoir continuer à galoper, dit-elle à voix haute en caressant le cou marron de l'animal.

Elle parcourut encore le paysage des yeux en espérant voir El Oso, l'amas de rochers en forme d'ours qu'avaient décrit Donna et le vieux journal.

Il n'y avait aucun empilement de pierres en vue, aucun élément qui puisse indiquer à Eve quel chemin elle devait prendre pour trouver l'entrée du ravin qui la mènerait à un col à travers la montagne.

Elle se tourna et regarda nerveusement la piste derrière elle. Le terrain accidenté disparaissait dans des teintes de vert jusqu'à ce que l'horizon rejoigne les plaines, enveloppant tout d'un bleu vaporeux et brillant.

Elle se raidit soudain et porta une main à son front contre l'éclat du soleil et examina sa piste.

— Damnation, marmonna-t-elle. Je ne peux pas dire s'il s'agit d'hommes, de cerfs, de chevaux sauvages ou de quelque chose d'autre.

Ce que ses yeux ne pouvaient discerner, son instinct le lui dit. Elle déglutit puis éperonna Whitefoot. Elle aurait voulu le faire courir au grand galop, mais le terrain était trop accidenté. Si elle le poussait davantage, elle se retrouverait à pied avant le coucher du soleil.

La terre volait et les pierres roulaient pendant que Whitefoot avançait au trot sur une piste vague qui courait le long des contreforts. À certains endroits, la piste était assez large pour un chariot. À certains autres, elle ne devenait qu'un sentier menant à des endroits abrités où les gens pouvaient camper à l'abri du vent.

Chaque fois que Whitefoot franchissait une butte, Eve regardait derrière elle, et chaque fois, les hommes qui la suivaient s'étaient rapprochés. Si elle ne faisait rien, ils la rattraperaient avant le soir. Cette pensée la glaçait encore plus que le vent qui soufflait des sommets enneigés.

Finalement, Whitefoot atteignit un ravin avec au fond un étrange empilement de rochers et un petit ruisseau impétueux. Aux yeux d'Eve, le tout ne ressemblait pas particulièrement à un ours, mais Donna l'avait avertie du fait que les Espagnols qui avaient dessiné la carte s'étaient trouvés si longtemps seuls dans la nature sauvage qu'ils avaient imaginé des choses.

Elle poussa Whitefoot autour du monticule qui pouvait ou non être El Oso. Une fois qu'elle eut dépassé les rochers, elle fit tourner son cheval dans le ruisseau, qu'elle le laissa suivre jusqu'à ce que le trajet devienne trop ardu. Ce n'est qu'à ce moment qu'elle laissa le hongre sortir du ruisseau sur le sol rocailleux. Les sabots de Whitefoot laissaient de petites marques et des égratignures sur les cailloux pour marquer son passage, mais c'était mieux que la piste claire qu'il avait laissée sur le sol plus humide.

Zigzaguant, guidant son cheval le long du ruisseau ou dedans, pénétrant de plus en plus dans les montagnes sauvages, Eve chevaucha dans la lumière dorée de l'après-midi. Ses jambes étaient éraflées par la vieille selle, froides à cause de l'exposition au vent. Mais elle n'osait pas s'arrêter assez longtemps pour enfiler les vêtements de Don Lyon.

Aussitôt que la route devint moins escarpée, elle ramena Whitefoot dans le ruisseau. Cette fois, elle le fit marcher à gué pendant plus d'un kilomètre avant de trouver un sol rocailleux qui ne garderait aucune empreinte de sabots.

Elle vérifia le journal et regarda autour d'elle d'un air maussade. Elle était à la limite de la région qu'il couvrait. Bientôt, elle devrait tourner et s'engager vers l'ouest dans une longue vallée sinueuse en suivant les hautes herbes comme une rivière jusqu'à sa source haut dans les sommets, un creux séparant une chaîne de l'autre.

Mais avant qu'elle traverse cette séparation, elle devait semer les hommes qui la suivaient.

Slater se dressa sur ses étriers et regarda le long de la piste qu'il avait laissée. Rien ne bougeait sauf le vent, mais même alors, il ne pouvait se débarrasser de l'impression d'être suivi. C'était un homme habitué à obéir à ses intuitions, mais il était fatigué de sentir quelque chose derrière son dos quand il n'y avait rien d'autre qu'une piste vide qui s'étirait jusqu'à Canyon City.

— Eh bien ? demanda-t-il impatiemment quand son meilleur éclaireur comanchero le rejoignit.

Crooked Bear tendit sa main pliée en forme de tasse puis la ramena contre son épaule droite pour indiquer la rivière.

— Encore ? demanda Slater d'un air dégoûté. Son foutu cheval doit être à moitié poisson.

Crooked Bear secoua les épaules, fit un signe signifiant « loup » puis un autre signifiant « petit ».

Slater grogna. Il avait déjà eu un aperçu de l'intelligence de la fille à la table de cartes. Il n'avait pas besoin d'une autre preuve lui indiquant qu'elle était aussi rapide et vigilante qu'un coyote.

— As-tu vu sa robe rouge ? demanda Slater.

Crooked Bear fit un signe négatif.

Slater regarda les nuages.

– La pluie ?

Le Comanchero haussa les épaules.

– Crooked Bear, marmonna Slater, un jour, tu vas me mettre en colère. Retourne examiner le sol et trouve-la. Tu m'entends ?

Le métis sourit, affichant deux dents en or, deux trous et une dent brisée qui ne lui faisait pas suffisamment mal pour qu'il la fasse arracher.

Frissonnant de froid et de peur, Eve regarda le Comanchero parcourir une dernière fois les rives du ruisseau en recherchant ses traces. Quand il descendit de cheval, elle retint son souffle et détourna le regard pour éviter d'une manière ou d'une autre d'attirer son attention sur elle en le fixant.

Après quelques minutes, la tentation de regarder ce qui se passait devint trop grande. Elle jeta un coup d'œil prudent à travers la verdure et les rochers qui parsemaient la longue pente entre elle et le ruisseau. Le cri du vent et le roulement du tonnerre provenant d'un sommet lointain masquaient tous les sons que faisaient les hommes en contrebas.

Slater, Crooked Bear et cinq autres hommes examinaient la rive du ruisseau. Eve sourit légèrement parce qu'elle savait qu'elle allait gagner. Si Crooked Bear ne pouvait trouver sa piste, personne ne le pourrait. Le Comanchero était presque aussi célèbre dans la région pour ses talents de pisteur qu'il l'était pour sa réputation sauvage avec un couteau.

Il fallut à Slater et à ses hommes une heure pour abandonner. À ce moment, il faisait presque noir, une pluie légère tombait, et ils avaient complètement piétiné tous les signes que Whitefoot aurait pu laisser en sortant du lit du ruisseau.

Eve retint son souffle autant qu'elle le pouvait pendant qu'elle regardait la bande de Slater se remettre à cheval et disparaître de sa vue le long du ruisseau. Puis elle remonta la pente et alla rejoindre Whitefoot, qui attendait patiemment, la tête basse, plus endormi qu'éveillé.

— Pauvre garçon, murmura-t-elle. Je sais que tes pattes sont douloureuses après avoir marché dans ces pierres, mais si tu avais été ferré, Crooked Bear nous aurait sûrement trouvés.

Malgré son impatience à traverser la ligne de partage des eaux jusqu'aux monts San Juan et à descendre dans le labyrinthe rocheux qu'avaient décrit les Espagnols, Eve savait qu'elle devait camper après quelques kilomètres. Il fallait que Whitefoot se repose, sinon il ne serait pas en mesure de lui faire traverser la ligne de partage des eaux.

Après avoir traversé cette ligne, quelque part entre le sommet et les canyons que décrivait le journal, elle devait trouver un moyen de faire mettre des fers à Whitefoot, d'acheter un cheval de bât et de rassembler les provisions dont elle aurait besoin pour la randonnée.

Mais il y avait une chose qu'elle devait impérativement acheter : un homme de confiance. Il lui fallait trouver quelqu'un qui surveillerait ses arrières pendant qu'elle cherchait la mine perdue de Cristobal Lyon, l'ancêtre de Don Lyon, descendant de la royauté espagnole et détenteur d'une permission royale de chercher de l'or dans les terres du Nouveau Monde de la Couronne espagnole.

Je pourrais tout aussi bien souhaiter avoir une marraine-fée qu'un homme en qui je puisse avoir confiance avec de l'or. Les hommes faibles chérissent, et les hommes forts détruisent.

Et une femme se demande ce qu'a bien pu penser Dieu en créant l'homme.

Aussitôt que Slater partit, Reno referma sa lunette d'approche, descendit de l'escarpement rocheux et retourna rejoindre son cheval et les trois autres animaux de bât qui attendaient, chargés de provisions pour l'hiver. Les narines noires de sa jument palpitèrent à son approche. Elle hennit doucement et étira le cou pour quémander une caresse.

— Bonjour, ma jolie. Tu t'es sentie seule pendant que j'étais parti ?

Elle passa ses lèvres douces sur les doigts de Reno, laissant dans son sillage un chatouillement chaleureux.

— Eh bien, tu ne seras bientôt plus seule. Crooked Bear s'est finalement fatigué de ce jeu. Si nous nous dépêchons, nous pourrons retrouver la piste de mademoiselle Star avant le coucher du soleil.

Il grimpa en selle, caressa le cou de la jument avec sa main gantée de cuir et dirigea la rouanne bleue vers une pente abrupte. La jument zigzagua rapidement jusque dans un ravin qui courait parallèlement à l'endroit où Crooked Bear avait perdu la piste. Les chevaux de bât suivirent de bon gré.

— Si nous sommes vraiment chanceux, dit Reno, avant le petit-déjeuner, nous allons voir si cette fille connaît d'autres trucs que des manières de tricher aux cartes et de s'organiser pour faire tuer des hommes.

Les sourcils froncés, nerveuse malgré la piste vide derrière elle, Eve tenait Whitefoot immobile et dressait l'oreille. Elle n'entendait rien d'autre que le bruissement des gouttes d'eau sur les feuilles.

Elle se tourna finalement et conduisit Whitefoot vers le vague défilé où, d'après le journal, il y avait un site de campement au bas d'une falaise. Elle y trouverait un abri contre la pluie, un petit ruisseau qui coulait à travers la mousse et les fougères et un excellent point de vue sur les environs. Tout ce dont elle aurait eu besoin, c'était de quelqu'un pour monter la garde pendant qu'elle dormirait.

L'obscurité était complètement tombée au moment où elle et le hongre épuisé atteignirent le campement. Le disque blanc et plat de la lune qui se levait venait de passer les sommets.

Parlant doucement à Whitefoot et se sentant plus seule que jamais depuis la mort de Don et Donna Lyon, Eve s'occupa de son cheval, avala un repas froid et se laissa tomber sur le mince tapis de couchage qu'elle avait trouvé sur le chariot de gitans. Elle s'endormit immédiatement, trop exténuée par la tristesse et le danger de la semaine précédente pour garder les yeux ouverts.

Quand elle s'éveilla à l'aube, l'étranger aux yeux verts et à la gâchette rapide fouillait calmement ses sacoches de selle.

Elle crut d'abord qu'elle rêvait toujours, car les yeux accusateurs de l'homme avaient hanté son sommeil, la faisant se tourner et se retourner sans arrêt. Dans ses rêves, elle avait essayé de se rapprocher du bel étranger en lui distribuant des cartes parfaites, mais chaque fois qu'il avait vu sa suite de cœur, il avait jeté ses cartes et s'était éloigné de la table de poker en la laissant seule.

Maintenant qu'elle était réveillée, elle n'avait aucune envie de se rapprocher de l'homme dangereux qui fouillait ses sacoches. Sous les couvertures, elle commença à tendre très lentement la main vers le fusil de chasse qui avait été l'arme préférée de Donna Lyon. Prenant exemple sur elle, Eve avait dormi avec le fusil près d'elle depuis que les mains de la dame étaient devenues trop déformées pour tenir l'arme.

Les yeux à moitié fermés, elle examina l'intrus sans modifier sa respiration et sa position. Elle ne voulait pas que le pistolero qui fouillait ses biens sache qu'elle était réveillée. Elle ne se souvenait que trop bien de la vitesse à laquelle il pouvait dégainer et faire feu.

Elle entendit un léger bruit quand l'homme retira sa main de la sacoche. Les perles brillèrent comme des gouttes argentées dans la lumière pâle du petit matin.

La vue des bijoux étalés sur les longs doigts de l'homme intrigua Eve. Le contraste entre la douceur et la pâleur, le bronzage et la puissance… Cela provoqua une cascade de sensations de sa poitrine jusqu'à son ventre. Quand il laissa le collier glisser entre ses doigts comme s'il savourait les courbes et la texture des perles, une autre sensation la traversa.

Des rafales soupiraient à travers le campement dissimulé, agitant les pins et murmurant entre eux. Entre les troncs agités, la lumière du soleil disparaissait et revenait, cachant et révélant les traits de l'étranger.

Eve essaya de ne pas le fixer, mais elle découvrit que c'était impossible. Elle se rappela qu'elle avait vu des hommes plus attirants, des hommes aux traits parfaits, des hommes aux yeux doux et aux bouches toujours prêtes à sourire. Il n'y avait aucune raison pour que cet étranger au regard dur l'attire tant. Et il n'y avait certainement aucune raison pour qu'il hante ses rêves.

Pourtant, il l'avait fait. Sans le jeu de cartes dangereux pour la distraire, elle était encore plus curieuse à son propos qu'elle l'avait été quand il s'était d'abord assis à la table et avait pris ses cartes.

Reno fit couler de nouveau les perles à travers ses doigts avant de les glisser dans un sac en peau de faon qu'il mit dans sa poche de veste.

Ensuite, ses doigts enfouis dans la sacoche rencontrèrent un morceau de cuir doux enveloppant un objet et attaché avec une lanière de cuir usée. Curieux, Reno sortit le paquet et le développa. Deux minces baguettes de sourcier en métal dotées d'une encoche à leurs extrémités acérées tombèrent dans sa paume avec un son légèrement musical.

Merde, songea-t-il. *Des baguettes de sourcier espagnoles. Je me demande si elle est assez douée pour pouvoir s'en servir.*

D'un air pensif, Reno emballa de nouveau les baguettes acérées et les remit dans la sacoche.

Puis ses doigts se refermèrent sur le cuir sec et usé du journal. Il l'ouvrit, parcourut rapidement quelques pages pour s'assurer que c'était le bon et le transféra dans ses propres sacoches de selle.

Le reste de ce que contenait la sacoche de la fille rendit Reno vraiment mal à l'aise quant au fait de reprendre ses gains à la jolie petite tricheuse. Tout ce qu'elle possédait, c'était une veste de garçon, la robe pourpre, une autre robe faite de sacs de farine et une chemise blanche et des pantalons noirs froissés de garçon. Il ne voyait pas l'anneau d'or ni la poignée de pièces qu'elle avait ramassées avec l'anneau.

De toute évidence, la chance de la jeune femme l'avait quittée. Toutefois...

– Si vous n'arrêtez pas de glisser vos doigts vers ce fusil, dit Reno sans lever les yeux, je vais vous sortir de ce sac et vous enseigner les bonnes manières.

Eve se figea, hébétée. Jusqu'à cet instant, elle aurait juré qu'il ne savait même pas qu'elle était réveillée.

– Qui êtes-vous ? demanda-t-elle.

– Matt Moran, répondit-il en remettant les vêtements dans la sacoche. Mais la plupart des gens m'appellent Reno.

Eve écarquilla les yeux. Elle avait déjà entendu parler de l'homme du nom de Reno. C'était un pistolero, mais il ne cherchait jamais la bagarre et ne louait jamais ses talents mortels. Il faisait simplement ses affaires dans la région sauvage, à la recherche de gravier aurifère pendant les étés en haute montagne et d'or espagnol pendant l'hiver dans le désert rouge.

L'espace de quelques moments, Eve songea à se précipiter dans les buissons et à se cacher jusqu'à ce que Reno abandonne et s'éloigne sur son cheval. Elle laissa tomber l'idée presque aussitôt.

L'aura de grâce nonchalante de Reno ne la bernait plus. Elle l'avait vu en action dans le saloon, ses mains tellement rapides qu'elle n'avait pu les suivre des yeux. Les Lyon avaient souvent louangé Eve pour ses doigts rapides, mais elle n'avait aucun doute sur le fait que cet homme était plus vif qu'elle. Elle ne ferait pas trois pas hors de son tapis de couchage avant qu'il l'attrape.

– Vous ne voulez pas me dire où se trouve mon anneau, je suppose ? demanda Reno après quelques instants.

— *Votre* anneau ? demanda Eve d'un ton indigné. Il appartenait à Don et à Donna Lyon !

— Jusqu'à ce que vous le voliez et le perdiez aux mains de Raleigh King. Et je le lui ai gagné, dit Reno en lui lançant un regard de ses yeux semblables à de la glace verte. Alors, c'est devenu mon anneau.

— Je ne l'ai pas volé !

Reno éclata d'un rire chaleureux.

— Évidemment, *gata*[2], dit-il d'une voix ironique. Vous ne l'avez pas volé. Vous l'avez seulement gagné dans une partie de cartes, n'est-ce pas ? Ce n'était pas vous qui les distribuiez par hasard ?

La colère s'empara d'Eve, chassant les étranges sensations qui la dérangeaient depuis qu'elle avait vu les perles délicates qu'avaient tenues si doucement les mains de Reno. Avec cet élan de colère, elle oublia sa prudence. Sa main glissa de nouveau vers le fusil qui gisait tout près d'elle hors des couvertures.

— En réalité, dit-elle d'une voix sèche, l'anneau a été pris à la pointe d'un fusil sur un homme mourant.

Reno lui adressa un regard dégoûté et recommença à fouiller dans la sacoche.

— Si vous ne me croyez pas… commença-t-elle.

— Oh, je vous crois, l'interrompit-il. Seulement, je ne pensais pas que vous seriez si fière de l'avoir volé ouvertement.

— Ce n'était pas moi qui tenais le fusil !

— Vous aviez un partenaire, n'est-ce pas ?

— Bon sang, pourquoi vous ne m'écoutez pas ? demanda-t-elle, furieuse que Reno croie qu'elle était une voleuse.

2 N.d.T.: « Chatte » en français.

— Je vous écoute, mais je n'entends rien qui me semble crédible.

— Essayez de vous taire un peu. Ce que vous auriez l'occasion d'apprendre la bouche fermée pourrait vous étonner.

Un coin de la bouche de Reno se souleva légèrement, mais ce fut le seul indice indiquant qu'il l'avait entendue. Presque distraitement, il continua à fouiller la sacoche à la recherche de l'anneau.

La sensation froide et incontournable qu'il ressentit quand il toucha une pièce d'argent capta de nouveau toute son attention.

— Je ne pensais pas que vous aviez eu le temps de dépenser quoi que ce soit, dit-il d'un ton satisfait. Le vieux Jericho n'a pas laissé l'herbe pousser sous ses pieds avant qu'il…

Il s'interrompit brusquement tandis qu'il écartait la sacoche de selle et s'élançait à toute vitesse pour arracher le fusil des mains d'Eve.

Elle se rendit soudainement compte qu'elle venait d'être brusquement tirée de sous les couvertures et qu'elle pendait comme un sac de farine au bout des bras puissants de Reno. Un élan de peur la traversa. Sans réfléchir, elle frappa durement du genou l'entrejambes de Reno comme le lui avait appris Donna.

Reno bloqua le coup avant qu'il puisse faire un quelconque dommage. Quand Eve s'attaqua à ses yeux, il enfouit son visage contre sa gorge et se laissa tomber par terre avec elle.

Avant qu'elle sache ce qui s'était produit, elle était étendue sur le dos, incapable de lutter, incapable de se défendre, incapable de bouger sauf pour prendre de petites respirations. Le grand corps de Reno couvrait entièrement le sien, chassant l'air de ses poumons et l'idée de se battre de son esprit. L'épaisseur du tapis de couchage parvenait à peine à atténuer la dureté du sol sous elle.

— Lâchez-moi, dit-elle dans un souffle.

— Est-ce que j'ai l'air d'un idiot ? demanda-t-il sèchement. Dieu seul sait quels autres petits trucs vicieux votre mère vous a enseignés.

— Ma mère est morte avant même que je connaisse son visage.

— Ouais, dit Reno sans être le moindrement ému. Je suppose que vous êtes une pauvre petite orpheline dont personne ne prend soin.

Eve serra les dents et essaya de modérer sa colère.

— En fait, c'est exactement ce que je suis.

— Pauvre petite *gata*, dit froidement Reno. Arrêtez de me raconter des histoires tristes. Sinon, je vais me mettre à pleurer.

— Je serais satisfaite de vous voir vous retirer de moi.

— Pourquoi ?

— Vous m'écrasez. Je ne peux même pas respirer.

— Vraiment ?

Reno regarda le beau visage rouge et furieux qui se trouvait à quelques centimètres du sien seulement.

— C'est curieux, répondit-il, vous n'avez aucun problème à déblatérer.

— Écoutez-moi, espèce de gros pistolero brutal, dit-elle d'un ton glacial avant de se corriger. Non, vous n'êtes pas un pistolero. Vous êtes un voleur qui gagne sa vie en dévalisant les gens trop faibles pour...

Reno lui coupa efficacement la parole en posant sa bouche sur la sienne. Pendant un instant, elle fut trop hébétée pour faire autre chose que rester étendue, le corps raide, sous son poids lourd et chaleureux. Puis elle sentit sa langue se glisser entre ses dents, et elle paniqua. Se tordant, frappant, essayant de l'écarter, elle lutta de toutes ses forces.

Reno rit sans relâcher la bouche d'Eve et se laissa délibérément glisser sur elle, la coinçant au sol de son poids beaucoup plus élevé absorbant ses coups sans arrêter le moins du monde la recherche sensuelle de sa langue dans la bouche d'Eve.

Le combat à la fois impétueux et inutile de la jeune femme ne fit que l'épuiser et l'essouffler. Pourtant, quand elle essaya de respirer, elle n'y parvint pas, car Reno était trop lourd pour lui laisser le moindre espace dont elle aurait eu besoin.

Le monde commença à devenir gris puis noir, disparaissant à toute vitesse.

Le petit son effrayé qu'elle émit quand elle se sentit perdre conscience fit ce à quoi elle n'était pas parvenue en se débattant. Reno releva sa tête et son corps juste assez pour lui permettre de respirer.

— C'est votre deuxième leçon, dit-il calmement quand les yeux hébétés d'Eve se concentrèrent de nouveau sur lui.

— Qu'est-ce que… ? Qu'est-ce que vous voulez dire ? demanda-t-elle dans un souffle.

— Je suis plus rapide que vous. C'était votre première leçon. Je suis plus fort que vous. C'était votre deuxième leçon. Et la troisième…

— Qu… quoi ?

Reno eut un sourire étrange, regarda les lèvres tremblantes d'Eve et dit d'une voix rauque :

— La troisième leçon était pour moi.

Il vit ses grands yeux confus et sourit de nouveau.

Cette fois, Eve comprit pourquoi son sourire lui paraissait étrange. Il était beaucoup trop doux pour appartenir à un homme comme Reno Moran.

— J'ai appris que votre goût était plus fort que le whisky et plus doux que le vin, dit-il simplement.

Avant qu'Eve puisse dire quoi que ce soit, il baissa la tête une fois de plus.

— Cette fois, rendez-la-moi, *gata.* Je l'aime chaude et profonde.

— Quoi ? demanda Eve en se demandant si elle avait perdu l'esprit.

— Votre langue, dit-il, la bouche ouverte. Servez-vous de cette petite langue vive et frottez-la sur la mienne.

Pendant un moment, Eve pensa qu'elle avait mal entendu.

Reno interpréta sa soudaine immobilité comme un acquiescement. Il abaissa la tête et émit un son rauque de plaisir tandis qu'il la goûtait de nouveau.

Le son qu'émit Eve en était un de pur étonnement devant la douce caresse. Pendant une fraction de seconde, elle se sentit comme une perle tenue délicatement dans une main puissante. Puis elle se souvint de l'endroit où elle était et de l'homme qu'était Reno, et elle se rappela tous les avertissements que Donna lui avait servis à propos de la nature des hommes et de ce qu'ils désiraient des femmes.

Elle écarta brusquement la tête, mais pas avant d'avoir senti la surface chaude de la langue de Reno se frottant contre la sienne.

— Non ! s'écria-t-elle, de nouveau effrayée.

Mais cette fois, c'était elle-même qu'elle craignait, car une faiblesse étrange s'était emparée d'elle sous le contact caressant de la langue de Reno.

Donna Lyon avait averti sa domestique engagée à propos de ce que les hommes voulaient des femmes, mais elle ne l'avait jamais prévenue à propos du fait que les femmes pouvaient vouloir la même chose des hommes.

— Pourquoi pas ? demanda calmement Reno. Vous aimez m'embrasser.

— Non.

— Vous mentez, *gata*. Je le sens.

— Vous êtes… un pistolero et un voleur.

— Vous avez à moitié raison. J'ai combattu avec mon pistolet. Mais pour ce qui est d'être un voleur, je ne prends que ce qui m'appartient de plein droit — les perles, l'anneau, le journal et la fille aux yeux dorés.

— Ce n'était pas une partie équitable, dit Eve d'un ton désespéré pendant que Reno se penchait une fois de plus sur elle.

— Ce n'est pas ma faute. Ce n'était pas moi qui passais les cartes.

Reno fit glisser lentement sa bouche sur celle d'Eve et entendit le petit cri de surprise franchir ses lèvres.

— Mais… commença-t-elle.

— Chut, dit Reno tandis qu'il mettait fin à ses protestations en lui mordant doucement la lèvre inférieure. Je vous ai gagnée, et je vais vous prendre.

— Non. S'il vous plaît, ne faites pas ça.

— Ne vous inquiétez pas, répondit Reno en relâchant la lèvre d'Eve. Je vais faire en sorte que vous aimiez ça.

— Lâchez-moi, insista Eve.

— C'est hors de question. Vous m'appartenez jusqu'à ce que j'en décide autrement.

Il sourit et embrassa la veine qui battait frénétiquement dans le cou de la jeune femme.

— Si vous êtes vraiment gentille, dit-il d'une voix grave, je vous laisserai partir après quelques nuits.

— S'il vous plaît, monsieur Moran, je n'avais pas l'intention de perdre le pari. C'est seulement que monsieur Slater me surveillait de trop près.

— Moi aussi.

Reno leva la tête et regarda Eve d'un air curieux.

— Vous m'avez distribué chaque carte à partir du dessous de la pile. Pourquoi ?

Eve parla rapidement en essayant de garder l'attention de Reno ailleurs que sur la chaleur sensuelle qui faisait briller ses yeux comme des pierres précieuses.

— Je connaissais Raleigh King et Jericho Slater, dit-elle, mais je ne vous connaissais pas.

— Alors, vous vous êtes arrangée pour me faire tuer pendant que vous vous sauviez avec la mise.

Eve ne put s'empêcher de rougir d'un air coupable.

— Je n'avais pas l'intention de faire en sorte que ça se termine de cette façon, dit-elle.

— Mais c'est presque arrivé, et vous n'avez absolument rien fait pour l'arrêter.

— J'ai tiré sur Steamer quand il s'apprêtait à vous abattre.

— Avec quoi ? demanda un Reno moqueur. Lui avez-vous jeté une pièce d'or ?

— Avec mon derringer. Je le garde dans la poche de ma jupe.

— Très pratique. Vous arrive-t-il souvent de devoir vous sauver de jeux de cartes en tirant ? demanda Reno.

— Non.

— Vous êtes une assez bonne tricheuse, n'est-ce pas ?

— Je ne triche pas ! Pas d'habitude, en tout cas. C'est seulement que je…

Elle s'interrompit.

Devant la difficulté qu'avait Eve à trouver les mots convenables pour expliquer de quelle façon elle était innocente quand tous deux savaient qu'elle ne l'était pas, Reno, amusé et sceptique, haussa un sourcil noir et attendit qu'elle poursuive.

— J'ai compris trop tard que Slater savait que je trichais, avoua-t-elle tristement. Je savais qu'il trichait, mais je n'arrivais pas à le surprendre en plein délit. Et j'ai perdu à votre profit alors que j'aurais dû rester dans la partie et le relancer.

— L'anneau d'émeraudes, dit Reno en opinant de la tête. Avec les cartes que vous avez jetées, vous auriez dû rester pour au moins un autre tour, mais vous ne l'avez pas fait. Alors, j'ai remporté la main parce que Slater n'a pas eu le temps de se donner le reste de son full.

Eve cligna des yeux, étonnée par la rapidité avec laquelle Reno avait tout compris.

— Êtes-vous un parieur ?

Il secoua la tête.

— Alors, comment saviez-vous ce que faisait Slater ? insista-t-elle.

— C'était simple. Quand il distribuait, il gagnait. Puis vous avez commencé à abandonner trop tôt, et j'ai commencé à remporter des mains que je n'aurais pas dû remporter.

— Votre mère n'a pas élevé des enfants stupides, n'est-ce pas ? marmonna Eve.

— Oh, je suis un des plus lents, répondit Reno d'un air nonchalant. Vous devriez voir mes frères plus âgés, surtout Rafe.

Eve battit des cils tandis qu'elle essayait d'imaginer qu'une autre personne puisse être plus rapide que Reno. En vain.

— Vous avez fini vos explications ? demanda poliment Reno.

— Quoi ?

— Ça.

Reno se pencha juste assez pour couvrir la bouche d'Eve avec la sienne. Quand il la sentit se raidir sous lui comme pour lutter encore, il s'appuya plus lourdement sur elle, lui rappelant la leçon qu'elle venait d'apprendre : quand il s'agissait d'un concours de force, elle n'avait aucune chance contre Reno Moran.

Eve essaya de se détendre en se demandant s'il la relâcherait en voyant qu'elle évitait de lutter.

Immédiatement la pression irrésistible de son corps se relâcha jusqu'à ce qu'elle ne devienne qu'un contact chaleureux, d'une sensualité dérangeante, qui la pressait des épaules jusqu'aux pieds.

— Maintenant, embrassez-moi, murmura Reno.

— Ensuite, vous me laisserez partir ?

— Ensuite, nous allons négocier encore.

— Et si je ne vous embrasse pas ?

— Alors, je vais prendre ce qui m'appartient et me foutre de ce que vous voulez.

— Vous ne feriez pas ça, murmura-t-elle d'une voix faible.

— Vous voulez parier ?

Eve scruta les yeux verts et froids si près des siens et comprit qu'elle n'aurait jamais dû laisser Reno Moran s'asseoir à sa table de poker.

Elle était très douée pour déchiffrer la plupart des gens, mais pas cet homme. En ce moment, elle ne pouvait dire s'il bluffait ou énonçait une simple vérité.

Le sage conseil de Don Lyon lui revint à l'esprit : «Si tu n'arrives pas à dire si un homme bluffe et si tu ne peux pas te permettre de perdre la mise, ferme ton jeu et attends une meilleure main.»

Chapitre 3

Les lèvres tremblantes, Eve leva la tête pour donner à Reno le baiser qu'il exigeait. Après avoir appliqué une brève pression de sa bouche contre la sienne, elle rabaissa la tête, son cœur battant à tout rompre.

— Vous appelez ça un baiser ? demanda Reno.

Elle acquiesça de la tête parce qu'elle était trop nerveuse pour parler.

— J'aurais dû deviner que vous tricheriez avec votre corps de la même façon que vous avez triché aux cartes, dit-il d'un air dégoûté.

— Je vous ai embrassé !

— À la façon dont une vierge effrayée embrasse son premier garçon. Eh bien, vous n'êtes pas vierge, et je ne suis pas un garçon de la campagne aux yeux écarquillés.

— Mais je suis… je suis… bégaya-t-elle.

Reno poussa un juron à voix basse puis ajouta d'une voix sèche :

— Laissez tomber la scène de la fille timide devant un puceau. Les hommes de mon âge savent tout ce qu'il faut savoir à propos des manigances des femmes, et tout ce que nous savons, nous l'avons appris à la dure.

– Alors, vous n'en avez pas suffisamment appris. Je ne suis pas ce que vous croyez.

– Moi non plus, rétorqua-t-il. Je n'ai pas été berné par ce regard innocent depuis que je l'étais moi-même. C'était il y a très longtemps.

Eve ouvrit la bouche pour affirmer davantage sa vertu, mais un simple regard sur le visage de Reno la convainquit qu'il avait déjà pris sa décision à ce propos. Il n'y avait rien de rassurant dans ses yeux verts et froids ou dans la moue sous sa moustache. Il croyait tout simplement qu'elle était une fille de saloon et une tricheuse.

Pis encore, elle ne pouvait vraiment le lui reprocher. Elle *avait* triché. Même si, au départ, elle n'avait pas eu l'intention de se servir de Reno dans son jeu mortel avec Slater et Raleigh, elle avait fini par risquer sa vie sans même le prévenir de ce qui était en jeu.

Pour ajouter l'insulte à l'injure, elle s'était enfuie avec la mise qu'elle aurait dû remettre à Reno. S'il avait survécu, c'était seulement grâce à son talent extraordinaire avec un pistolet. Elle n'avait même pas su qui il était, alors elle pouvait difficilement dire qu'elle était certaine qu'il pourrait se libérer du piège dans lequel il s'était fait prendre.

Un baiser semblait être une compensation convenable pour un homme dont elle avait failli causer la mort.

Elle releva la tête et posa ses lèvres sur celles de Reno. Cette fois, elle ne recula pas immédiatement, mais augmenta plutôt progressivement la pression du baiser, apprenant la douce résilience de ses lèvres dans un silence brisé seulement par les battements frénétiques de son cœur.

Quand Reno ne fit rien pour approfondir le baiser ou y mettre fin, elle hésita en se demandant ce qu'elle devait faire ensuite. Même si Reno ne l'avait pas crue, elle avait dit la vérité à propos de son innocence. Les quelques fois où elle n'avait pas été assez rapide pour éviter un baiser d'un cowboy, il n'y avait rien eu d'agréable dans ces étreintes. Ils l'avaient saisie, elle s'était débattue pour se libérer, et ça s'était terminé là. Si l'expérience avait comporté un quelconque plaisir sensuel, ça n'avait pas été le sien.

Mais Reno ne l'agrippait pas, et elle avait accepté ce baiser. Elle ignorait simplement quoi faire ensuite. Ce constat la rendait presque aussi perplexe que le fait de découvrir qu'embrasser Reno la touchait d'une manière totalement inattendue.

Elle aimait ça.

– Reno ?

– Continuez. Je vais finir par avoir de vous un vrai baiser.

En hésitant, Eve passa les mains autour du cou de Reno, car elle devenait fatiguée, à force de se tenir à moitié dressée. Au début, elle fut réticente à confier son poids à la force de cet homme, mais la tentation était trop grande pour qu'elle y résiste pendant longtemps. Petit à petit, la pression de ses bras autour du cou de Reno augmenta pendant qu'elle le laissait supporter davantage de son poids.

– C'est mieux, fit Reno d'une voix profonde.

Ses lèvres étaient très proches de celles d'Eve. La chaleur de sa respiration provoqua en elle une poussée de sensations des plus agréables. Pendant un instant, elle retint son souffle, puis elle se mit à respirer rapidement. Elle arqua son corps pour coller sa bouche contre celle de Reno.

Le premier contact de ses lèvres lui était déjà familier, tout comme le frisson de plaisir qui la submergea quand leurs bouches s'unirent. Le frottement soyeux de sa moustache sur la lèvre supérieure représentait aussi un plaisir qu'elle avait déjà connu, mais chaque fois qu'elle l'éprouvait, l'intensité de la sensation augmentait tandis que son souffle se faisait encore plus rapide.

— Je ne l'aurais pas deviné, murmura-t-elle.

Elle était si proche que chaque mot provoquait un frottement sur la bouche de Reno. C'était la même chose quand il lui parlait : chaque mot était une caresse.

— Qu'est-ce que vous n'auriez pas deviné ? demanda-t-il.

— Je ne savais pas que votre moustache me semblerait comme une brosse de soie.

Eve s'interrogea sur le frisson qui traversa Reno, mais elle n'eut pas le temps d'y réfléchir parce que ses bras se glissèrent autour d'elle. Elle se raidit, s'attendant à être agrippée et tenue contre le sol encore une fois.

Mais Reno ne fit aucun autre geste pour la forcer. Il la tint simplement de façon à ce qu'elle n'ait pas à faire d'efforts pour rester pressée contre lui. Elle se détendit lentement, laissant ses bras la soutenir.

— J'attends toujours mon baiser, dit Reno.

— Je pense vous avoir embrassé plus d'une fois.

— Et je pense que vous ne m'avez pas embrassé du tout.

— Alors, qu'est-ce que je viens de faire ?

— M'allumer, dit-il sans ménagement. Assez bien, mais ce n'est pas ce que j'avais à l'esprit, et vous le savez aussi bien que moi.

— Non. Je ne lis pas dans les esprits, rétorqua-t-elle, irritée qu'il n'ait pas été aussi perturbé qu'elle par le lent baiser.

— Je sais ce que vous êtes. Vous êtes une fille de saloon aux mains rapides qui m'a promis la seule chose qu'elle ne peut livrer : un honnête baiser.

Elle ouvrit la bouche pour lui demander ce que devait être à son avis un honnête baiser, puis elle se souvint de ce qu'il avait dit à propos de la manière d'embrasser : « Servez-vous de cette petite langue vive et frottez-la sur la mienne. »

Avant de perdre courage, elle posa ses lèvres sur la bouche ouverte de Reno et toucha sa langue avec la sienne. La texture veloutée l'intrigua. En hésitant, elle fit courir le bout de sa langue sur la sienne encore une fois, le faisant glisser sur la courbe de sa bouche. Au cours de son exploration, elle découvrit à quel point le dessous de la langue de Reno était lisse et soyeux.

Elle ne remarqua pas le serrement progressif des bras de Reno ni l'accélération de son souffle. Elle ne remarqua pas non plus qu'à chaque battement de cœur accéléré, elle était attirée de plus en plus profondément dans ce baiser. Tout ce qu'elle savait, c'était que le goût et la chaleur de Reno étaient plus enivrants que le brandy français qu'adoraient Don et Donna.

Eve ne s'interrogea pas sur l'impatience croissante qu'elle éprouvait. Elle resserra simplement ses bras autour du cou de Reno en essayant de se rapprocher encore davantage de lui, cherchant une fusion plus complète de leurs bouches.

Soudain, elle se sentit durement pressée contre le sol. Elle était de nouveau sur le dos, et Reno recouvrait son corps comme une chaude et lourde couverture.

Cette fois, elle ne protesta pas, car cette position la rapprochait encore davantage de Reno. Ses doigts se glissèrent dans ses cheveux en faisant tomber son chapeau noir. Elle passa encore et encore ses doigts dans sa chevelure en appréciant l'épaisseur, la texture et la chaleur.

Reno modifia sa position et s'étira contre elle comme un grand félin, lui faisant savoir silencieusement qu'il aimait la sensation de ses ongles contre son crâne, son cou, les muscles tendus de son dos. Il aimait ce qu'elle goûtait aussi, de même que sa douceur et sa chaleur, qui se faisaient de plus en plus intenses.

Il enfouit plus profondément sa langue dans la bouche d'Eve tandis que son poids s'installait entre ses cuisses, les séparant jusqu'à ce qu'il puisse presser la douleur de son excitation dans le nid douillet qui était fait pour le recevoir. Il sentit l'onde sensuelle qui traversa le corps d'Eve à ce contact et faillit grogner quand elle réagit en se cabrant violemment.

Il n'avait pas eu l'intention de devenir si excité, et il n'avait certainement pas voulu lui montrer à quel point il la désirait.

Mais il était trop tard, maintenant. Elle saurait exactement ce que signifiait cette chair rigide contre elle, et elle saurait exactement comment s'en servir contre lui pour obtenir ce qu'elle voulait. Il ne restait plus dans ce jeu qu'à voir jusqu'où elle le laisserait aller avant d'essayer de l'arrêter.

Et ce qu'elle lui offrirait pour l'inciter à s'arrêter.

Reno bougea de nouveau les hanches puis se pressa plus intimement contre le corps consentant d'Eve. Une douce passion s'épanouit au creux de son ventre et la fit gémir. Instinctivement, ses bras se serrèrent autour de lui, cherchant à le garder contre elle. Elle fut récompensée par un mouvement sinueux de ses hanches quand son corps recula puis revint sur le sien dans la même cadence primitive que sa langue qui bougeait dans sa bouche.

Ses longs doigts glissèrent des épaules d'Eve à la camisole et au singulier sous-vêtement de dentelle qu'elle avait gardé pour dormir. Il la caressa des côtes jusqu'à la hanche puis remonta de nouveau sans s'arrêter jusqu'à ce qu'un sein remplisse sa main. Son pouce bougea et découvrit la dureté veloutée de son mamelon, qu'il explora avec une pression sensuelle en le tordant.

Le plaisir la traversa comme une lance, la prenant complètement par surprise. D'instinct, elle arqua les reins, augmentant la douce pression de sa main, se tordant contre lui comme une chatte.

Avec un son rauque de triomphe, Reno augmenta la caresse. Il fit rouler le mamelon d'Eve entre ses doigts, s'abreuvant des petits geignements qui jaillissaient de sa bouche. Quand il ne put plus résister à la tentation, il retira ses lèvres des siennes et dessina un sillon de feu le long de son cou et de son sein, cherchant la baie sauvage qui avait complètement mûri sous sa caresse.

La chaleur liquide de la bouche de Reno qui traversait la mince camisole jusqu'à la chair nue dessous lui fit soudain retrouver la raison. Hébétée, ne sachant trop ce qui arrivait, elle lutta pour respirer et ne réussit qu'à l'inciter à prendre de nouveau son mamelon puis à incendier son corps tout entier.

Les mains de Reno bougèrent de nouveau, et les dentelles s'écartèrent, menaçant de la dénuder d'une manière intime qu'elle n'avait jamais connue avec aucun homme auparavant.

— Non! s'exclama-t-elle.

Avant qu'elle puisse ajouter quoi que ce soit, la bouche de Reno se retrouva sur la sienne, et sa langue s'enfonça profondément dans sa bouche. Elle ne pouvait plus parler. Le frottement impatient de sa langue contre la sienne fit encore une fois s'éloigner le monde d'elle, ne laissant comme une ancre que la chaleur et la force de Reno.

Avant qu'il relève de nouveau la tête, elle s'agrippa à lui, sa protestation instinctive noyée sous le plaisir grisant qu'il lui donnait.

Reno retira la camisole d'Eve d'un mouvement leste de son bras, révélant les courbes nacrées et les extrémités rigides de ses seins, puis son souffle se transforma en un son de désir. Eve absorba la chaleur de sa bouche, et chaque inspiration rapide qu'elle prenait faisait frémir ses seins de manière invitante. Elle avait paru si mince, si jeune, qu'il ne s'était pas attendu à ce que son corps soit à ce point féminin.

Sans en avoir vraiment l'intention, Reno se pencha encore sur elle.

— Reno, ne… je…

Eve émit un son à la fois de peur et de passion tandis qu'il ignorait ses petites protestations. Lentement, ses mains glissèrent sous son dos. Puis ses bras se serrèrent, et elle se retrouva tendue comme un arc un instant avant qu'il ouvre ses lèvres et commence à sucer et à taquiner les mamelons qu'il avait excités.

Elle émit un petit gémissement, puis elle frissonna pendant que son corps se pressait encore davantage contre la bouche affamée de Reno.

— Qu'est-ce que vous me faites ? demanda-t-elle d'une voix saccadée.

Pour seule réponse, il tourna la tête et attira son autre mamelon dans le paradis sensuel et inattendu de sa bouche.

La sensation de plaisir fut encore plus violente cette fois. Elle fit jaillir d'elle un autre cri tandis que son corps se cabrait pour satisfaire aux exigences de l'homme qui la tenait avec un soin si féroce.

Puis elle sentit la main de Reno entre ses jambes.

La peur s'empara d'elle, écartant tout plaisir, éteignant le feu de sa passion avec la certitude glaciale que Reno n'allait pas s'arrêter avant de la posséder.

– C'est assez ! fit-elle d'une voix désespérée tout en essayant de s'écarter. Non ! Arrêtez. Vous avez demandé un baiser, et je vous ai embrassé exactement de la façon dont vous le souhaitiez, n'est-ce pas ? J'ai respecté ma part du contrat. S'il vous plaît, arrêtez. Reno, *s'il vous plaît.*

Lentement et avec une grande réticence, Reno leva la tête. Quand il retira sensuellement sa bouche de son mamelon, elle éprouva malgré elle un élan de désir.

Il ferma les yeux et serra les dents pour éviter de gémir. La main qu'il avait pressée entre ses jambes baignait dans un type de passion qu'il n'avait jamais si rapidement provoqué chez une femme. Il plia les doigts, savourant la chaleur passionnée d'Eve, faisant jaillir de ses lèvres rougies un cri qui n'était pas uniquement suscité par la peur.

– Pourquoi devrais-je arrêter maintenant, *gata* ? demanda-t-il d'une voix rauque tout en la regardant. Vous le voulez pratiquement autant que moi.

Sa main bougea de nouveau, et Eve cria encore, car son sous-vêtement ne comportait pas de couture centrale. Il n'y avait même pas la frêle barrière de coton pour atténuer la sensation de sa main courbée de manière possessive sur elle.

Eve agrippa le poignet de Reno en essayant de retirer sa main d'entre ses jambes, mais il était beaucoup plus fort qu'elle.

— Vous avez dit que vous arrêteriez si je vous donnais un honnête baiser, dit-elle d'une voix essoufflée. Ce n'était pas un honnête baiser ?

Son ton désespéré était indéniable, tout comme la rigidité soudaine de son corps et ses ongles enfoncés dans le poignet de Reno.

Malgré cela, elle représentait en même temps un feu qui entourait Reno, l'attirant et le brûlant à chaque instant sensuel.

— Si ce baiser avait été « honnête », je me trouverais profondément en vous à l'heure qu'il est, vous vous serviriez de ces petites griffes acérées sur moi d'une manière différente, et nous jouirions tous deux de chaque instant, dit platement Reno.

— Est-ce la seule honnêteté que vous connaissiez ? demanda Eve. Une fille qui se donne à chaque homme qui la désire ?

— *Vous me* désiriez.

— Mais plus maintenant ! Est-ce que vous trahissez votre parole, pistolero ?

Reno prit une profonde inspiration et se traita de tous les noms pour avoir désiré la petite tricheuse professionnelle du Gold Dust Saloon. Il croyait avoir été excité par la spécialiste mondiale, une certaine Savannah Marie Carrington. Elle l'avait pris dans une série de pièges sexuels et avait tiré de lui des promesses avant même de lui laisser embrasser sa main.

Mais chaque fois que la promesse qu'elle voulait réellement — une vie bien établie en Virginie-Occidentale — ne se réalisait pas, elle avait calmement reboutonné son corsage et l'avait quitté. Ça n'avait pas été facile pour Reno de tenir en laisse sa passion puis de la relâcher. Pas au début. Mais il avait appris. Savannah Marie avait été une bonne enseignante.

— Je ne vous ai pas promis d'arrêter, dit froidement Reno. J'ai seulement dit que nous négocierions après un baiser. Offrez-moi quelque chose, *gata.* Offrez-moi quelque chose d'aussi intéressant que ça.

Il bougea sa main encore une fois et la pressa contre Eve en la caressant. Elle essaya de nouveau de l'écarter.

— La mine, dit-elle. La mine d'or des Lyon.

— Le trésor espagnol ?

— Oui !

Reno secoua les épaules et se pencha de nouveau sur elle.

— J'ai déjà gagné ça, vous vous en souvenez ? demanda-t-il.

— Vous avez seulement le journal. Il ne vous sert à rien sans les symboles, fit-elle rapidement.

Il s'arrêta puis la regarda à travers ses yeux plissés. Elle avait peut-être été impatiente de recevoir ses baisers plus tôt, mais maintenant, elle était seulement impatiente de se libérer de son contact.

Il retira brusquement sa main. Il n'allait certainement pas se laisser aller à désirer une fille plus qu'elle le désirait.

C'était là une erreur qu'un homme intelligent ne faisait jamais plus d'une fois.

— Quels symboles ? demanda-t-il d'un air sceptique.

— Ceux que l'ancêtre de Don Lyon a sculptés le long de la piste pour indiquer les culs-de-sac, les dangers, l'or et toutes les autres choses qui pourraient aider à trouver l'endroit.

Lentement, Reno s'écarta en lui laissant davantage d'espace. Mais il faisait attention de ne pas trop s'éloigner d'elle. Il l'avait vue en action. Elle avait une prestance surprenante, aussi rapide qu'une chatte.

— D'accord, *gata*. Parlez-moi de l'or espagnol.

— Je m'appelle Eve, et non « chatte », fit-elle.

Elle saisit la camisole que Reno avait repoussée et la ramena sur elle.

— Eve, hein ? J'ignore pourquoi, mais je ne suis pas surpris. Eh bien, je ne m'appelle pas Adam, alors n'essayez plus de me proposer des pommes.

— Dommage pour vous, marmonna-t-elle. On m'a dit que ma tarte aux pommes était la meilleure qu'on pouvait trouver à l'ouest du Mississippi, au nord de la ligne Mason-Dixon[3] et peut-être au sud aussi.

Elle s'empressa de boutonner sa camisole avec des doigts inhabituellement maladroits. Elle savait qu'elle l'avait échappé belle.

Et elle était reconnaissante du fait que les pistoleros respectaient leur parole.

— Je m'intéresse plus à l'or qu'à la tarte aux pommes, répliqua Reno. Vous vous en souvenez ?

---

3. N.d.T.: Ligne de démarcation entre les États abolitionnistes du Nord et les États esclavagistes du Sud après la Guerre d'indépendance.

Il caressa la cuisse d'Eve en un geste qui était à la fois une caresse et une menace.

– Don Lyon était le descendant d'aristocrates espagnols, dit rapidement Eve.

Puis son regard passa de la main de Reno à ses yeux, lui rappelant clairement leur marché. Lentement, il retira sa main.

– Un de ses ancêtres avait un permis du roi pour prospecter des métaux au Nouveau-Mexique, dit-elle. Un autre de ses ancêtres était un officier chargé de garder une mine d'or qu'exploitait un prêtre jésuite.

– Un prêtre jésuite et non un religieux franciscain?

– En effet. C'était avant que le roi d'Espagne chasse les jésuites du Nouveau Monde.

– C'était il y a très longtemps.

– La première inscription au journal date des années 50 ou 80, dit Eve. C'est difficile à dire. L'encre a pâli, et la page est déchirée.

Quand Eve se tut pendant un moment, la main de Reno se posa sur son ventre. Il écarta largement les doigts, couvrant presque l'espace entre ses hanches.

Elle retint brusquement son souffle. C'était comme s'il mesurait l'espace nécessaire pour permettre à un bébé de grandir.

– Continuez, dit Reno.

Il savait que sa voix était trop profonde, trop rauque, mais il n'y avait rien qu'il puisse y faire. Il ne pouvait pas non plus maîtriser son désir ardent, même s'il savait très bien qu'il était idiot de désirer la fille de saloon calculatrice.

La chaleur émanant de son corps était comme une drogue qui s'infiltrait à travers sa peau et était absorbée par son sang, faisant en sorte qu'il lui était chaque seconde plus difficile de se souvenir qu'elle n'était qu'une fille de plus qui essayait d'obtenir ce qu'elle voulait en se servant de son corps comme appât.

Puis il se rendit compte qu'elle venait de dire autre chose. Il leva la tête et vit qu'elle le regardait de ses yeux félins.

– Vous trahissez si vite votre parole ? demanda-t-elle.

Reno retira sa main d'un air furieux.

– Je crois que ça doit être 1580.

– Plutôt 1867, rétorqua Reno.

– Quoi ?

Sans répondre, Reno regarda le fragile tissu de la camisole qui ne servait qu'à mettre en valeur plutôt qu'à cacher les seins d'Eve.

– Reno ?

Quand il releva la tête, Eve eut peur d'avoir perdu au jeu dangereux qu'elle jouait. Les yeux de Reno étaient d'un vert pâle, et ils brûlaient de désir.

– On est en 1867, dit-il. C'est l'été, nous sommes sur le versant est des Rocheuses, et j'essaie de décider si je veux entendre davantage vos contes de fées à propos d'or espagnol avant de prendre ce que j'ai gagné aux cartes.

– Ce n'est pas un conte de fées ! Tout ça se trouve dans le journal. Il y avait un capitaine Leon et quelqu'un du nom de Sosa.

– Sosa ?

– Oui, dit rapidement Eve. Gaspar de Sosa. Et un prêtre jésuite. Et une poignée de soldats.

Elle le regarda d'un air inquiet à travers ses épais cils bruns en priant pour qu'il la croie.

— J'écoute, dit-il. N'allez pas croire que je le fais patiemment, mais j'écoute.

Ce que Reno ne disait pas, c'est qu'il écoutait très attentivement. Il avait plus d'une fois essayé de retracer la piste des expéditions d'Espejo et de Sosa. Les deux expéditions avaient trouvé des mines d'or et d'argent qui avaient produit d'immenses richesses.

Et toutes leurs mines avaient été « perdues » avant que leurs richesses soient épuisées.

— Sosa et Leon avaient reçu la permission de trouver et d'exploiter des mines pour le roi, dit Eve en fronçant les sourcils pendant qu'elle essayait de se souvenir de tout ce qu'elle avait appris des Lyon et du vieux journal. L'expédition est montée vers le nord, jusqu'au territoire des Utahs.

— Aujourd'hui, nous les appelons les Utes, fit Reno.

— Sosa a suivi Espejo, celui qui a nommé le territoire du Nouveau-Mexique, fit-elle d'une voix pressée. Et celui qui a nommé les routes menant de toutes les mines jusqu'au Mexique et à la vieille piste espagnole.

— C'est gentil de leur part d'avoir écrit en anglais pour que vous puissiez comprendre tout ça, dit Reno d'un ton ironique.

— Que voulez-vous dire ? demanda Eve en lui jetant un bref regard. Ils écrivaient en espagnol. Un drôle d'espagnol, très difficile à déchiffrer.

Reno releva brusquement la tête. Les paroles d'Eve, plutôt que son corps, avaient finalement capté toute son attention.

— Vous pouvez lire les vieilles écritures espagnoles ? demanda-t-il.

— Don me l'a appris avant que sa vue diminue au point qu'il ne puisse plus lire les mots. Je les lui lisais, et il essayait de se souvenir de ce que son père et son grand-père avaient dit à propos de ces passages.

— Des histoires de famille, des contes de fées. Même chose.

Eve ignora l'interruption.

— Puis j'écrivais dans les marges du journal ce dont il se souvenait.

— Il ne pouvait pas écrire ?

— Pas durant les dernières années. Ses mains étaient trop noueuses.

Inconsciemment, Eve entrelaça ses propres doigts minces en se rappelant la douleur qu'éprouvait le vieux couple lorsqu'il faisait froid. Les mains de Donna étaient à peine mieux que celles de son mari.

— Je suppose qu'ils ont passé trop d'hivers dans les campements près des mines d'or où il y avait plus de whisky que de bois de chauffage, dit-elle d'une voix rauque.

— D'accord, Eve Lyon. Poursuivez.

— Je ne m'appelle pas Lyon. C'étaient mes employeurs, et non des membres de ma famille.

Reno avait perçu le changement dans la voix d'Eve et la tension subtile de son corps. Il se demanda si elle mentait.

— Vos employeurs ?

— Ils…

Eve détourna les yeux.

Reno attendit.

— Ils m'ont achetée sur un train d'orphelins à Denver il y a cinq ans, dit-elle à voix basse.

Au moment même où Reno ouvrait la bouche pour faire une remarque sarcastique sur l'inutilité de l'attendrir avec des histoires tristes, il se rendit compte qu'il était fort possible qu'elle dise la vérité. Les Lyon pouvaient effectivement l'avoir achetée sur un train d'orphelins comme si elle était une épaule de porc.

Ça n'aura pas été la première fois qu'une telle chose se produisait. Reno avait entendu des tas d'autres histoires du genre. Certains orphelins trouvaient de bons foyers, mais la plupart n'avaient pas cette chance. Les colons ou les gens de la ville qui n'étaient pas assez riches pour embaucher des serviteurs, mais qui avaient suffisamment de denrées alimentaires pour nourrir une autre bouche, les faisaient trimer dur.

Il opina lentement de la tête.

— C'est plausible. Je parie que leurs mains étaient devenues douloureuses.

— Ils pouvaient à peine les bouger et encore moins mélanger des cartes. Surtout Don.

— C'étaient des tricheurs professionnels ?

Eve ferma les yeux pendant un instant en se souvenant de la honte et de la peur qu'elle avait éprouvées la première fois où on l'avait surprise à tricher. Elle avait 14 ans, et elle était si nerveuse que les cartes s'étaient éparpillées partout quand elle les avait mélangées. En les ramassant, un des hommes avait remarqué une légère rugosité sur les as, les rois et les reines.

— C'étaient des parieurs, dit Eve d'une voix atone.

— Des tricheurs.

Elle battit des paupières.

– Parfois.

– Quand ils croyaient pouvoir s'en tirer, dit Reno sans se préoccuper de dissimuler son dédain.

– Non, dit doucement Eve. Seulement quand ils le devaient. La plupart du temps, les autres joueurs étaient trop soûls pour remarquer les cartes qu'ils avaient en main et encore moins ce qu'ils leur distribuaient.

– Alors, le gentil couple âgé vous a enseigné à tricher aux cartes, dit Reno.

– Ils m'ont aussi appris à parler et à lire l'espagnol. Ils m'ont montré comment monter n'importe quel cheval, comment cuisiner, comment coudre…

– Et comment tricher aux cartes, termina-t-il. Je parierais qu'ils vous ont enseigné un tas d'autres choses aussi. Combien exigeaient-ils pour quelques heures avec vous ?

Rien dans la voix de Reno ne trahissait la colère qui lui nouait l'estomac à la pensée du magnifique corps d'Eve acheté par n'importe quel étranger ayant une poignée de monnaie et beaucoup d'excitation dans ses jeans.

– Quoi ? demanda Eve.

– Combien vos « employeurs » demandaient-ils à un homme pour qu'il se glisse sous votre jupe ?

Pendant un instant, Eve fut trop hébétée pour parler.

Sa main jaillit si rapidement que seuls quelques hommes auraient pu éviter la gifle.

Reno était un de ceux-là, mais de justesse. Une fraction de seconde avant que la paume d'Eve entre en contact avec sa joue, il attrapa son poignet et la renversa sur le tapis de couchage sous lui d'un même geste violent.

– N'essayez plus jamais ça, fit-il d'un ton dur. Je sais tout à propos des petites dévergondées aux grands yeux qui giflent un homme quand il laisse entendre qu'elles sont autre chose qu'une dame. La prochaine fois que vous lèverez la main sur moi, je ne jouerai pas au gentilhomme.

Eve émit un son qui aurait pu être un rire aussi bien qu'un sanglot.

– Un gentilhomme ? Vous ? Aucun gentilhomme ne s'imposerait à une dame !

– Mais vous n'êtes pas une dame, répondit Reno. Vous êtes une chose qui a été achetée sur un train d'orphelins et vendue chaque fois qu'un homme était assez intéressé pour verser un dollar.

– Aucun homme – *aucun* – n'a payé pour obtenir quoi que ce soit de moi.

– Vous accordiez… vos faveurs gratuitement ? suggéra ironiquement Reno. Et les hommes étaient si reconnaissants qu'ils laissaient un petit présent sur la table de chevet, est-ce que c'est ça ?

– Aucun homme ne s'est glissé sous ma jupe en payant ou non, dit Eve d'un ton glacial.

Reno roula sur le côté en la libérant. Avant qu'elle puisse s'éloigner, sa main se posa entre ses cuisses, où une toison bronzée montait la garde devant le centre de sa sensualité.

– C'est faux, *gata*. Je me suis glissé sous votre jupe, et je suis un homme.

– Allez au diable, pistolero, répondit Eve en serrant les dents, sa voix stable malgré les larmes de honte et la rage dans ses yeux.

Reno ne vit que la rage. Il se dit alors qu'il serait sage de ne pas tourner le dos à sa petite fille de saloon avant qu'elle se soit calmée. Eve était rapide, très rapide, et en ce moment, elle semblait tout à fait capable de saisir le fusil et d'en vider sur lui les deux canons.

— Vous êtes assez enragée pour tuer ? demanda-t-il sur un ton sarcastique. Eh bien, ne vous en faites pas. Personne n'en est mort. Maintenant, parlez.

Eve le regardait d'un air furieux. Il haussa un sourcil noir.

— Si vous n'avez pas envie de parler, dit-il, je peux trouver autre chose à faire pour votre petite langue rapide.

4

– Sosa a trouvé de l'or, poursuivit Eve d'une voix tremblante de colère. Il a payé la part du roi et soudoyé les autres représentants, puis il a gardé pour lui la vérité à propos des mines.

Reno détourna les yeux des joues rouges et des lèvres pâles d'Eve, éprouvant quelque chose comme de la honte parce qu'il l'avait poussée si durement. Puis il se maudit parce qu'il éprouvait quelque chose pour la fille de saloon qui avait fait de son mieux pour le faire tuer pendant qu'elle volait tout ce qui se trouvait à sa portée et s'enfuyait en sécurité.

– Quelle était la vérité à propos des mines ? demanda-t-il d'une voix dure.

– Elles n'étaient pas toutes inscrites sur la liste des percepteurs d'impôts. Les mines d'argent et les mines de turquoise s'y trouvaient aussi, de même que deux des mines d'or. Mais pas la troisième. Celle-là, il en a gardé le secret.

– Continuez.

Même si Reno ne la regardait plus, Eve songea au fait qu'il paraissait vraiment intéressé pour la première fois.

Elle poussa un discret soupir de soulagement et continua de parler.

— Seul le fils aîné de Leon connaissait l'emplacement de la mine d'or secrète, et ensuite, le secret a été transmis au fils aîné de ce fils. Et les choses ont continué comme ça jusqu'à ce que le journal parvienne à Don Lyon au tournant du siècle, dit-elle. À cette époque, l'Espagne avait depuis longtemps quitté l'Ouest, le nom de Leon était devenu Lyon, et ils parlaient anglais plutôt qu'espagnol.

Attiré par les émotions fluctuantes dans la voix d'Eve, Reno se tourna vers elle.

— S'il existe une mine d'or dans la famille, pourquoi Don Lyon a-t-il gagné sa vie en trichant aux cartes ?

— Il y a une centaine d'années, ils ont perdu les mines, répondit simplement Eve.

— Une centaine d'années. C'était à l'époque où les jésuites ont été chassés ?

Eve acquiesça.

— La famille était étroitement liée aux jésuites, poursuivit-elle. Ses membres ont été avertis suffisamment à l'avance pour enterrer l'or qui avait été fondu, mais non expédié. Ils ont camouflé tous les signes indiquant l'emplacement de la mine et se sont enfuis vers l'est, à travers les montagnes. Ils ne se sont arrêtés de fuir qu'en atteignant les colonies anglaises.

— Est-ce qu'un quelconque Leon a déjà essayé de trouver l'or qu'ils avaient laissé derrière eux ? demanda Reno.

— L'arrière-grand-père de Don l'a fait, de même que son grand-père et son père. Ils ne sont jamais revenus.

Eve secoua les épaules.

— Don a toujours voulu trouver la mine d'or, mais n'a jamais voulu mourir pour elle.

— Un homme sage.

Elle sourit tristement.

— En un sens. Il était beaucoup trop gentil pour ce monde, toutefois.

— Un gentil tricheur ? demanda ironiquement Reno.

— Pourquoi croyez-vous qu'il trichait ? C'est seulement de cette façon qu'il avait la moindre chance contre des hommes comme vous.

— Un parieur qui est si mauvais aux cartes devrait changer de métier.

— Ce n'est pas ce que je voulais dire, répliqua Eve. Don était petit. Il n'avait pas la force de combattre avec ses poings, la rapidité pour le faire avec un pistolet ou la cupidité pour être un bon tricheur. C'était un homme gentil plutôt que fort. Mais il était bon pour Donna et moi, même si nous étions plus faibles que lui. C'est davantage que je puis dire des hommes grands que j'ai rencontrés !

Reno haussa un sourcil noir.

— Je suppose que si vous aviez triché *en ma faveur* plutôt que contre moi, je pourrais moi aussi me sentir plus gentil à votre égard.

Le sourire que lui adressa Eve était froid comme la neige contre la falaise.

— Vous ne comprenez pas, pistolero.

— Ne pariez pas là-dessus, fille de saloon.

Elle rejeta la tête en arrière, envoyant ses cheveux d'un blond profond s'étaler sur ses épaules.

— Je pensais que vous étiez différent de Raleigh King, mais vous ne l'êtes pas, dit-elle. Vous n'avez aucune idée de ce que c'est que de se frayer un chemin dans un monde plus fort, plus dur et plus cruel que vous pourriez jamais l'être.

— Vous ne vous mettrez pas dans mes bonnes grâces en me comparant aux gens comme Raleigh King.

— Je n'essaie pas de me mettre dans vos bonnes grâces.

— Vous feriez mieux de commencer.

Eve jeta un coup d'œil à Reno et ravala les paroles de colère qui lui venaient à l'esprit. Il n'y avait aucune gentillesse maintenant dans les yeux de Reno ou dans l'expression de sa bouche. Il était carrément en colère. Quand il parla de nouveau, sa voix était aussi froide et distante que ses yeux verts.

— Réjouissez-vous qu'il ait fallu tuer Raleigh, dit platement Reno. Si vous vous étiez arrangée pour que je tue un garçon innocent, j'aurais laissé Slater vous avoir. Vous n'auriez pas aimé ça. Il ne fait pas partie de ces hommes gentils que vous aimez tant.

— Il ne peut pas être pire que Raleigh King, répondit Eve d'un ton morne en se souvenant de la nuit où elle était revenue tard d'un des saloons de Canyon City et avait découvert ce que Raleigh avait fait aux Lyon. Personne ne pouvait être pire que lui.

— Slater a une réputation trop sordide auprès des femmes pour qu'il vaille la peine d'en parler — même à une fille de saloon qui triche aux cartes.

— Est-ce que Slater a déjà torturé un vieillard qui avait essayé de vendre un anneau d'or afin d'acheter des médicaments pour sa femme mourante ? demanda-t-elle. Est-ce que Slater a déjà soutiré la vérité à un vieillard en lui arrachant les ongles un à un pendant que sa femme regardait, impuissante ? Et après que l'homme soit mort, est-ce que Slater a déjà levé son couteau contre une vieille dame agonisante et…

Eve se tut, puis serra les poings et lutta pour se maîtriser.

— Que dites-vous ? demanda Reno d'une voix basse.

— Raleigh King a torturé Don Lyon à mort pendant qu'il lui soutirait la vérité à propos de l'endroit où étaient cachés l'anneau d'émeraudes et le journal contenant la carte au trésor. Donna a essayé d'arrêter Raleigh, mais la maladie débilitante l'avait laissée trop faible pour qu'il puisse même lever son derringer.

Reno plissa les yeux.

— Alors, c'est comme ça que Raleigh a su à propos de la carte.

Eve acquiesça.

— Quand Raleigh en a eu terminé avec Don, il s'est tourné vers Donna.

— Pourquoi ? Raleigh ne croyait-il pas que son mari avait dit la vérité ?

— Raleigh s'en fichait, dit Eve d'un ton amer. Il voulait seulement…

Sa phrase s'interrompit en un silence douloureux. Peu importe le nombre de fois où elle déglutissait, elle ne parvenait pas à décrire ce que Raleigh avait fait à Donna Lyon.

— Non, dit Reno.

Il posa doucement sa main sur les lèvres d'Eve pour sceller les paroles amères qu'elle essayait d'exprimer.

— Je pense après tout que Slater et lui allaient bien ensemble, dit-il doucement.

Eve agrippa la main de Reno, mais pas pour l'écarter.

— Dites-moi, fit-elle d'un ton insistant. Vous avez tué Raleigh King, n'est-ce pas ?

Reno opina de la tête.

Elle laissa échapper un long soupir et murmura :

— Merci. J'ignorais comment j'allais pouvoir le faire.

Toute gentillesse disparut de l'expression de Reno.

— C'est pour ça que vous m'avez piégé ? demanda-t-il.

— Je ne vous ai pas piégé. Pas de cette manière froide que vous laissez entendre.

— Mais vous avez vu l'occasion et l'avez saisie.

Eve serra les lèvres.

— Oui.

— Puis vous avez attrapé la mise et vous êtes enfuie.

— Oui.

— En me laissant peut-être mourir.

— Non !

Reno laissa échapper un rire amer.

— Nous sommes venus bien près cette fois, *gata*. Nous l'avions presque.

— Quoi ?

— La vérité.

— La vérité, c'est que je vous ai sauvé la vie, rétorqua Eve.

— Vraiment ? Vous m'avez sauvé la vie ? s'exclama Reno. Au contraire. Vous avez fait votre possible pour que je me fasse tuer.

— Quand je n'ai entendu aucun coup de feu... commença-t-elle.

— Vous avez été déçue ? l'interrompit-il.

— Je me suis retournée pour voir ce qui se passait, poursuivit-elle en ignorant son interruption. Puis Raleigh a dégainé, et vous l'avez abattu. Et un homme du nom de Steamer a sorti son pistolet pour vous tirer dans le dos. Je lui ai tiré dessus en premier.

De manière inattendue, Reno éclata de rire.

– Vous avez du talent, *gata*. Vraiment. Les grands yeux et les lèvres tremblantes sont de premier ordre.

– Mais…

– Gardez vos lèvres pour autre chose de mieux que des mensonges, dit Reno en se penchant de nouveau sur elle.

– J'ai tiré sur Steamer ! protesta-t-elle.

– Ouais. Mais c'est moi que vous visiez. C'est pour ça que vous vous êtes retournée. Vous vouliez vous assurer que je ne vous suivrais pas pour récupérer mes gains.

– Non. Ça ne s'est pas passé comme ça. Je…

– Laissez tomber, fit brusquement Reno. Vous mettez ma patience à l'épreuve.

– Pourquoi ne me croyez-vous pas ?

– Parce que je ne suis pas idiot au point de croire une menteuse, une tricheuse et une fille de saloon.

Ses doigts se refermèrent de nouveau sur la cuisse d'Eve. Mais encore une fois, elle se trouva incapable de s'écarter de son contact.

– Je ne suis pas une menteuse, dit-elle avec colère, et je déteste être faible au point de devoir tricher. Et j'étais une domestique engagée qui n'avait aucun choix quant au travail que je faisais, l'endroit où je le faisais ou encre ce que je portais pendant que je le faisais !

La voix tremblante de colère, elle continua sans laisser Reno l'interrompre.

– Mais vous ne croyez que le pire à mon propos, dit-elle, alors vous ne devriez avoir aucun problème à croire ceci : mon plus grand regret à propos d'hier, c'est de ne pas avoir laissé Steamer vous tirer dans le dos !

Surpris, Reno relâcha sa poigne pendant un instant. C'était tout ce dont Eve avait besoin. Elle s'écarta de sous sa main à une vitesse étonnante puis se leva en tenant la couverture contre elle. Les mains légèrement tremblantes, elle s'en enveloppa, dissimulant entièrement son corps, sauf son visage rouge de colère et d'humiliation.

Reno songea à lui arracher la couverture. Il avait aimé contempler les courbes satinées et les ombres veloutées sous le vieux tissu mince de son sous-vêtement. Sa colère l'étonnait et l'intriguait tout à la fois. D'habitude, les femmes qu'on surprenait à mentir devenaient toutes douces et prudentes, impatientes de faire amende honorable.

Mais pas la fille du nom d'Evening Star. Ses yeux le mesuraient pour un linceul.

Reno dut s'avouer à contrecœur que malgré toutes les mauvaises choses qu'il pouvait dire à propos d'Eve, elle était courageuse. C'était une chose qu'il admirait chez les hommes, les femmes et les chevaux.

— Ne parlez pas trop vite, répondit-il d'une voix traînante. Je pourrais tout aussi bien me lever et partir en vous laissant à Slater.

Eve dissimula l'élan de peur qui la traversa lorsqu'elle songe à Jericho Slater.

— C'est dommage que vous ne l'ayez pas tué aussi, dit-elle à voix basse.

Reno l'entendit. Son ouïe était aussi sensible que ses mains étaient rapides.

— Je ne suis pas un tueur à gages.

Elle plissa les yeux avec méfiance en entendant le ton monotone de Reno.

— Je sais.

Son regard froid examina le visage d'Eve pendant un moment avant d'incliner la tête.

— Faites en sorte de vous en souvenir, dit-il brusquement. Ne me piégez plus jamais dans le rôle de bourreau.

Elle opina de la tête.

Reno se mit sur pied sans empressement, d'un mouvement gracieux qui rappela à Eve la chatte qu'il l'avait accusée d'être.

— Habillez-vous, dit-il. Nous pourrons parler de la mine des Lyon pendant que vous préparerez le petit-déjeuner.

Il s'arrêta un moment puis ajouta :

— Vous savez cuisiner, n'est-ce pas ?

— Évidemment. Toutes les filles le savent.

Il sourit en se rappelant une certaine aristocrate britannique rouquine qui n'avait pas été capable de faire bouillir de l'eau quand elle avait épousé Wolfe Lonetree.

— Pas toutes les filles, dit Reno.

Le sourire amusé qu'il lui adressa la fascina. Il était tout aussi inattendu qu'une journée chaude en hiver.

— Qui était-elle ? demanda Eve sans réfléchir.

— Qui ?

— La fille qui ne pouvait pas cuisiner.

— Une lady britannique. La plus belle fille qu'un homme ait jamais vue. Des cheveux comme des flammes et des yeux bleu marine.

Eve se dit que le sentiment qui s'empara d'elle ne pouvait être de la jalousie.

— Qu'est-ce qui est arrivé ? demanda-t-elle d'un air désintéressé.

— Que voulez-vous dire ?

— Si elle était si ravissante, pourquoi ne l'avez-vous pas mariée ?

Reno s'étira et baissa les yeux sur Eve de toute sa hauteur.

Elle ne recula pas d'un centimètre. Elle demeura simplement debout et attendit la réponse à sa question comme s'il n'y avait aucune différence de taille ou de force entre elle et l'homme qui aurait pu la briser comme une brindille.

En cela, elle lui rappelait Jessica et Willow, et il fronça les sourcils à cette idée. Ni Jessica ni Willow n'étaient le genre de fille qui tricherait, volerait ou travaillerait dans un saloon.

– Est-ce que la belle aristocrate avait un tireur comme vous ? insista Eve.

– Je ne suis pas un tireur. Je suis un prospecteur. Mais ce n'est pas pour ça que Jessi ne m'aurait pas épousé.

– Elle aimait les gentilshommes ? proposa Eve.

Pour masquer son irritation, Reno saisit son chapeau et le déposa sur ses cheveux noirs en désordre.

– Je *suis* un gentilhomme.

Les yeux d'Eve passèrent de la couronne du chapeau noir de Reno à la veste de cuir usée qui lui descendait jusqu'aux hanches. Ses pantalons étaient noirs et avaient eu la vie dure, tout comme ses bottes. Il portait des éperons de cavalerie en cuivre émoussés dont le métal n'avait pas été poli depuis si longtemps qu'ils n'avaient plus rien de luisant.

Rien ne brillait chez Reno, et ceci incluait la crosse du six-coups qu'il portait. Il en était de même pour la ceinture de pistolet : elle avait été huilée pour être utilisée plutôt que pour l'effet. Les balles, toutefois, étaient très propres.

Dans l'ensemble, Reno ne ressemblait pas à un gentilhomme. Il avait toutes les apparences du dangereux pistolero qu'Eve connaissait, un homme en teintes sombres plutôt que lumineuses.

Sauf pour ses yeux. Ils étaient d'un vert vif comme les premières feuilles du printemps, aussi clairs et parfaits que du cristal taillé contre son visage bronzé par le soleil.

Mais il fallait être proche de lui pour apercevoir la lumière dans ses yeux. Elle doutait que beaucoup de gens puissent l'avoir approché de si près.

Ou l'auraient voulu.

— Jessi est mariée à un de mes meilleurs amis, dit platement Reno. Autrement, j'aurais été heureux d'essayer de la courtiser.

— « Courtiser ».

Eve jeta un coup d'œil au tapis de couchage emmêlé sur lequel elle avait goûté pour la première fois la passion.

— C'est ainsi que vous appelez ça ? demanda-t-elle sèchement.

— La cour, c'est pour une femme que vous voulez épouser. Ça, fit Reno en indiquant le tapis, c'était un peu de batifolage avant le petit-déjeuner avec une fille de saloon.

Eve pâlit. Elle ne pouvait penser à quoi que ce soit sauf les mots qui auraient donné à Reno une plus piètre opinion d'elle que celle qu'il avait déjà. Silencieusement, elle se tourna vers ses sacoches de selle, attrapa une chemise et une paire de jeans et commença à s'éloigner.

Reno lui agrippa le bras avec une rapidité surprenante.

— Vous allez quelque part ? demanda-t-il.

— Même les filles de saloon ont besoin d'intimité.

— Dommage. Je ne vous fais pas confiance quand vous êtes hors de ma vue.

— Alors, je vais simplement devoir pisser dans vos bottes, c'est bien ça ? demanda-t-elle d'un air mignon.

Pendant un instant, Reno parut sous le choc, puis il rejeta la tête en arrière et éclata de rire.

Eve se libéra de sa poigne et marcha à grands pas vers la forêt toute proche tandis que les paroles de Reno la suivaient.

— Ne prenez pas trop de temps, *gata*, sinon je vais venir vous chercher — pieds nus.

Quand Reno revint de la forêt avec une autre brassée de bois sec, il regarda d'un air approbateur le petit feu presque invisible qu'avait fait Eve. La fumée ne s'en élevait pas de plus d'une cinquantaine de centimètres avant de se dissiper.

Il laissa tomber le bois près du feu et s'accroupit près des petites flammes joyeuses.

— Qui vous a appris à faire ce genre de feu ? demanda-t-il.

Eve leva les yeux de la poêle à frire où le bacon grésillait et où les biscuits brunissaient dans la graisse. Depuis qu'elle était revenue de la forêt habillée de vêtements d'homme, elle n'avait pas parlé à Reno à moins qu'il lui adresse une question directe. Elle avait simplement préparé le petit-déjeuner sous son regard attentif.

— Quel genre de feu ? demanda-t-elle en détournant les yeux de lui.

— Le genre qui n'attirera pas tous les Indiens et hors-la-loi à 50 kilomètres à la ronde, répliqua sèchement Reno.

— Une des rares fois où Donna Lyon m'a donné des coups, c'est quand j'ai mis du bois humide sur le feu. Je ne l'ai plus jamais fait.

Eve ne leva pas les yeux tandis qu'elle parlait.

Reno se sentit agacé. Il était fatigué qu'elle lui donne l'impression de l'avoir offensée. Elle était une tricheuse professionnelle et une dévergondée, et non l'enfant choyé de parents stricts.

– La tête des Lyon était-elle mise à prix ? demanda-t-il brusquement.

– Non. Si ça avait été le cas, ils ne se seraient pas inquiétés d'attirer vers leur feu les hors-la-loi, les pistoleros et les voleurs, n'est-ce pas ?

Reno émit un son évasif.

– Ils auraient simplement abattu un orignal et l'auraient fait rôtir tout entier, poursuivit Eve d'un ton acide, puis ils auraient volé tous ceux qui auraient suivi l'odeur de la viande jusqu'à leur camp.

– Dommage que Donna ne vous ait pas appris la différence entre le miel et le vinaigre quand il s'agit d'attirer les mouches.

– Elle l'a fait, et je me sers du vinaigre depuis. Quelle fille saine d'esprit voudrait attirer les mouches ?

Reno sourit brièvement sous sa moustache sombre. Pendant un instant, il songea au fait que Willow et Jessica auraient apprécié les réparties d'Eve – jusqu'à ce qu'elle triche, mente ou leur vole quelque chose. Alors, il aurait dû leur donner, ainsi qu'à leurs maris en colère, des explications sur les raisons pour lesquelles il avait amené chez eux une fille de saloon vêtue de soie rouge.

Eve prit une tranche de bacon dans la poêle et la déposa sur un plateau de fer-blanc cabossé.

Reno se dit qu'Eve ne ressemblait pas à une putain en cet instant. Elle ressemblait davantage à une enfant abandonnée, triste et fatiguée. Apparemment, ses vêtements avaient déjà appartenu à un garçon – ils étaient trop étroits à la poitrine et aux hanches et trop larges partout ailleurs.

– De quelle corde à linge avez-vous volé ces vêtements ? demanda négligemment Reno.

– Ils appartenaient à Don Lyon.

– C'était vraiment un petit homme.

– Oui.

Reno s'arrêta alors qu'une pensée lui venait tout à coup à l'esprit.

– Je n'ai vu aucune nouvelle pierre tombale quand je suis passé près du cimetière de Canyon City en y arrivant, mais vous avez dit que Raleigh King avait tué les Lyon.

Eve ne répondit pas à ce que sous-entendait la question.

– Vous savez, *gata*, tôt ou tard, je vais vous faire passer l'envie de mentir.

– Je ne suis pas une menteuse, dit-elle d'un ton sec. J'ai enterré les Lyon à notre campement.

– Quand ?

– La semaine dernière.

– Comment ?

– Je me suis servi d'une pelle.

Avec une rapidité qui surprit Eve, Reno se redressa et lui agrippa une main. Il y jeta un bref coup d'œil puis la relâcha.

– Si vous avez manipulé les cartes aussi habilement avec toutes ces ampoules, dit-il, je détesterais recevoir des cartes dans un jeu avec vous alors que vos mains sont en bon état.

Eve ne dit rien et recommença à s'occuper du petit-déjeuner.

— Vous devriez les laver avec du savon et de l'eau chaude, ajouta Reno.

Étonnée, Eve leva les yeux.

— Les biscuits ?

Il sourit malgré lui.

— Vos mains. Jessi dit que se laver les mains prévient les infections.

— Je me suis lavée avant de me coucher hier soir, dit Eve. Je déteste être sale.

— Vous avez utilisé du savon au lilas ?

— Comment le savez-vous ? Oh, vous l'avez trouvé quand vous avez fouillé ma sacoche de selle ?

— Non. Vos seins sentaient le printemps.

Les joues d'Eve s'empourprèrent. Son cœur bondit dans sa poitrine quand elle se rappela la sensation de la bouche de Reno sur ses seins. Elle sursauta en manipulant la fourchette qu'elle utilisait pour retourner le bacon, et la graisse brûlante jaillit sur le dos de sa main.

Avant même qu'elle ressente la douleur, Reno se précipita pour voir à quel point elle s'était brûlée.

— Ça va, dit-il après un moment. Vous ressentirez la brûlure pendant quelques minutes, c'est tout.

Elle opina de la tête d'un air hébété.

Il retourna sa main et regarda de nouveau la peau écorchée. Sans prononcer une parole, il prit l'autre main et en scruta la paume. Il n'y avait aucun doute sur le fait que ses mains avaient trimé dur, et récemment.

— Vous devez avoir travaillé pendant longtemps pour vous écorcher les mains de cette façon, dit-il.

À cause de la gentillesse inattendue dans la voix de Reno, ses yeux brûlèrent davantage que la peau de ses mains, aspergée de graisse chaude. Elle se sentit submergée par une vague de souvenirs qui la firent trembler. Elle n'oublierait pas de sitôt la journée où elle avait préparé les Lyon pour leur enterrement puis creusé leurs tombes.

— Je ne pouvais pas les laisser comme ça, murmura-t-elle. Surtout après ce que Raleigh leur avait fait… Je les ai enterrés ensemble. Croyez-vous qu'ils se soucient de ne pas avoir des tombes séparées ?

Les mains de Reno se serrèrent sur celles d'Eve pendant qu'il regardait sa tête inclinée. L'intense sympathie qu'il éprouva pour elle était aussi inattendue qu'elle était malvenue. Peu importait le nombre de fois où il se rappelait qu'elle était une fille de saloon, elle n'arrêtait pas de franchir ses défenses aussi facilement que son corps absorbait l'odeur de son savon au lilas avec chaque respiration qu'il prenait. Il inspira profondément en essayant de contrôler sa réaction physique à l'égard d'Eve. L'inspiration n'aida pas. Ses doux cheveux blonds avaient la même odeur de savon au lilas que ses seins. Il n'avait jamais particulièrement aimé les odeurs, mais il soupçonna que le lilas allait le hanter presque autant que le souvenir de ses mamelons se soulevant impatiemment vers sa bouche.

Il désirait Eve plus qu'il avait désiré n'importe quelle femme depuis fort longtemps, mais si elle découvrait sa faiblesse, elle ferait de sa vie un enfer sur terre.

Reno laissa retomber les mains d'Eve et se tourna vers le feu.

— Dites-m'en plus à propos de ma mine, fit-il brusquement.

Eve prit une profonde inspiration et écarta les Lyon de ses pensées, comme Donna lui avait appris à écarter tout ce qu'elle ne pouvait contrôler.

– Votre *moitié* de la mine, dit-elle, attendant l'explosion.

Elle ne fut pas longue à venir.

– Quoi ? s'exclama Reno en pivotant pour lui faire face.

– Si je ne déchiffre pas les symboles le long de la piste, vous n'arriverez pas à trouver la mine.

– Ne pariez pas là-dessus.

– Je n'ai pas d'autre choix que de parier sur mon talent, répondit-elle. Et vous non plus. Sans moi, vous ne la trouverez jamais. Vous pouvez ne rien avoir du tout, ou alors vous pouvez avoir la moitié de la mine d'or qui m'appartient de droit.

Un silence s'installa, du genre qui précède le tonnerre après que l'éclair ait touché terre, puis Reno sourit, mais il n'y avait aucune joie dans la mince courbe de sa bouche.

– D'accord, dit-il. J'aurai droit à la moitié de la mine.

Elle poussa un petit soupir de soulagement.

– Et à toute la fille, ajouta platement Reno.

Le soulagement d'Eve se transforma en une boule dans sa gorge.

– Quoi ? demanda-t-elle.

– Vous m'avez bien entendu. Jusqu'à ce que nous trouvions la mine, vous serez ma femme chaque fois que je le désirerai et de n'importe quelle façon.

– Mais je pensais que si je vous parlais de la mine, vous…

– Pas de « mais », dit froidement Reno. Je commence à être sacrément fatigué de négocier pour obtenir ce qui m'appartient déjà. De plus, vous avez besoin de moi autant que j'ai besoin de vous. Vous ne survivriez pas deux jours seule dans ce désert. Vous avez besoin de moi pour…

— Mais je ne suis pas celle que vous pensez que je suis. Je suis…

— Oui vous l'êtes, l'interrompit-il. En ce moment, vous vous tordez comme un ver sur un hameçon en essayant de trouver une façon de tenir votre parole. Seule une tricheuse ferait ça.

Eve ferma les yeux.

Ce fut une erreur. Les larmes qu'elle essayait de cacher glissèrent de sous ses cils.

Reno la regarda et écarta brutalement tout sentiment de sympathie en se disant que ses pleurs n'étaient qu'une arme de plus dans son arsenal féminin. Pourtant, il lui était presque impossible de ne pas s'attendrir. Plus il était avec elle, plus il trouvait difficile de se souvenir qu'elle n'était réellement qu'une petite putain intrigante.

Pour la première fois de sa vie, il se réjouissait des cruelles leçons qu'il avait apprises à propos des manières dont une femme manipulait un homme. Il y avait eu une époque de sa vie où il aurait cru les larmes argentées et les lèvres pâles et tremblantes d'Eve.

— Eh bien ? dit-il rudement. Nous sommes d'accord ?

Eve leva les yeux vers le grand pistolero qui la regardait avec des yeux aussi durs que le jade.

— Je…

Sa voix se brisa.

Reno attendit sans cesser de la regarder.

— J'avais tort à propos de vous, dit-elle après un moment. Je ne suis pas assez forte pour vous combattre et gagner, alors vous allez prendre de moi ce que vous voulez, tout comme Slater ou Raleigh.

— De toute ma vie, je n'ai jamais pris une femme contre son gré, répondit Reno, et je ne le ferai jamais.

Eve laissa échapper un long soupir.

— Vraiment ?

Malgré lui, Reno éprouva une vague de compassion pour elle. Qu'elle soit une tricheuse ou non, une fille de saloon ou non, aucune fille ne méritait la manière cruelle dont des hommes comme Slater et Raleigh King se servaient d'elles.

— Vous avez ma parole.

Reno vit le soulagement dans les yeux fauves d'Eve et sourit légèrement.

— Ça ne veut pas dire que je ne vais pas vous toucher, poursuivit-il. Ça signifie seulement que quand je vais vous prendre — et je vais le faire — vous allez hurler de plaisir, et non de douleur.

Le visage pâle d'Eve tourna au pourpre.

— Marché conclu ? demanda Reno.

— Donc, vous n'allez pas me toucher, sauf si je…

— Je ne vais pas vous prendre de force, la corrigea-t-il immédiatement. Il y a une différence entre les deux, fille de saloon. Si vous n'aimez pas ce marché, nous pouvons revenir au premier — j'obtiens toute la mine et toute la fille. À vous de choisir.

— Vous êtes trop gentil, répondit Eve, les dents serrées.

— À n'en pas douter. Mais je suis un homme raisonnable. Je ne vais pas vous garder pour toujours. Seulement jusqu'à ce que nous trouvions la mine. Marché conclu ?

Eve regarda Reno pendant un long moment. Elle se rappela qu'il n'avait aucune raison de lui faire confiance, qu'il avait plusieurs raisons de *ne pas* la respecter et qu'il était tout à fait capable de prendre ce qu'il voulait et de se ficher de ses protestations. Pourtant, il était disposé à mieux la traiter que l'aurait fait n'importe quel client du Gold Dust Saloon dans les mêmes circonstances.

– D'accord, répondit-elle.

Quand elle se tourna pour s'occuper du petit-déjeuner, Reno bougea avec sa rapidité habituelle. Elle se figea quand sa main se referma sur ses poignets.

– Une dernière chose, dit-il.

– Quoi ? soupira Eve.

– Ceci.

Elle ferma les yeux, s'attendant à sentir la chaleur de sa bouche sur la sienne, mais elle sentit plutôt l'anneau de Don Lyon glisser de son doigt.

– Je vais garder l'anneau et les perles jusqu'à ce que je trouve une femme qui m'aime autant qu'elle aime son propre confort, dit-il.

Puis il ajouta sur un ton ironique :

– Et pendant que j'y suis, je vais trouver un navire de pierre, une pluie sèche et une lumière qui ne projette pas d'ombre.

Il empocha l'anneau et se détourna.

– Sellez votre cheval. Le chemin pour traverser la ligne de partage des eaux jusqu'au ranch de Cal est long.

– Pourquoi allons-nous là ?

– Cal compte sur les provisions d'hiver que j'apporte. Et contrairement à certaines personnes que j'ai rencontrées, quand je dis que je vais faire une chose, je la fais.

5

Au-delà de la ligne de partage des eaux, l'immense mur des montagnes changea lentement, se brisant en des chaînes et des groupes de sommets escarpés qui s'élevaient comme des vagues de pierres contre le bleu infini du ciel.

Même à la fin d'août, la neige scintillait encore sur les sommets. Les ruisseaux creusaient de profonds sillons dans les flancs des montagnes, rassemblaient leurs forces dans les espaces plats puis descendaient le long des vallées et à travers les bassins comme des cordes de diamants liquides sous le soleil. Le vert éclatant des trembles et celui, plus sombre, des sapins, des épinettes et des pins dessinaient une robe veloutée à travers les flancs des montagnes. Dans les clairières, l'herbe et les broussailles ajoutaient à la terre leur propre teinte brillante de vert.

Quand Reno et Eve eurent traversé le premier col après Canyon City, il n'y eut plus guère d'indices d'hommes voyageant sur cette terre et encore moins de signes de résidence permanente. Les animaux sauvages abondaient. Les mustangs s'enfuyaient comme des nuages multicolores dans un vent d'orage quand Reno et Eve entraient en chevauchant dans des vallées solitaires. Des élans et des cerfs sortaient de la forêt pour venir brouter aux abords des clairières.

Même s'ils craignaient l'homme, les cerfs n'étaient pas aussi rapides que les chevaux sauvages lorsqu'il s'agissait de fuir. Les cris de lamentations des aigles flottant sur le vent se tissaient comme des fils lumineux à travers le jour.

Reno était plus méfiant que n'importe lequel des animaux. Il agissait à chaque moment comme s'il s'attendait à subir une attaque. Il ne prenait jamais un raccourci à travers une clairière sauf si longer l'endroit où la forêt et les herbes se rencontraient aurait allongé leur trajet de plusieurs kilomètres. Il ne franchissait jamais une crête sans jeter un coup d'œil sur ce qu'il y avait de l'autre côté et ne se montrait qu'au moment où il était certain qu'il n'y avait ni Indiens ni hors-la-loi dans les environs.

Il ne s'engageait jamais dans un étroit canyon s'il pouvait l'éviter. Sinon, il détachait la lanière qui tenait en place son six-coups et chevauchait avec son fusil à répétition en travers de sa selle. Souvent pendant le jour, il revenait en partie sur leurs pas, trouvait un endroit élevé et observait simplement le terrain pour voir si on les suivait.

Contrairement à la plupart des hommes, il tenait les rênes de sa main droite et laissait sa main gauche libre pour pouvoir saisir le six-coups qui n'était jamais hors de sa portée, même quand il dormait. Chaque soir, il vérifiait ses armes pour en enlever la poussière du chemin ou l'humidité des orages d'après-midi qui s'abattaient sur les sommets.

Il ne disait rien à propos de ses précautions. Il ne les remarquait même plus. Il avait vécu seul pendant si longtemps sur une terre sauvage qu'il n'était pas plus conscient de son aptitude en la matière qu'il ne l'était de son talent pour chevaucher la robuste rouanne bleue qu'il appelait Darling[4*]. Eve ne pensait pas que la jument soit la chérie de quiconque. C'était une jument mustang intrépide avec le tempérament d'un carcajou et la méfiance d'un loup. Si quelqu'un d'autre que Reno s'en approchait, elle rabattait ses oreilles sur son crâne et cherchait un endroit dans la chair où planter ses grandes dents blanches. Toutefois, avec Reno, elle hennissait de plaisir chaque fois qu'elle le voyait venir vers elle.

Darling humait constamment le vent pour sentir le danger. En ce moment, sa tête était levée, ses oreilles étaient droites, et ses narines palpitaient tandis qu'elle buvait le vent.

Dans le pré ensoleillé, un oiseau poussa un cri strident et s'envola dans la forêt. Le silence qui suivit sa fuite était total.

Eve n'attendit pas un signe de Reno pour aller se cacher. Aussitôt que l'oiseau s'envola, elle poussa Whitefoot sous le couvert de la forêt et attendit. Immobile, retenant son souffle, elle regarda le pré à travers l'écran des trembles et des conifères.

Un mustang solitaire s'avança avec méfiance dans la clairière. Les blessures à demi guéries d'un récent combat étaient évidentes sur son corps. Il enfouit son museau dans le ruisseau et but, s'arrêtant quelques moments pour relever la tête et sentir le vent. Malgré ses blessures, l'étalon était en bonne santé et puissant, en pleine maturité depuis peu.

Attirée par la beauté musclée du jeune cheval, Eve se pencha sur sa selle. Le léger craquement du cuir ne portait pas au-delà des oreilles de Whitefoot, mais malgré cela, l'étalon sembla sentir sa présence.

4. N.d.T.: «Chérie» en français.

Finalement, le cheval sauvage but encore, leva la tête et s'éloigna lentement le long du cours d'eau, puis il se mit bientôt à brouter l'herbe. Il n'était pas moins vigilant pendant qu'il mangeait. Il se passait rarement une minute sans qu'il s'arrête, lève la tête et hume l'air pour détecter la présence d'ennemis. Au sein d'une horde, il n'aurait pas été nécessaire qu'il surveille constamment les alentours, car il y aurait eu d'autres oreilles, d'autres yeux et d'autres chevaux méfiants pour sentir la brise, mais l'étalon était seul.

Eve songea tout à coup que Reno était comme ce mustang — prêt à se battre, méfiant, ne faisant confiance à rien ni personne, complètement seul.

Elle sentit un mouvement derrière elle, se retourna sur la selle et vit la rouanne bleue venir vers elle à travers la forêt.

Une brise souffla à travers les conifères, leurs minces aiguilles vertes émettant un soupir. Whitefoot s'agita, rendu mal à l'aise par l'odeur de l'étalon dans le vent. Sans un mot, Eve caressa le cou du hongre pour le rassurer.

— Où sont les chevaux de bât ? demanda-t-elle à voix basse tandis que Reno venait se placer près d'elle.

— Je les ai laissés attachés derrière sur la piste. Ils vont se mettre à hennir en chœur si quoi que ce soit essaie de les prendre par surprise en venant de cette direction.

Reno se leva sur ses étriers et parcourut le pré des yeux. Après un moment, il se rassit sur la selle.

— Il n'y a pas de juments avec lui, dit-il tranquillement tandis que sous sa moustache, ses lèvres dessinaient un mince sourire. À en juger par sa robe, ce jeune étalon vient d'apprendre sa première leçon sur la façon de composer avec les femmes.

Eve le regarda d'un air interrogateur.

— Si elle a le choix entre un vieil étalon qui sait où trouver de la nourriture et un jeune tellement fou d'amour pour une femelle qu'il ignore où se trouve le haut et le bas, fit Reno d'une voix traînante, la femelle prendra chaque fois le vieil étalon et la sécurité qu'il lui assurera.

— Une femelle qui croirait les promesses de chaque jeune étalon qui ne pense qu'à s'accoupler ne passerait pas l'hiver.

— Vous parlez comme une vraie femme.

— Imaginez ça, rétorqua Eve.

Reno sourit malgré lui.

— Vous marquez un point.

Eve regarda l'étalon puis tourna les yeux vers Reno en se souvenant de ce qu'il avait dit quand il avait empoché l'anneau d'émeraudes et d'or qu'il lui avait retiré du doigt.

— Qui était-elle ? demanda Eve.

Reno haussa un sourcil noir.

— La femme qui a choisi sa propre sécurité plutôt que votre amour, ajouta-t-elle.

La mâchoire de Reno se serra sous la courte barbe qui avait poussé depuis qu'ils cheminaient sur la piste.

— Qu'est-ce qui vous fait penser qu'il n'y en avait qu'une ? demanda-t-il avec froideur.

— Vous ne me semblez pas être le type d'homme qui doit apprendre la même chose deux fois.

Un coin de la bouche de Reno se releva.

— Vous avez raison à ce propos.

Eve attendit sans rien dire, mais ses yeux intenses posaient un millier de questions.

— C'était Savannah Marie Carrington, laissa finalement tomber Reno.

Le changement dans sa voix était presque palpable. Il n'y avait dans le ton ni haine ni amour ; simplement un mépris glacial.

— Qu'est-ce qu'elle vous a fait ? demanda Eve.

Il haussa les épaules.

— La même chose que la plupart des femmes font aux hommes.

— Qu'est-ce que c'est ?

— Vous devriez le savoir, *gata.*

— Parce que je suis une femme ?

— Parce que vous avez un sacré talent pour attiser les hommes et les rendre si excités qu'ils diront ou feront n'importe quoi pour obtenir ce qu'ils veulent.

Il plissa les yeux puis ajouta :

— Presque n'importe quoi, mais pas tout à fait.

— Qu'est-ce que vous ne feriez pas ? L'aimer ?

Il éclata d'un rire dépourvu d'humour.

— Bon sang, c'est exactement ce que j'ai fait.

— Vous l'aimez encore, dit Eve.

C'était une accusation.

— Ne pariez pas là-dessus, dit Reno en lui jetant un regard oblique.

— Pourquoi ?

— Êtes-vous toujours aussi fouineuse ?

— Curieuse, le corrigea-t-elle immédiatement. Je suis une chatte, vous vous en souvenez ?

— En effet.

Reno se leva de nouveau sur ses étriers pour regarder alentour. L'étalon broutait encore avec un appétit que ne dérangeait aucun son ni aucune odeur. Les oiseaux pépiaient à travers la clairière herbeuse et volaient d'arbre en arbre de manière normale. Rien ne bougeait le long de la piste vague qu'avaient laissée les chevaux aux abords de la clairière.

Reno fit tourner Darling, prêt à reprendre le chemin de la maison de Caleb et Willow dans les monts San Juan.

– Reno ? Qu'est-ce qu'elle voulait que vous fassiez ? Tuer quelqu'un ?

Il lui adressa un sourire tendu.

– On peut dire ça.

– Qui ?

– Moi.

– Quoi ? demanda Eve. Ça n'a aucun sens.

Il laissa échapper un juron silencieux et regarda par-dessus son épaule la fille dont les yeux mordorés, les seins veloutés et l'odeur de lilas hantaient ses rêves.

– Savannah Marie voulait vivre en Virginie-Occidentale, où nos familles possédaient des fermes avant la guerre, répondit Reno en pesant sur chaque mot. Mais j'avais vu l'Ouest véritable. J'avais vu des endroits où aucun homme n'avait mis les pieds, bu dans des ruisseaux aussi purs que le sourire de Dieu, traversé des cols qui n'avaient pas de noms… et j'avais tenu dans mes mains les larmes dorées et solides du soleil.

Immobile, Eve regardait parler Reno en se demandant quelle émotion rendait sa voix si résonnante et rauque quand il évoquait cette terre.

– La première fois que j'ai quitté Savannah Marie, elle me manquait tellement que j'ai failli tuer deux chevaux en retournant vers elle.

Il se tut.

— Mais elle ne vous avait pas attendu ? devina Eve.

— Oh, elle avait attendu, dit-il d'une voix traînante, mais dépourvue de chaleur. À cette époque, j'étais encore le meilleur parti à 100 kilomètres à la ronde. Elle s'est précipitée vers moi avec des larmes de joie dans ses yeux bleus étincelants.

— Qu'est-ce qui s'est produit ?

Il haussa les épaules.

— Ce qui se produit d'habitude. Sa famille a organisé une fête, nous sommes allés nous promener dans le jardin, et elle ne m'a accordé que ce qu'il fallait pour me rendre fou d'elle.

Eve serra les mains sur les rênes. Le mépris dans la voix de Reno était comme un coup de fouet.

— Puis elle m'a demandé si j'étais prêt à fonder un foyer et à élever des chevaux sur les terres que son père nous avait réservées le long de Stone Creek. Je l'ai suppliée de m'épouser et de venir dans l'Ouest sur une terre plus vaste et plus belle que n'importe laquelle le long de Stone Creek.

— Et elle a refusé, murmura Eve.

— Oh, non, pas immédiatement, répondit Reno. Tout d'abord, elle m'a parlé du plaisir que nous aurions si seulement j'acceptais de vivre le long de Stone Creek. Je n'avais qu'à accepter, et elle ferait tout ce que je voulais. Bon sang, elle ferait n'importe quoi et serait reconnaissante d'avoir cette chance.

Reno secoua la tête.

— Merde, il devrait y avoir une loi pour interdire que les garçons tombent en amour. Mais peu importe à quel point elle me titillait, poursuivit-il, j'ai été assez futé pour ne faire aucune promesse qui me tuerait si je la respectais. Je partais à l'aventure, et je revenais rempli d'espoir. Et chaque fois, je disparaissais plus longtemps, et chaque fois Savannah Marie m'attendait…

Il retira son chapeau, passa ses longs doigts à travers sa chevelure et le remit en place d'un geste rapide.

— Jusqu'à ce que je revienne et m'aperçoive qu'elle était mariée depuis trois mois à un homme deux fois plus âgé qu'elle et qu'elle était enceinte de quatre mois.

En entendant le bruit étonné que fit Eve, Reno se tourna vers elle et lui adressa un sourire étrange.

— Ça m'a renversé aussi, fit-il de sa voix traînante. J'étais complètement démonté. Je n'arrivais pas à comprendre comment le vieux Murphy s'était glissé sous les jupes de Savannah en l'espace de quelques mois alors que je l'avais courtisée pendant des années. Alors, je le lui ai demandé.

— Qu'a-t-elle dit ?

— Qu'une femme souhaite obtenir d'un homme le confort et la sécurité et qu'un homme veut obtenir d'une femme du sexe et des enfants, répondit Reno. Le vieux Murphy était bien établi. Quand elle l'a rendu suffisamment excité pour qu'il prenne sa virginité, il a accepté de l'épouser, parce qu'un honnête homme épouse la fille dont il détruit la vie.

— Elle donne l'impression d'être aussi passionnée que la balance d'un marchand.

— C'est à peu près ça, dit sèchement Reno. Mais c'est une bonne leçon pour un homme.

— Toutes les femmes ne sont pas comme ça.

— De toute ma vie, j'ai connu une seule fille qui s'est donnée par amour plutôt que pour avoir un anneau de mariage, dit-il platement.

— Jessi aux cheveux de feu et aux yeux comme des joyaux ? demanda Eve.

Il secoua la tête.

— Jessi a forcé Wolfe à l'épouser plutôt que de se voir obligée de marier un lord anglais ivrogne.

— Damnation, murmura Eve.

— Wolfe a eu la même réaction au départ, dit Reno en souriant, puis il a changé d'avis.

— Mais vous avez pardonné à Jessi de s'être davantage souciée de sa propre sécurité plutôt que de celle de Wolfe, souligna Eve.

— Ce n'était pas à moi de lui pardonner ou non. Wolfe l'a fait, et c'est tout ce qui importe.

— Mais vous aimez bien Jessi.

Reno sentit la colère monter en lui devant l'insistance d'Eve. Il n'aimait pas penser à Jessi et Wolfe ou encore à Willow et Caleb. Leur bonheur faisait en sorte qu'il se demandait s'il ne ratait pas quelque chose, s'il devait trouver une femme et courir le risque de se brûler deux fois au même feu.

Chat échaudé craint l'eau froide, se dit-il.

Et pour toujours.

Reno fit brusquement tourner sa jument de façon à ce que Darling se retrouve contre le cheval d'Eve. Ils étaient si près que sa jambe frôlait celle de la jeune femme. Avant qu'elle puisse s'écarter, il brandit une main et fit tomber son chapeau sur son dos, suspendu à la lanière de cuir sous son menton. Puis il fit glisser sa main entre ses tresses blondes et lui enveloppa la nuque.

— Je comprends que les femmes doivent compenser par l'audace ce qu'il leur manque de force, dit-il d'un ton fâché. Mais comprendre n'est pas la même chose qu'aimer.

Son regard passa des yeux hors du commun d'Eve à sa lèvre inférieure.

– Par ailleurs, dit-il d'une voix profonde, il existe des usages vraiment agréables pour les femmes. En particulier pour une fille aux yeux dorés et à la bouche tremblante de crainte ou de passion invitant un homme à la protéger et à la prendre.

– Ce n'est pas mon cas, fit-elle rapidement.

– Je vous ai goûtée. Vous étiez douce et chaude. Et vous m'avez goûté.

Eve retint son souffle en voyant le regard de Reno.

Il sourit, lisant sa réaction dans le battement rapide de son pouls à son cou.

– Pensez-y, *gata*. J'y ai moi-même beaucoup songé.

Reno relâcha Eve et éperonna sa rouanne bleue.

– Avance, Darling. Nous avons beaucoup de chemin à faire avant d'arriver au ranch de Cal.

Même si c'était un petit feu, ses flammes dansantes fascinaient Eve. Comme ses pensées, elles étaient à la fois intangibles et très réelles.

Elle n'avait pas voulu suivre le conseil de Reno et songer à sa sensualité inattendue. Mais elle avait pensé à cela, de même qu'à lui. Ce pouvait être dangereux. Une chouette ulula dans le mur sombre des épinettes qui s'élevait au-delà du feu de camp.

Eve sursauta.

– Ce n'est qu'une chouette, dit Reno derrière elle.

Elle sursauta encore et se tourna rapidement.

– Ça vous dérangerait de ne pas vous approcher de moi par surprise ? fit-elle d'un ton sec.

— Toute personne qui s'assoit et fixe un feu à la façon dont vous le faisiez doit s'attendre à être prise par surprise de temps en temps.

— Je réfléchissais, répliqua-t-elle.

Reno se pencha au-dessus du feu, prit la petite cafetière cabossée et versa un peu du liquide dans la tasse qu'il tenait. Quand il eut fini, il s'accroupit près d'Eve, but un peu de café d'un air approbateur et regarda les reflets d'or que provoquait le feu dans sa chevelure.

— À quoi pensez-vous ? demanda-t-il.

Les joues d'Eve s'empourprèrent, car elle était en train de songer au moment où Reno avait embrassé ses lèvres, son cou, ses seins... Elle était trop honnête pour nier le fait qu'il l'attirait ; s'il ne l'avait pas attirée, elle n'aurait jamais pris cette entente avec lui concernant la moitié de la mine.

Mais cela signifiait qu'elle se trouvait dans la position inconfortable de ne pas faire tout à fait confiance à ses propres réactions. Elle se sentait énervée et à la dérive parce que toute sa vie, elle s'était fiée à son instinct quand il s'agissait de composer avec les gens. Les Lyon en étaient venus eux aussi à faire confiance à son instinct ; ils avaient souvent louangé son aptitude à voir les émotions derrière l'expression impassible des autres joueurs de cartes. En même temps, Donna Lyon l'avait prévenue plus d'une fois à propos de la nature de l'homme et de la femme : « Il n'y a qu'une chose qu'un homme veut obtenir d'une femme, ne te méprends pas là-dessus. Quand tu la lui as donnée, tu ferais mieux d'être mariée, sinon il partira à la recherche d'une autre fille assez stupide pour écarter les jambes au nom de l'amour. »

— Vous ne m'avez pas répondu, dit Reno.

La rougeur soudaine sur le visage d'Eve lui fit se demander si elle ne songeait pas à la seule fois où il avait laissé son propre désir triompher de son bon sens et essayé de la séduire.

Dieu savait à quel point il avait eu à l'esprit cette unique fois. Quand il ne regardait pas par-dessus son épaule pour chercher des ombres le long de la piste, il pensait au moment où il avait pour la première fois respiré l'odeur de lilas et goûté la rigidité veloutée de ses mamelons. Mais il n'avait fait qu'y penser et s'en souvenir, malgré leurs soirées passées ensemble devant les feux de camp, où la lumière du feu et des étoiles contre le ciel sombre le poussait à la tentation. Il n'avait pu se débarrasser du sentiment d'être suivi. Batifoler avec une fille de saloon représentait le genre de distraction qui pouvait être fatale – en particulier si c'était Slater qui le suivait.

Et si ce n'était pas suffisant pour refroidir ses ardeurs, il y avait le fait qu'ils atteindraient le ranch le lendemain. Il avait déjà suffisamment de scrupules à propos du fait d'amener une fille de saloon chez sa sœur.

Pourtant…

Reno se tourna et regarda la fille silencieuse qui l'observait de ses yeux couleur d'or.

– J'attends toujours, dit-il.

– Euh… je pensais à Donna Lyon, répondit-elle en exposant seulement la moitié de la vérité dont elle était disposée à parler. Et au fait que nous sommes partenaires.

Reno pinça les lèvres tandis que d'un geste brusque, il envoyait voler les dernières gouttes de café dans l'obscurité au-delà du feu.

— L'or, n'est-ce pas ? dit-il d'un ton sarcastique. J'aurais dû deviner. Les filles ne pensent réellement qu'à l'argent. Eh bien, nous sommes encore loin d'avoir trouvé l'or.

— Et nous le resterons à moins que vous ne me laissiez regarder le journal de Cristobal Lyon, répliqua Eve.

Reno frotta sa barbe naissante et ne dit rien.

— Vous ne craignez sûrement pas que je m'enfuie avec le journal, dit-elle. Même si le pauvre Whitefoot était ferré, il ne serait pas à la hauteur de votre mustang.

Reno regarda Eve. Dans la lueur du feu, ses yeux étaient clairs comme de l'eau de source. Sans un mot, il se leva et s'éloigna d'elle. Il revint un moment plus tard en portant le journal. Toujours silencieux, il s'assit en croisant les jambes près du feu et l'ouvrit.

Comme Eve ne bougeait pas, il lui jeta un rapide coup d'œil.

— Vous vouliez le journal. Le voici.

— Merci, répondit-elle en tendant la main.

Reno secoua lentement la tête.

— Venez le chercher, dit-il.

Il y avait un avertissement dans le regard de Reno. Elle s'approcha d'un air méfiant et s'assit près de lui. En se penchant au-dessus de son bras, et en étirant le cou, elle pouvait voir l'écriture délavée sur le journal.

A dia vente-uno del ano de 15…

Ces premiers mots lui étaient si familiers qu'elle pouvait les lire sans effort.

— En ce jour de…

— Vous me cachez la lumière, l'interrompit Reno.

— Oh. Désolée.

Eve se redressa, regarda de nouveau et émit un petit bruit de frustration.

— Maintenant, je ne vois pas.

— Tenez, dit Reno en lui tendant le journal.

— Merci.

— De rien, dit-il en souriant à l'idée de ce qu'il s'apprêtait à faire.

Avant même que les doigts d'Eve se soient refermés sur le cuir, Reno la prit et l'installa sur ses genoux, le dos contre sa poitrine. Quand elle essaya de s'écarter, il la retint en place.

— Vous allez quelque part? demanda-t-il.

— Je ne peux pas voir de cette manière, dit Eve.

— Essayez d'ouvrir le journal.

— Quoi?

— Le journal, dit-il d'un ton sec. C'est difficile de lire à travers la couverture.

Quand Eve tenta de nouveau de s'éloigner, Reno la retint avec une facilité déconcertante.

— J'ai dit que je n'allais pas vous forcer, répéta-t-il d'une voix calme. Et j'ai dit que j'allais vous toucher. Je suis un homme de parole. Et vous? Tenez-vous votre parole comme une femme, ou alors comme une fille de saloon?

— Je respecte ma parole, tout simplement, répliqua Eve, les dents serrées.

— Prouvez-le. Commencez à lire. Vous voyez suffisamment, n'est-ce pas?

Elle acquiesça dans un murmure, prit une petite inspiration et ouvrit le journal à la première page. Elle n'arrivait pas à se concentrer sur les mots. Elle ne pensait qu'à la sensation du corps de Reno contre son dos, ses hanches, ses cuisses.

Les longs bras de Reno la contournèrent, prirent le journal et l'ouvrirent.

— Lisez à voix haute, dit-il.

Sa voix était aussi nonchalante que s'il passait chaque soirée à lire des livres avec une fille sur ses genoux.

C'est peut-être vrai, songea Eve.

— Je devrais souligner, dit Reno, que si ce que j'entends ne m'intéresse pas, je pourrai toujours trouver autre chose à faire qui me convienne.

La menace sensuelle dans sa voix était indéniable.

— « En ce 21e jour de l'année 1500… » dit rapidement Eve en espérant que Reno n'entende pas le petit tremblement dans sa voix. Il y a une tache ici. Je ne peux pas dire s'il s'agit de l'année… de l'année…

Sa voix se brisa quand elle sentit le col de sa veste se tirer vers le bas. La chaleur du souffle de Reno sur son cou la fit frissonner.

— Qu'est-ce que vous faites ? demanda-t-elle.

— Continuez de lire.

— Ça dit seulement qui a autorisé…

Le frôlement de sa moustache sur sa nuque lui coupa le souffle.

— Lisez.

— Je ne peux pas. Vous me distrayez.

— Vous vous y habituerez. Lisez.

— Ça dit seulement qui a autorisé l'expédition et combien d'hommes et quelles armes et…

Eve se tut quand les dents de Reno frôlèrent sa peau avec une délicatesse ravageuse.

— Poursuivez, murmura-t-il.

— Et ça dit quel était l'objectif.

Le bout de la langue de Reno glissa sur sa nuque. Il sentit le frémissement qui la traversa et se demanda si c'était un frisson de peur ou d'anticipation.

– Quel était l'objectif ? demanda-t-il.

Eve se rappela qu'un marché était un marché. Elle avait accepté de laisser Reno la séduire.

Mais elle n'avait pas accepté de lui permettre de réussir.

– L'or, bien sûr, dit-elle brusquement. N'est-ce pas ce que les Espagnols ont toujours voulu ?

– Je l'ignore. C'est vous qui avez le journal. Lisez-le-moi.

– Ça ne faisait pas partie de notre entente.

Le cœur d'Eve chavira quand elle sentit la chaleur de la bouche de Reno sur sa nuque. La succion excitante et la pointe de ses dents l'enflammèrent.

Reno sentit le frémissement qui la traversa et se demanda une fois de plus si elle était mue par la peur ou la sensualité, car il avait vu les deux dans ses yeux topaze quand il l'observait pendant les journées passées sur la piste.

Il n'y avait aucun doute quant à ce qui animait Reno. Le goût de la peau nue d'Eve et la sensation de ses hanches confortablement installées entre ses cuisses étaient un plaisir d'une chaleur intense. Il bougea légèrement, augmentant la douce pression contre sa chair qui se durcissait à toute vitesse.

– Ils... Les Espagnols étaient censés baptiser les Indiens aussi, dit rapidement Eve.

Elle essaya de s'échapper des genoux de Reno, mais chacun de ses mouvements ne faisait qu'accroître le contact intime.

Elle s'immobilisa complètement.

– Est-ce qu'ils le faisaient ? demanda-t-il d'une voix nonchalante.

– Oui. C'est ce que ça dit ici.

— Montrez-moi.

Eve essaya de trouver la page, mais ses doigts étaient maladroits, et Reno tenait le journal d'une façon telle qu'elle ne pouvait pas tourner plus d'une page ou deux à la fois.

— Votre pouce me nuit, dit-elle.

Reno émit un son guttural et interrogateur qui l'énerva presque autant qu'un contact physique.

— Je ne peux pas tourner les pages… expliqua-t-elle.

Le reste de ses paroles se perdit dans un hoquet étouffé tandis que la moustache de Reno se déplaçait comme une brosse de soie à la naissance de ses cheveux. La chair de poule se répandit le long de ses bras.

— Alors, tenez le journal, dit-il d'une voix profonde. Mais si vous essayez de vous écarter encore, je vais plutôt vous étendre sur le sol.

Eve prit le journal des mains de Reno et commença à tourner les pages comme si sa vie dépendait du fait de pouvoir trouver le reste des instructions royales à l'expédition de Cristobal Lyon.

Les longs doigts agiles de Reno se mirent à déboutonner la veste d'Eve.

— Sauver des âmes, dit-elle rapidement. Ils essayaient de sauver des âmes.

— Je crois que vous l'avez déjà mentionné.

La veste commença à s'ouvrir, et Eve sentit l'air frais de la nuit sur sa gorge. Elle ferma les yeux et essaya de respirer lentement.

— Quelque part, ils… ils parlent de chercher une route par voie terrestre jusqu'aux missions espagnoles en Californie, dit-elle.

— Des explorateurs, fit Reno d'une voix rauque. Des hommes comme je les aime. Continuez, *gata*, lisez-moi quelque chose à propos de territoires vierges et de trésors enfouis.

— Ils sont partis de la Nouvelle-Espagne et…

Eve retint son souffle quand le dernier bouton de sa veste céda sous la douce pression de Reno. La chemise blanche usée qui avait appartenu à Don Lyon luisait dans la lumière du feu comme si elle était faite de satin.

— Ne paniquez pas, dit Reno. Je ne vous ferai rien que nous n'ayons déjà fait.

— C'est censé me rassurer ?

— Les Espagnols sont partis de la Nouvelle-Espagne, se contenta de dire Reno. Et ensuite ?

— Ils sont arrivés aux Rocheuses par l'est.

Elle laissa échapper un rapide soupir quand les longs doigts de Reno caressèrent légèrement sa gorge, frôlant les battements frénétiques de son pouls.

— Ou peut-être par l'ouest. Je ne sais pas. Je ne peux pas…

Reno détacha le premier bouton de sa chemise, et Eve ajouta :

— Je ne peux pas me souvenir de quelle direction ils… ils…

Un autre bouton céda. Puis un autre.

— Qu'est-ce qu'ils ont trouvé ? demanda Reno doucement pendant qu'il écartait les pans de la blouse. De l'or ?

Eve laissa tomber le journal et saisit les bords de sa blouse. Il était trop tard. Les mains de Reno caressaient déjà sa peau nue, attirant son corps avec des promesses de plaisir.

— Pas immédiatement. Ils ont trouvé… ils ont trouvé…

La voix d'Eve se transforma en un petit cri rauque tandis que ses seins se transformaient rapidement en réaction à la caresse de Reno.

— Arrêtez, dit-elle.

Mais à ce moment même, elle n'aurait pu dire si elle était sincère. La pression sensuelle de ses mamelons durcis s'exerçait déjà contre les paumes de Reno.

— Le plaisir et non la peur, souffla-t-il contre son cou. Nous allons enflammer les montagnes, *gata*. Et ensuite, nous allons enflammer la nuit.

Eve se tordit et faillit tomber par terre en se libérant des mains habiles de Reno.

— Non !

Pendant quelques moments tendus, elle pensa que Reno allait la ramener brusquement sur ses genoux. Puis il laissa échapper un puissant soupir qui était également un juron.

— Ça ne fait rien, *gata*. Si je continue de vous toucher, je vous aurai, dit-il avant de hausser les épaules. Je ne veux pas amener ma fille de saloon dans la maison de ma sœur.

Eve referma sa veste avec des doigts qui tremblaient de colère, et non de passion.

— Ce ne sera pas un problème, ni maintenant ni plus tard, dit-elle.

— Quoi ?

— Le fait que je sois votre fille de saloon.

Reno cligna des yeux devant l'amertume dans sa voix, mais il dit simplement :

— Vous reniez déjà votre parole ?

Eve releva brusquement la tête, et son regard avait l'intensité du feu.

– J'étais d'accord sur le fait que vous pouviez *essayer* de me séduire, fit-elle d'une voix tendue. Je ne vous ai pas assuré que vous réussiriez.

– Oh, je vais réussir, répondit-il d'une voix traînante. Et vous m'aiderez tout au long du chemin. Vous n'aurez jamais eu autant de plaisir à rembourser une dette.

Le bref sourire de Reno rendit Eve furieuse.

– Ne comptez pas là-dessus, pistolero. Aucune femme ne veut d'un homme qui lui donne l'impression d'être une putain.

Chapitre 6

Le changement qui s'opéra chez Reno en pénétrant dans la vaste vallée où Caleb et Willow avaient construit leur foyer renversa Eve. Il cessa de plisser les yeux et perdit sa vigilance prédatrice, révélant un homme détendu au sourire rapide. Elle avait cru qu'il avait plus de 30 ans, mais à présent, il lui semblait clair qu'il était beaucoup plus jeune et beaucoup moins dur.

Sa transformation réussit à elle seule à faire en sorte que la vallée soit attrayante aux yeux d'Eve, mais il y avait plus que cela. L'endroit était exceptionnellement beau, car la vallée était ouverte plutôt qu'enserrée entre de hauts contreforts montagneux. Une rivière d'un bleu argenté étincelait entre des rives parsemées de peupliers de Virginie. À l'autre extrémité de la grande vallée luxuriante, plusieurs sommets de montagnes s'élevaient avec magnificence contre le ciel d'un bleu saphir. Les clôtures qui séparaient une partie de la vallée en pâturages paraissaient récentes. Des bestiaux bien gras broutaient calmement tandis qu'Eve et Reno chevauchaient près d'eux suivis de trois chevaux de bât. Dans un pâturage proche, un étalon roux musclé émit un hennissement et galopa vers les visiteurs, la queue levée comme une bannière.

Comme l'étalon approchait, Whitefoot inclina les oreilles vers l'arrière d'un air inquiet et accéléra le pas. La jument de Reno n'était pas le moins du monde inquiète. Elle leva la tête pour pousser un hennissement enthousiaste en direction du cheval roux.

— Pas cette année, Darling, dit Reno en souriant pendant qu'il tirait sur les rênes de sa jument. Tu es la meilleure jument de contrée désertique que j'aie jamais eue. Tu auras suffisamment de temps pour avoir les poulains d'Ishmael quand j'aurai trouvé l'or espagnol.

Darling mâcha le mors avec ressentiment, hennit et fit une tentative timide pour désarçonner son cavalier.

En riant, Reno laissa passer la colère de sa jument avec la même aisance faussement nonchalante avec laquelle il faisait tant de choses. Puis il l'éperonna légèrement, l'envoyant galoper vers la grande maison de rondins où une femme portant une blouse blanche et une longue jupe verte venait de se précipiter dans la cour.

— Matt ? cria-t-elle au cavalier qui s'approchait rapidement. C'est toi ?

— C'est moi, Willy, répondit Reno.

Il fit freiner la jument et ajouta :

— Si ce n'était pas moi, Cal aurait vidé la sacoche de Darling pendant que nous admirions ton étalon arabe.

— Tu as tout à fait raison, dit Caleb en sortant de la maison.

— Les Comancheros t'inquiètent encore ? remarqua Reno en voyant le fusil dans les mains de l'autre homme.

Caleb haussa les épaules.

— Des aventuriers, des Comancheros, des chercheurs d'or… Il y a même eu un groupe de lords et de dames pendant que tu étais parti. Bon sang, l'été, il y a de plus en plus de gens dans les environs.

— Des lords et des dames ? Vraiment ? Je parie que Wolfe n'était pas très content.

— Wolfe et Jessi n'étaient pas ici, dit Willow. Ils sont encore là-bas à admirer les paysages.

Reno sourit. À la place de Wolfe, il aurait fait la même chose : il aurait amené sa magnifique jeune épouse dans la contrée sauvage et passé beaucoup de temps seul avec elle.

— Nous avons entendu dire qu'ils se trouvaient vers l'ouest, poursuivit Willow, quelque part dans le labyrinthe de canyons. Jessi a juré que leur lune de miel ne se terminerait qu'au moment où elle aurait vu toutes les cachettes préférées de Wolfe.

— Peut-être que je vais tomber sur eux dans le désert de pierres rouges, dit Reno. Et Rafe ? Il est de retour ?

Willow secoua la tête en faisant scintiller ses cheveux blonds sous la lumière du soleil.

— Il est encore à la recherche d'un chemin à travers le canyon dont lui a parlé Wolfe, celui qui est si large et si profond que seul le soleil peut le traverser, dit Willow.

— De quand date cette nouvelle ?

— De la semaine dernière, répondit Willow. Un aventurier qu'il a rencontré sur le Rio Verde s'est arrêté ici hier.

— Il avait entendu parler des biscuits de Willow, ajouta Caleb sur un ton ironique. On lui avait dit qu'il valait la peine pour lui de faire un détour de 100 kilomètres pour y goûter.

— Merde, marmonna Reno. J'espérais embaucher Rafe pour faire un peu de prospection aurifère.

Willow regarda son frère puis les chevaux de bât et le mince cavalier qui venait juste de pénétrer dans la cour.

— As-tu recruté un garçon pour t'aider ? demanda-t-elle.

Caleb remarqua immédiatement le changement d'expression chez Reno.

— Pas tout à fait, dit Reno. C'est ma… partenaire.

Eve était suffisamment proche pour avoir entendu les paroles de Reno. Elle arrêta sa jument fatiguée près de la sienne et se chargea des présentations qu'il était de toute évidence réticent à faire.

— Je m'appelle Eve Star, dit-elle calmement. Vous devez être la sœur de Reno.

Willow rougit et éclata de rire.

— Oh, mon Dieu. Je suis désolée, mademoiselle Star. Oui, je suis Willow Black, et je devrais être assez intelligente pour ne pas supposer que tout ce qui porte des pantalons est un homme. Jessi et moi en portons toutes les deux quand nous partons à cheval.

Caleb regarda la chemise usée et chiffonnée, et les pantalons noirs de serge délavés que portait Eve, et il sut qu'il n'aurait jamais fait l'erreur de la prendre pour un homme. Il y avait quelque chose de trop essentiellement féminin à propos de la forme sous les vêtements amples pour qu'un homme s'y trompe.

— Je m'appelle Caleb Black, dit-il à Eve. Descendez de cheval et venez à l'intérieur. La piste qui traverse la ligne de séparation des eaux est longue et difficile pour une femme.

— Oui, descendez, fit rapidement Willow. Il y a des mois que je n'ai pas eu une femme à qui parler.

Le sourire généreux et accueillant de Willow était comme un baume sur la fierté d'Eve. Elle lui sourit en même temps qu'à Caleb, qui était aussi costaud que Reno, mais qui semblait beaucoup plus gentil, en particulier quand il souriait comme il le faisait à ce moment.

— Merci, dit Eve. C'était une longue chevauchée.

— Ne vous installez pas trop confortablement, fit brusquement Reno pendant qu'il mettait pied par terre. Nous n'allons rester que le temps que vous changiez de chevaux.

Caleb plissa les yeux en sentant la tension dans la voix apparemment calme de Reno, mais il ne dit rien.

Comme toujours, Willow exprima ce qu'elle avait à l'esprit.

— Matthew Moran, où sont passées tes bonnes manières ? Sans parler de ton bon sens !

— Il se peut que nous soyons suivis, dit Reno. Je ne veux pas qu'ils vous tombent dessus.

— Jericho Slater ? demanda Caleb.

Reno parut surpris.

— Ici, les hommes n'ont pas beaucoup d'autres sujets de conversations que les autres hommes, dit sèchement Caleb. Un de mes cavaliers a une amie comanchero. Son frère est le pisteur de Slater.

— Il n'y a pas grand-chose qui t'échappe, n'est-ce pas ? marmonna Reno. Oui, c'est probablement Slater qui me suit.

En voyant le sourire sauvage qui se dessina sur le visage de Caleb, Eve modifia rapidement son idée à propos de la nature gentille de l'homme.

— Et moi qui pensais que tu avais oublié mon anniversaire, fit Caleb. C'est vraiment bien de ta part d'amener un Slater ici pour le partager. Il reste sacrément peu de ces garçons.

En souriant doucement, Reno secoua la tête et accepta l'inévitable.

— D'accord, Cal. Nous allons rester pour dîner.

— Vous allez faire plus que ça, intervint Willow.

— Désolé, Willy, dit Reno. Nous avons une trop grande distance à parcourir.

— Qu'est-ce qui presse ? demanda Caleb. Est-ce que Slater vous talonne à ce point ?

— Non.

Caleb haussa les sourcils devant la réponse brusque.

Reno songea à ce qu'il pourrait dire qui ne serait ni un mensonge ni la vérité ; il se sentait terriblement mal à l'aise d'amener une fille de saloon dans la maison de sa sœur.

— Il est tard dans la saison pour monter dans les hautes terres, dit-il, et nous avons un long désert de roches à traverser avant d'atteindre les monts Abajo.

— Les monts Abajo, hein ? C'est un groupe de montagnes terriblement isolé que vous avez choisi d'explorer.

— Pas moi. Le jésuite. En tout cas, je suppose que c'est vers là que nous nous dirigeons, ajouta Reno en jetant un regard oblique à Eve.

— Tu supposes ? demanda Willow, interloquée. Tu ne le sais pas ?

— Je ne suis pas vraiment bon pour déchiffrer l'ancien espagnol, et je suis carrément inutile quand il s'agit du code privé de la famille Lyon. C'est là qu'intervient ma... partenaire.

— Oh, fit Willow, qui semblait toujours interloquée.

Reno paraissait en avoir terminé de fournir des explications.

Caleb posa une main au-dessus de ses yeux et regarda le sommet le plus proche au-delà du pré. Sur son flanc élevé, une poignée de trembles scintillaient sous le soleil d'automne.

— Il vous reste encore du temps avant que les hauts cols soient fermés, dit-il d'une voix nonchalante. Seulement quelques trembles ont rougi sur les flancs nord.

Reno secoua les épaules.

— Je ne parierais pas contre une neige précoce.

Le rictus de Reno était plus éloquent que ses paroles. Ils n'allaient pas rester au ranch plus longtemps qu'il n'était nécessaire.

— La fièvre de l'or, hein ? dit Caleb sans rancœur. Je m'y attendais.

Reno acquiesça d'un geste brusque de la tête.

— Eh bien, dit Caleb, tu devrais penser à ta partenaire. Elle semble un peu crevée après avoir galopé à la recherche d'or qui n'en est peut-être pas. Tu pourrais peut-être la laisser se reposer ici pendant que tu pars en éclaireur.

Eve rougit même si rien dans la voix ou dans l'expression de Caleb ne laissait entendre qu'il pensait qu'il y avait quelque chose d'inhabituel à propos d'une fille qui chevauchait seule dans la nature sauvage avec un homme qui n'était ni son mari, ni son fiancé, ni un parent.

— C'est ma carte, dit-elle.

— Pas vraiment, rétorqua Reno.

Caleb haussa ses sourcils noirs.

— C'est une longue histoire, grommela Reno.

— Ce sont les meilleures, dit Caleb d'une voix neutre.

— Alors, il faudra beaucoup de temps pour la raconter, n'est-ce pas ? demanda Willow.

— Willy... commença Reno.

— N'essaie pas de m'amadouer, Matthew Moran, l'interrompit-elle en posant ses mains sur ses hanches et en se plantant devant son frère.

— Un instant... commença Reno.

C'était inutile.

— Même si vous changiez de selle comme un cavalier de poney express et galopiez jusqu'au crépuscule, dit Willow, vous ne feriez pas plus de quelques kilomètres. Vous allez rester pendant un moment, un point c'est tout. Il y a trop longtemps que je n'ai pas eu une femme à qui parler.

— Chérie, c'est... commença Caleb.

— Tu restes en dehors de ça, dit Willow. Matt vit seul depuis trop longtemps. Il n'a pas plus de manières qu'un loup.

Eve regarda Willow avec un mélange de fascination et d'horreur pendant qu'elle confrontait les deux hommes. Si elle se rendait compte que son mari et son frère la dépassaient d'une tête et étaient beaucoup plus forts qu'elle, cela ne la ralentissait pas le moindrement.

Pourtant, Eve avait l'impression qu'aucun des hommes n'était du genre à reculer devant quiconque, et encore moins devant quelqu'un qui faisait la moitié de leur poids et possédait le tiers de leurs forces.

Caleb et Reno se regardèrent pendant que Willow reprenait son souffle. Caleb sourit puis commença à rire doucement. Il fallut plus de temps pour que Reno l'imite, mais en fin de compte, il céda devant sa petite sœur.

– D'accord, Willy. Mais seulement une nuit. Nous partons à l'aube.

Elle commença à rouspéter, regarda les yeux de Reno et sut qu'il ne servirait à rien d'argumenter davantage.

– Et seulement si tu fais des biscuits, ajouta-t-il en souriant.

Willow éclata de rire et étreignit son frère.

– Bienvenue à la maison, Matt.

Reno lui rendit son étreinte, mais ses yeux s'assombrirent quand il regarda par-dessus la tête blonde de Willow la maison et le pré où le bétail broutait. Il était le bienvenu, mais ce n'était pas chez lui. Il n'avait pas de foyer.

Pour la première fois de sa vie, cette pensée le dérangeait.

La cuisine sentait les biscuits de Willow, le ragoût de bœuf et la tarte aux pommes qu'Eve avait insisté pour faire. Willow ne s'était pas beaucoup battue, et avait accepté d'emblée le fait qu'Eve préférait être traitée comme une voisine ou une amie plutôt que comme une invitée.

Reno ne s'était pas réjoui de trouver Eve dans la cuisine quand il était revenu après avoir choisi les chevaux et préparé les sacoches de selle sur les chevaux de bât pour partir tôt le lendemain, mais il était déjà trop tard pour qu'il proteste. Eve et Willow partageaient la cuisine et bavardaient ensemble comme de vieilles amies.

Eve s'était baignée et avait endossé la vieille robe que Reno avait trouvée dans sa sacoche pendant qu'il cherchait des objets beaucoup plus précieux. La robe était froissée, usée presque à la corde. Elle était terriblement propre et avait de toute évidence été confectionnée avec des sacs de farine. Elle avait été lavée au savon dur et séchée au soleil tant de fois que les noms des fabricants n'étaient plus qu'une teinte de rose et de bleu pâle illisible. Soit le tissu avait rétréci au fil du temps, soit la robe venait de quelqu'un d'autre, car elle était trop serrée sur les seins d'Eve et révélait trop la courbe de ses hanches. Alors qu'elle était vêtue de la sorte, un homme était porté à mesurer la taille mince avec ses mains puis à retirer le tissu brut pour atteindre la femme soyeuse dessous.

Mais c'était mieux que la robe de saloon en soie pourpre que Reno avait d'abord vue sur elle. Il avait craint qu'elle la porte dans la maison de Willow pour se venger de lui après qu'il ait dit ne pas vouloir amener une fille de saloon dans la maison de sa sœur.

– Mon Dieu ! s'exclama Willow. J'ai oublié la couche d'Ethan.

– Je vais la chercher, dit Eve.

– Merci. Elle est dans la chambre voisine de la vôtre.

Eve se tourna et vit le regard désapprobateur de Reno. Elle redressa les épaules, releva le menton et passa devant lui sans dire un mot.

Le regard froid de Reno suivit le balancement inconscient de ses hanches jusqu'à ce qu'il ne puisse plus les voir. Ce n'est qu'à ce moment qu'il se retourna vers sa sœur et son neveu, qu'elle était en train de baigner près de la chaleur du poêle dans la cuisine.

Les yeux ambrés du bébé étaient exactement comme ceux de Caleb. Même s'il n'avait pas encore une demi-année de vie, Ethan Black était déjà plus grand que la plupart des enfants à 10 mois. Sa mère avait du mal à le tenir pendant qu'il l'éclaboussait et battait des mains avec enthousiasme dans une bassine d'eau chaude.

– Laisse-moi m'occuper de lui, dit Reno. Et fais les biscuits.

– J'en ai déjà fait trois fournées, répondit Willow. La dernière est en train de cuire.

– Ceux-là sont pour ce soir. Je parlais de biscuits pour la piste demain.

Willow s'écarta en riant.

Reno prit le gant de toilette, le frotta avec le savon et commença à laver son neveu. L'enfant émit un son joyeux et essaya d'attraper la moustache de Reno avec ses petits doigts grassouillets. Reno recula, mais pas assez. Ethan saisit sa moustache et tira.

Reno essaya de se dégager en grimaçant, mais il prit soin de ne pas vraiment décourager son neveu. Il retira doucement les doigts de sa moustache, les embrassa et rit quand Ethan écarquilla les yeux de surprise et de joie.

Le bébé gazouilla et tenta encore une fois d'attraper la moustache de son oncle. Cette fois, Reno l'évita facilement.

– Tu grandis vite, dit-il en lavant son neveu qui se débattait avec énergie. Je pars moins d'un mois, et tes bras ont déjà allongé de plusieurs centimètres.

Ethan battait l'air de ses bras, projetant de l'eau partout. Willow leva les yeux de la farine qu'elle tamisait, vit la joie sur le visage de son enfant et secoua la tête.

– Tu le gâtes, dit-elle d'un ton qui n'avait rien de réprobateur.

– C'est un des plaisirs de ma vie, acquiesça Reno. Ça et tes biscuits.

Avec un cri de joie, Ethan se lança contre la poitrine de Reno.

— Du calme, petit bonhomme.

Il prit doucement les bras du bébé pour que la cuisine de Willow ne devienne pas complètement humide et glissante comme le plancher d'un bain public.

Ethan essaya de se libérer, en vain. Juste au moment où il se préparait à émettre un grand cri, Reno lui changea les idées en saisissant une de ses petites mains, en pressant sa bouche contre la paume et en soufflant. Les petits bruits qui suivirent réjouirent l'enfant.

Personne ne remarqua Eve debout dans l'embrasure de la porte de la cuisine alors qu'elle regardait Reno avec dans les yeux de l'incrédulité et de la nostalgie. Elle n'avait jamais imaginé qu'une telle douceur se cachait derrière le corps robuste de Reno et sa rapidité mortelle avec un six-coups. En le voyant baigner son neveu, elle eut l'impression d'être passée d'un univers à un autre, un univers où tout était possible…

La tendresse et la force se combinaient dans cet homme.

— Bon sang, tu es glissant comme une anguille, dit Reno.

— Essayez de le rincer, lui dit Willow sans lever les yeux.

— Avec quoi ? Presque toute l'eau est sur moi.

Willow rit.

— Tiens bon. Il y a de l'eau chaude sur le poêle. Je vais la prendre aussitôt que j'aurai fini de tamiser cette farine.

— Je vais la chercher, dit Eve en entrant dans la cuisine.

Un changement subtil se produisit sur le visage de Reno quand il entendit la voix d'Eve derrière lui. Une rigidité qui n'y était pas auparavant.

Willow le remarqua et se demanda pourquoi Reno était si mal à l'aise face à cette fille qui était sa partenaire. Entre eux, il n'y avait rien de la détente à laquelle Willow se serait attendue d'un couple qui se faisait la cour ou avait une liaison d'un type plus physique.

Le flirt semblait aussi absent de leur relation. Reno traitait Eve comme si elle était pratiquement une étrangère — en fait, un étranger.

Willow s'en étonna, car Reno était habituellement galant, et il aimait les femmes. En particulier les femmes aux grands yeux dorés, avec un sourire généreux et une grâce féline dans ses gestes franchement, bien qu'inconsciemment, sensuels.

— Merci, Eve, dit-elle. La serviette d'Ethan se trouve sur ce crochet juste derrière le poêle.

Du coin de l'œil, Reno observa Eve pendant qu'elle prenait la serviette et l'eau de rinçage pour le bébé. Quand elle se pencha, le tissu usé de sa robe fit remonter ses seins, en révélant chaque courbe. Il en eut le souffle coupé.

L'élan de désir féroce qui traversa Reno le mit en colère. Son appétit sexuel n'avait jamais été à ce point incontrôlable. Il détourna volontairement les yeux d'Eve pour les porter sur le bébé en pleine santé qui s'agitait entre ses mains.

— Il a peut-être les yeux de Caleb, dit-il en examinant Ethan, mais ils sont placés comme les tiens. Ils ressemblent à ceux d'un chat.

— Je pourrais dire la même chose des tiens, dit Willow. Les filles avaient l'habitude de tomber à tes pieds comme des pêches bien mûres.

— C'est à Rafe que tu penses.

Willow grogna.

— C'est à vous deux. Savannah Marie était comme un âne entre deux carottes.

Sans mot dire, Eve commença à verser un filet d'eau sur le bébé qui s'agitait entre les mains de Reno.

— Ce n'était pas notre beauté, fit Reno. Ce qu'elle aimait, c'était notre ferme, adjacente à celle de son père.

Willow leva les yeux de ses biscuits en entendant le ton amer dans la voix de Reno.

— Tu crois ? demanda-t-elle.

— Je le sais. Savannah Marie ne s'intéressait qu'à son propre confort. C'est à ça que la plupart des femmes s'intéressent.

Willow émit un son de protestation.

— Sauf toi, ajouta Reno. Tu n'as jamais été comme les autres filles. Tu avais un cœur grand comme une grange — et pas davantage de bon sens qu'un grenier à foin.

Willow éclata de rire.

Quand Eve leva la tête, elle se trouva prise sous le regard vert pâle de Reno. Il n'avait pas besoin de parler ; elle savait qu'il la classait dans la catégorie des femmes à la recherche de leur propre confort et qui se fichaient des besoins des autres.

— Franchement, Matt, dit Willow. Tu ne devrais pas dire de pareilles choses. Quelqu'un qui ne te connaît pas pourrait croire que tu es sincère.

À la manière dont Reno regarda Eve, elle comprit qu'elle ferait mieux de le croire.

— Renverse la tête d'Ethan, dit-elle à voix basse.

Reno tourna son neveu jusqu'à ce qu'Eve puisse rincer ses cheveux noirs soyeux sans que le savon lui coule dans les yeux.

Quand l'enfant commença à protester, elle se pencha et lui parla d'une voix apaisante pendant qu'elle rinçait ses cheveux. La tête de l'enfant se retrouva nettoyée avec le savon comme le reste de son corps entre les mains habiles d'Eve.

— Voilà, voilà, petit bonhomme. Ne t'agite pas. Je vais te sécher, puis je vais te mettre au chaud avant que tu t'en rendes compte. Tu vois, c'est terminé.

Eve prit la serviette sur son épaule, enveloppa le corps robuste d'Ethan et le prit dans ses bras. Elle le déposa sur le comptoir et commença à le sécher avec une dextérité qui disait tout. Pendant qu'elle travaillait, elle tirait doucement sur ses orteils et récitait des fragments de vieilles comptines qu'elle avait cru avoir oubliées depuis des années.

— Et ce petit cochon n'en avait pas…

Ethan gazouilla de plaisir. Le jeu du cochonnet était un de ses préférés.

— Et ce petit cochon couina, couina, couina jusqu'à la maison.

Ethan rit, et Eve l'imita. Elle enroula la serviette autour de lui et le souleva dans ses bras pour l'étreindre et l'embrasser.

Les yeux fermés, perdue dans des souvenirs et des rêves, Eve se balançait d'un côté et de l'autre avec Ethan dans ses bras, se rappelant une époque lointaine où elle souhaitait de tout son cœur avoir sa propre maison, sa propre famille, son propre enfant.

Après quelques instants, elle se rendit compte que le silence s'était fait dans la cuisine. Elle ouvrit les yeux et vit Willow qui lui souriait doucement. Reno la regardait comme s'il n'avait jamais vu une femme manipuler un bébé.

— Vous faites ça très bien, dit Willow.

Eve déposa Ethan sur le comptoir et commença à lui mettre une couche avec un talent naturel.

— Il y avait toujours des bébés à l'orphelinat, dit-elle. J'avais l'habitude de faire semblant qu'il s'agissait des miens… une famille.

Willow laissa échapper un petit bruit de sympathie.

Reno plissa les yeux. S'il avait pu imaginer un moyen d'empêcher Eve de raconter ses mensonges attristants, il l'aurait fait, mais il était trop tard. Elle parlait de nouveau, et Willow l'écoutait, ses yeux noisette écarquillés.

— Mais il y avait trop d'enfants plus âgés à l'orphelinat. Chaque fois que le train d'orphelins partait, les plus vieux étaient expédiés dans l'Ouest. Finalement, mon tour est venu.

— Je suis désolée, dit doucement Willow. Je ne voulais pas faire surgir des souvenirs malheureux.

Eve adressa un bref sourire à l'autre femme.

— Ça va. Les gens qui m'ont achetée étaient plus gentils que la plupart.

— « Achetée »… ?

La voix de Willow s'éteignit dans un silence étonné.

— N'est-ce pas le temps de mettre Ethan au lit ? demanda brusquement Reno.

Willow accepta avec soulagement le changement de sujet.

— Oui, dit-elle. Il s'est agité pendant toute sa sieste aujourd'hui.

— Est-ce que je peux le coucher ? demanda Eve.

— Bien sûr.

Reno suivit Eve des yeux jusqu'à ce qu'elle quitte la cuisine, se promettant de lui faire regretter d'avoir attristé sa sœur.

7

Le cri d'Ethan retentit clairement dans la cuisine, où Eve et Willow finissaient de laver la vaisselle.

— Je vais m'en occuper, dit Reno de l'autre pièce. À moins qu'il ait faim. Si c'est le cas, il sera tout à toi, Willy.

Willow éclata de rire pendant qu'elle tordait le linge à vaisselle.

— Tu peux y aller. Quand j'ai fini de le nourrir il y a une heure, il était tout à fait rassasié.

La voix de Caleb leur parvint de la longue table près de la cuisine, où les deux hommes examinaient le journal de Lyon et celui du père de Caleb, qui avait été arpenteur-géomètre au sein de l'armée dans les années 50.

— Eve, lui cria Caleb, avez-vous fini d'essuyer les assiettes ? Reno et moi avons sacrément du mal avec votre journal espagnol.

— J'arrive, dit Eve.

Un moment plus tard, elle s'approcha de la table. Caleb se leva et tira la chaise près de lui.

— Merci, dit Eve en lui souriant.

Du coup, son visage austère devint beau.

— De rien, dit-il.

Reno, devant la porte de la chambre, grimaça dans leur direction, mais ni l'un ni l'autre ne le remarqua. Ils s'étaient déjà penchés sur les deux journaux. À contrecœur, il entra dans la chambre, où Ethan protestait contre l'injustice que représentait le fait d'être mis au lit pendant que le reste de la famille demeurait debout.

— Pouvez-vous déchiffrer ça ? demanda Caleb à Eve en pointant du doigt une page abîmée.

Elle rapprocha le fanal et haussa les sourcils devant l'écriture élaborée, mais à moitié délavée.

— Don pensait que cette abréviation faisait référence au sommet en forme de selle au nord-ouest, dit lentement Eve.

Caleb entendit l'hésitation dans sa voix.

— Qu'en pensez-vous ? demanda-t-il.

— Je pense que ça faisait référence à ça.

Elle recula de deux pages et pointa un doigt vers les étranges symboles le long de la marge.

Un de ceux-ci illustrait effectivement une abréviation qui aurait pu être la même que celle sur l'autre page. Les lettres étaient si délavées que c'était difficile à dire.

— Si c'est ça, dit Caleb, Reno a raison. Ça pourrait faire référence au mont Abajo plutôt qu'aux Platas.

Caleb ouvrit le journal de son père et en tourna rapidement les pages.

— Ici, dit-il. Lorsque mon père venait de cette direction, le terrain lui rappelait une selle espagnole, mais…

— Mais ?

Caleb feuilleta les pages jusqu'à ce qu'il trouve la carte qu'il avait faite en combinant les explorations de son père aux siennes.

— Voici les montagnes que les Espagnols appelaient Las Platas, fit-il.

— Les montagnes d'argent, traduisit Eve.

— Oui. Et où il y a de l'argent, il y a habituellement de l'or.

L'excitation qui s'empara d'Eve transparut dans son sourire.

— Si vous arrivez de cette direction, poursuivit Caleb, ces sommets ressemblent aussi de loin à une selle espagnole. Mais on pourrait dire ça de beaucoup de sommets.

— Ont-ils effectivement trouvé de l'argent dans les Platas ?

Caleb haussa les épaules.

— Ils ont trouvé de l'or quelque part de ce côté de la ligne de partage des eaux.

— Tout près ?

— Personne ne le sait avec certitude.

Caleb indiqua du doigt un groupe de pics montagneux sur la carte. Certains s'élevaient comme des îles du désert de pierres rouges à l'ouest tandis que d'autres faisaient partie des montagnes Rocheuses. Au bas d'un groupe, une marque indiquait le ranch de Caleb.

Rien n'était indiqué au bas des autres montagnes que des points d'interrogation où on pouvait avoir désigné des siècles auparavant l'emplacement d'anciennes *vistas* espagnoles. Toutefois, la terre n'était pas tout à fait dépourvue de la présence de l'homme. Illustrées par des lignes pointillées, comme des affluents d'une rivière invisible, de vagues pistes espagnoles descendaient du groupe de montagnes, se rejoignaient dans la région des canyons et se dirigeaient au sud, vers la terre qui s'appelait jadis la Nouvelle-Espagne.

– Mais ici, dit Caleb en montrant le centre de la région des canyons, à une semaine de dur trajet vers l'ouest, des files de chevaux de bât chargés d'argent ont taillé dans la pierre des pistes qu'on peut encore voir aujourd'hui.

– Où ?

– Le long du Rio Colorado, dit Reno de derrière eux. Mais les Espagnols l'appelaient le Tizón à cette époque.

Surprise, Eve leva si rapidement les yeux qu'elle faillit se cogner la tête contre celle de Caleb.

Reno la fixait, ses yeux verts brillant d'une colère qui s'était accrue chaque fois qu'il regardait par la porte de la chambre et voyait les cheveux blonds d'Eve frôler l'épaisse chevelure noire de Caleb quand ils se penchaient sur les journaux.

La colère de Reno n'étonna pas Eve. Il était furieux contre elle depuis que Willow avait insisté pour qu'ils restent à dîner et passent la nuit.

Ce qui la surprit, ce fut le bébé qui gazouillait joyeusement dans les bras musclés de Reno. Il lui vint à l'esprit qu'elle avait rarement vu Reno sans son neveu depuis qu'ils étaient arrivés. Un tel amour pour un bébé ne l'aurait pas surprise chez un homme comme son propre père. Chez un homme comme Reno, c'était une révélation qui la renversait chaque fois qu'elle se produisait. Rien dans son passé ne l'avait préparée à ça. Les hommes durs qu'elle avait connus n'étaient que ça : durs. Ils se servaient de leur force à leurs propres fins, et au diable le reste.

Malheureusement, Reno gardait le côté gentil de sa nature pour sa famille, point final. Eve n'avait aucune illusion sur le fait qu'une fille de saloon bénéficierait de ses taquineries détendues et de ses sourires séduisants, mais qu'elle ne bénéficierait jamais de l'amour protecteur qu'il accordait à sa sœur.

De toute évidence, il était furieux contre elle parce qu'elle s'était immiscée dans la maison de Willow et dans les bonnes grâces de Caleb. Elle s'en rendait compte chaque fois qu'elle levait les yeux et le voyait la fixer d'un regard féroce.

Au moins, il prenait garde de ne pas laisser voir sa colère à Willow et Caleb. Toutefois, elle savait bien que ce n'était pas pour elle qu'il se retenait. Il voulait seulement éviter de soulever des questions auxquelles il ne voulait pas répondre à propos des filles de saloon et de la maison de sa sœur.

— Est-ce que c'est là que nous nous dirigeons ? lui demanda-t-elle. Vers le fleuve Colorado ?

— J'espère que non, répondit-il brusquement. J'ai entendu dire que les Espagnols connaissaient un raccourci entre ici et les monts Abajo. Si c'est vrai et que nous le trouvons, nous nous épargnerons plusieurs semaines de voyage.

Caleb marmonna quelque chose à propos d'idiots, de mines perdues et d'un labyrinthe de canyons sans nom. À l'insu de tous, Ethan se pencha et essaya d'attraper le foulard brillant qui tenait en place le chignon lâche d'Eve. Quand il rata son coup, il protesta. Bruyamment.

— Il est temps d'aller au lit ! cria Willow de la cuisine.

Eve retira le foulard de ses cheveux. Le chignon se défit immédiatement en projetant une cascade de cheveux dorés sur son dos. Elle les attrapa et les attacha en un nœud lâche. Puis elle prit le foulard et le transforma lestement en une poupée avec un nœud pour la tête, d'autres pour les bras et une jupe évasée dessous.

— Voilà pour toi, petit homme, murmura-t-elle à Ethan. Je sais à quel point ces nuits peuvent être solitaires.

La main de l'enfant se referma autour de la poupée avec une force étonnante. Il l'agita dans les airs et gazouilla joyeusement.

Même si Eve avait parlé à voix basse, Reno l'avait entendue. Il plissa les yeux tandis qu'il cherchait sur le visage d'Eve quelque chose indiquant qu'elle essayait de susciter sa sympathie. Il ne vit que la gentillesse qu'exprimaient ses traits chaque fois qu'Ethan la regardait et roucoulait de plaisir.

Reno fronça les sourcils, détourna les yeux et se rappela que toutes les femmes – même les filles de saloon calculatrices – affichaient de la tendresse envers les bébés.

Willow sortit de la cuisine, prit Ethan et se dirigea vers la chambre. Les roucoulements se transformèrent immédiatement en cris de protestation.

– Ça ne me dérange pas de le promener dans la pièce pendant un moment, proposa Reno.

– S'il pleure encore dans quelques minutes, dit fermement Willow.

– Et si je chantais pour l'endormir ?

Willow éclata de rire et céda.

– C'est une bonne chose que tu partes à la recherche d'or. Tu gâtes honteusement ton neveu.

Reno sourit et suivit sa sœur dans la chambre. Quelques instants plus tard, les douces notes d'une comptine flottèrent dans la pièce, chantées par la belle voix de baryton de Reno. La voix claire de soprano de Willow se joignit à elle quelques moments plus tard dans une parfaite harmonie.

Eve retint son souffle de surprise et de plaisir.

– Ça a eu le même effet sur moi la première fois que je les ai entendus, dit Caleb. Leur frère Rafe chante aussi comme un ange déchu. Je n'ai jamais rencontré les trois autres frères, mais je suppose qu'ils chantent aussi bien.

– Imaginez être assis près d'eux dans l'église...

Caleb rit.

– Quelque chose me dit que les frères Moran couraient davantage vers les bagarres que vers l'église.

Eve sourit distraitement, mais c'étaient les voix qui captaient son attention. La musique avait représenté un des rares plaisirs à l'orphelinat, et elle s'était exercée sous l'autorité du maître de chapelle exigeant, mais patient de l'église voisine.

Les yeux fermés, Eve commença à fredonner pour elle-même. Elle ne connaissait pas les paroles de ce qu'ils chantaient, mais l'air lui était familier. Elle prit sans effort le contrepoint, laissant sa voix d'alto s'insérer à travers l'harmonie simple créée par le frère et la sœur.

Après quelques minutes, la musique s'empara d'elle, lui faisant oublier où elle se trouvait. Sa voix s'éleva entre la lumière de la voix de soprano de Willow et l'obscurité profonde de celle de baryton de Reno, les enrichissant toutes deux comme un arc-en-ciel s'étirant entre la lumière du soleil et l'orage, rayonnant de tous les espoirs de l'homme.

Eve ne s'était pas rendu compte de ce qu'elle faisait jusqu'à ce que les autres s'arrêtent subitement, la laissant chanter seule. Elle ouvrit brusquement les yeux et s'aperçut que Caleb, Reno et Willow la fixaient. Ses joues s'empourprèrent.

– Pardonnez-moi. Je ne voulais pas...

– Ne soyez pas ridicule, l'interrompit rapidement Willow. Où donc avez-vous appris à chanter si merveilleusement ?

— Je l'ai appris du maître de chapelle de l'église.

— Pourriez-vous apprendre à Caleb à jouer ça sur l'harmonica ?

— Pas le temps, intervint Reno. Nous devons travailler sur les journaux ce soir, et nous partons à la première heure demain.

Willow cligna des yeux en entendant la dureté dans la voix de son frère. Le fait que Reno hésite à laisser Eve s'insérer dans la famille ne lui avait pas échappé, mais elle ne pouvait imaginer pourquoi.

Le regard de Reno lui fit comprendre qu'elle ne devait pas le demander.

— J'ai trouvé où les journaux se rejoignent, fit Caleb dans le silence gênant.

— C'est bien, dit Reno.

— J'en doute, dit sèchement Caleb.

— Pourquoi ?

— Ça vous laisse la moitié de l'Ouest à explorer pour trouver de l'or.

Reno prit la chaise de l'autre côté d'Eve et s'assit.

Coincée entre les deux hommes, elle se sentit vraiment menue. Comme elle était assez grande, la sensation lui était inhabituelle ; la plupart des hommes qu'elle avait rencontrés étaient à peine plus grands qu'elle.

Essayant de ne pas toucher les deux paires d'épaules entre lesquelles elle était coincée, Eve prit le vieux journal espagnol pendant que Reno faisait de même.

Leurs mains se frappèrent. Tous deux les retirèrent en marmonnant un mot — une excuse de la part d'Eve et un juron de la part de Reno.

Caleb détournait les yeux pour que ni l'un ni l'autre ne puisse voir le large sourire sur son visage. Il avait une bonne idée de ce qui rendait Reno si susceptible. Il était bien connu que le fait de désirer très fortement une femme sans l'avoir rendait de mauvaise humeur des hommes bien plus accommodants que Reno Moran.

Et Reno donnait l'impression de désirer une femme bien précise. Terriblement.

— Maintenant, dit-il en s'éclaircissant la gorge, vous dites que l'expédition de Cristobal est arrivée à Taos de la direction de Santa Fe…

— Oui, dit rapidement Eve.

Elle tendit de nouveau la main vers le journal en espérant que le léger tremblement de ses doigts ne paraissait pas.

Sa peau brûlait là où Reno l'avait touchée.

— Certaines des premières expéditions sont passées par le Sangre de Cristos dans les monts San Juan avant de tourner vers l'ouest, dit Eve d'une voix minutieusement contrôlée.

Pendant qu'elle parlait, elle tournait les pages, traçant des routes sur les cartes qui avaient été dessinées par des hommes morts depuis longtemps.

— Ils ont traversé les montagnes à peu près…

Elle se tourna vers le journal de Caleb et ajouta :

— Ici. Ils doivent être passés très près de ce ranch.

— Ça ne m'étonnerait pas, dit Caleb. Nous sommes en terrain plat, et seuls les idiots grimpent les montagnes.

— Ou des hommes qui cherchent de l'or, dit Reno.

— C'est la même chose, répliqua Caleb.

Reno éclata de rire. Caleb et lui ne s'étaient jamais entendus à propos de la recherche d'or.

— Mais ici, la piste devient difficile à suivre, continua Eve.

Sous son doigt mince, une page de journal espagnol montrait la route principale qui se séparait en un réseau de pistes.

— Ce symbole représente un cours d'eau qui coule toute l'année, dit-elle pendant qu'elle en montrait un du doigt.

Caleb prit le journal de son père et commença à le feuilleter rapidement. Les cours d'eau qui coulaient toute l'année étaient rares dans les canyons de pierre. Son père aurait certainement noté et cartographié chaque source qu'il aurait découverte.

— Que veut dire ce symbole ? demanda Reno.

— Une impasse.

— Que signifie le signe qui se trouve devant ?

— Je l'ignore.

Reno adressa à Eve un regard oblique qui représentait presque une accusation.

— Dites-m'en plus à propos des autres symboles, fit Caleb en portant les yeux d'un journal à l'autre. Celui-ci, par exemple.

— Il désigne un village indien, mais le signe à côté signifie l'absence de nourriture, expliqua Eve.

— Peut-être que les Indiens étaient hostiles, dit Caleb.

— Il y avait un symbole différent pour ça.

— Alors, ce sont probablement des ruines de pierres, dit Reno.

— Quoi ? demanda Eve.

— Des villages faits de pierres il y a très longtemps.

— Qui les a construits ?

— Personne ne le sait, répondit Reno.

— Quand ont-ils été abandonnés ? insista Eve.

— Personne ne sait ça non plus.

— Verrons-nous ces ruines ? Et pourquoi les Indiens n'y vivent-ils pas aujourd'hui ?

Reno secoua les épaules.

— Peut-être qu'ils n'aiment pas grimper et descendre des falaises pour aller chercher de l'eau, pour chasser ou pour faire pousser de la nourriture.

— Quoi ? demanda Eve, surprise.

— La plupart des ruines se trouvent en plein milieu de falaises qui s'élèvent à plus d'une centaine de mètres.

Eve cligna des yeux.

— Pourquoi donc des gens construiraient-ils un village dans un endroit si inaccessible ?

— Pour la même raison que nos ancêtres ont construit des châteaux sur des promontoires rocheux, dit Caleb en levant les yeux du journal de son père. Pour mieux se défendre.

Avant qu'Eve puisse dire quoi que ce soit, Caleb plaça le journal de son père près de l'autre et pointa une page sur chacun.

— C'est ici que les journaux partent dans des directions différentes, dit-il.

Reno regarda rapidement les deux cartes dessinées à la main.

— Tu en es sûr ? demanda-t-il.

— Si Eve a raison et que ce signe représente une impasse et que l'autre fait référence à un village abandonné…

— Et qu'en est-il de ce cap blanc ? dit Reno en indiquant le journal de Caleb. Ton père en a-t-il fait mention ?

— Seulement à une bonne distance au nord du Chama. Il voyait surtout du grès rouge.

— Des falaises ou des arches ? demanda Reno.

— Les deux.

— De quelle épaisseur ? Et qu'en est-il de l'argilite ?

— Il y en avait beaucoup, répondit Caleb en indiquant le journal espagnol. Ici et autour d'ici.

— Les couches étaient-elles minces ou épaisses, inclinées ou droites ? demanda rapidement Reno. Et l'ardoise ? Le granit ? Le silex ?

Caleb se pencha de nouveau sur le journal de son père. Reno fit de même en récitant des phrases qui ressemblaient davantage à des codes aux oreilles d'Eve. Avec chaque minute qui passait, il devenait de plus en plus évident pour elle qu'il n'avait pas passé tout son temps à se bagarrer et à chercher de l'or. C'était un homme qui possédait d'immenses connaissances en matière de géologie.

Après quelques minutes, il émit un son de satisfaction et tapota une page du journal espagnol avec l'ongle court et propre de son index.

— C'est ce que je pensais, dit-il. Ton père et les Espagnols étaient des côtés opposés de cette grande langue de terre qui s'avance dans la région des canyons à partir du corps principal du plateau. Les Espagnols croyaient que c'était un plateau séparé, mais ton père avait compris.

Caleb examina les deux journaux puis opina de la tête.

— Ce qui signifie, poursuivit Reno, que s'il y a un moyen de traverser la langue de terre autour de là, nous n'avons pas à nous rendre qu'au fleuve Colorado pour reprendre la piste de Cristobal.

— Où veux-tu traverser ? demanda Caleb.

— Exactement ici.

Eve se pencha vers l'avant. Le nœud qu'elle s'était fait sur la nuque après avoir donné le foulard à Ethan se détacha.

Une longue mèche de ses cheveux se répandit sur la main de Reno. Chaque boucle luisait dans la lumière du fanal comme l'or même qu'il avait passé sa vie entière à chercher.

Et comme l'or, la chevelure d'Eve était fraîche et soyeuse contre sa peau.

– Désolée, marmonna-t-elle en s'empressant de refaire le nœud.

Reno ne dit rien. Il n'osait pas parler. Il savait que sa voix trahirait les soudaines palpitations de son cœur.

– Tu as peut-être raison, dit Caleb.

Il regarda intensément les deux journaux.

– Mais si tu te trompes, ajouta-t-il après une minute, vous feriez mieux de prier qu'il y ait davantage d'eau que le montrent les journaux.

– C'est pourquoi j'espère que Wolfe me permettra de partir avec quelques-uns de ses mustangs comme chevaux de bât.

– Prends les deux Shaggy, dit Caleb. Et une monture adaptée au désert aussi pour Eve. Son vieux poney n'y survivrait pas.

– Je pensais à la jument louvette, dit Reno. Elle n'a pas mis bas cette année.

Caleb opina de la tête puis dit sans ménagement :

– Les chevaux sont le moindre de vos problèmes.

– C'est l'eau, répondit Reno.

– C'en est un, mais pas le pire.

Eve émit un son interrogateur.

– Le pire problème, dit Caleb, c'est de trouver la mine – si cette foutue chose existe. Ou vous attendiez-vous à découvrir un signe disant « Creusez ici » ?

— Bien sûr que non. Je m'attendais à ce qu'un bonimenteur de foire et des éléphants dansants nous montrent la direction, répondit Reno d'une voix traînante. Maintenant, ne va pas me dire qu'il n'y en aura pas. Ça va me briser le cœur.

Caleb éclata de rire et secoua la tête.

— Sans blague, dit-il un moment plus tard, comment vous attendez-vous à trouver la mine ?

— L'extraction laisse des marques sur la terre.

— Ne compte pas là-dessus. Ça s'est passé il y a deux siècles. Suffisamment longtemps pour que des arbres poussent par-dessus tout signe d'exploitation.

— Je ne suis pas un mauvais géologue, dit Reno. Je sais quel type de roche chercher.

Caleb regarda Eve.

— Et vous ? Vous pensez pouvoir vous approcher suffisamment avec ce journal pour trouver une mine ?

— Sinon, il y a toujours les aiguilles espagnoles, dit-elle.

— Quoi ?

Eve enfouit la main dans la poche de sa robe élimée et en tira un petit paquet enveloppé de cuir. Quand elle le déroula, deux minces baguettes de métal tombèrent dans sa paume avec un tintement.

— Ça, dit-elle.

— Des baguettes de sourcier espagnoles, expliqua Reno à Caleb. Elles sont censées trouver des trésors enterrés plutôt que du minerai métallique ou de l'eau.

Il regarda Eve.

— Où sont les deux autres ?

Elle cligna des yeux et comprit.

— Don a dit que ses ancêtres s'étaient rendu compte que deux fonctionnaient aussi bien que quatre et qu'elles étaient plus faciles à utiliser.

— Merde, fit Caleb d'un air dégoûté. Vous seriez chanceux de trouver le plancher avec celles-là.

— Que voulez-vous dire ? demanda Eve.

— Elles sont sacrément difficiles à trouver, dit Reno, mais je n'ai jamais essayé ça avec deux baguettes. Dieu sait que ça ne peut pas être pire que si on en a quatre.

Il regarda de nouveau Eve.

— Vous en êtes-vous déjà servi ?

— Non.

Reno tendit la main. Elle laissa tomber les petites baguettes dans sa paume sans toucher sa peau.

— Regardez bien, lui dit Reno. L'idée consiste à faire en sorte que les pointes des aiguilles continuent de se toucher.

— Aux bouts ? demanda Eve.

— Non. À la base. Croisées, mais bougeant facilement et en mesure de réagir au moindre changement.

Eve regarda, les sourcils froncés. L'encoche était si peu profonde qu'elle n'aidait pas vraiment à garder les aiguilles ensemble.

Reno rapprocha délicatement les deux petites baguettes de métal jusqu'à ce qu'elles se rencontrent presque à la base du grand « Y ». Respirant très doucement pour éviter de briser le contact, il les releva pour qu'Eve puisse voir.

— Un peu comme ça, dit-il. Il faut qu'elles se touchent à peine. Sans réelle pression.

— Ça ne semble pas si difficile, intervint Caleb.

— Pas quand une seule personne tient les deux baguettes, mais elles ne fonctionnent pas de cette façon. Il faut deux personnes, une pour chacune.

— Sans rigoler ? demanda Caleb. Donne-m'en une.

Eve regarda pendant que Reno lui donnait une des baguettes métalliques et gardait l'autre. Elles ressemblaient effectivement à des aiguilles dans les grandes mains des deux hommes.

Grandes, mais non maladroites. Reno et Caleb avaient une rare coordination. Eve avait vu les deux hommes se servir de leurs doigts avec la précision délicate d'un papillon atterrissant sur une fleur.

Effectivement, Caleb avait très rapidement joint le bout plat de son aiguille à celle de Reno, mais il était beaucoup plus difficile de les tenir ainsi, alors qu'elles se touchaient à peine. Même ainsi, il fallut à Caleb seulement un moment pour maîtriser la technique.

— Vous voyez comme c'est facile, dit-il.

— Ouais, répondit Reno. Maintenant, promenons-nous autour de la table.

Caleb lui adressa un regard étonné.

— Avec les aiguilles qui se touchent ?

— À chaque pas, dit Reno. Le plus délicatement du monde.

Caleb ne répondit que par un grognement. Les deux hommes se levèrent, joignirent les aiguilles et se regardèrent.

— À trois, dit Caleb. Un… deux… trois.

Ils firent un pas.

Les deux baguettes se séparèrent immédiatement.

La deuxième fois, Caleb essaya d'appliquer davantage de pression quand il fit un pas.

Les baguettes se croisèrent comme des épées.

Au troisième essai, les baguettes se frappèrent, glissèrent et se séparèrent.

– Merde, dit Caleb.

Il fit tourner plusieurs fois la baguette sur sa paume puis la lança vers Reno sans avertissement.

La main libre de Reno jaillit et attrapa l'aiguille. D'un mouvement fluide, il fit tourner une baguette dans chaque main comme un jongleur de cirque.

Quel qu'ait été le problème quant à l'utilisation des baguettes, ce n'était pas la dextérité de la part des hommes.

– C'est une bonne chose que tu aies lu assez de livres de géologie pour combler la bibliothèque d'une université, dit Caleb. Ces aiguilles sont aussi inutiles que des tétines sur un cochon mâle.

D'un geste vif, Eve attrapa une des baguettes qui virevoltait sur la paume de Reno.

– Puis-je ? demanda-t-elle calmement.

La question était inutile. Elle avait déjà orienté l'extrémité fourchue de la baguette dans la direction de Reno. Le bâtonnet de métal était en équilibre entre sa paume et son pouce, et elle le tenait si légèrement qu'un souffle aurait pu faire bouger le métal.

Reno hésita, haussa les épaules et pointa négligemment l'extrémité fourchue de sa baguette vers elle. Il la tint comme elle le faisait, en équilibre entre sa paume et son pouce.

Eve bougea légèrement sa main. Les bouts se rencontrèrent, se frôlèrent puis revinrent ensemble comme du fer sur de la magnétite.

À ce moment, un courant invisible ondula à travers les baguettes jusqu'à la chair qui les tenait, surprenant Eve et Reno.

Eve cessa de retenir son souffle et lâcha son aiguille. Reno fit de même.

Caleb attrapa les deux morceaux de métal avant qu'ils frappent le plancher. Il regarda Eve et Reno d'un air étrange puis leur remit les baguettes.

— Quelque chose ne va pas ? demanda-t-il.

— J'ai été maladroite, dit rapidement Eve. J'ai fait en sorte que les baguettes se frappent.

— Vous ne m'avez pas semblé maladroite, dit Caleb.

Reno ne dit rien. Il se contenta d'observer Eve à travers la fente de ses yeux verts.

— Laissez-moi essayer cette fois, fit Reno.

Eve mit son aiguille en position et se tint immobile.

— Prête.

Reno approcha petit à petit sa baguette, frôlant les pointes puis la cavité du « Y » sur le bout du « Y » d'Eve.

Des courants invisibles frémirent.

Cette fois, Reno et Eve réussirent à tenir les baguettes, mais leur respiration se fit saccadée et rapide. Même un si petit mouvement aurait dû faire s'écarter les aiguilles, cela n'arriva pas.

— Au compte de trois, dit Reno.

Sa voix était curieusement profonde, et son ton était devenu une caresse aussi intangible et indéniable que les courants subtils glissant entre les aiguilles espagnoles, cousant ensemble deux moitiés d'un tout mystérieux.

— Oui, murmura Eve.

Reno compta, et ils firent un pas à l'unisson.

Les pointes se croisèrent en bougeant ensemble, comme si elles étaient légèrement magnétisées.

Reno retira brusquement sa main, et les aiguilles se séparèrent instantanément.

– Encore, dit-il.

Les aiguilles se joignirent comme si elles étaient vivantes, impatientes de retrouver les fragiles courants qui les joindraient et les définiraient en même temps.

– Que je sois damné, murmura Reno.

Son regard quitta les aiguilles étrangement chatoyantes pour aller vers la femme dont les yeux étaient de la couleur de l'or le plus pur.

Et il se demanda ce que ce serait que de s'enfouir en elle, de la sentir frémir aussi délicatement et aussi complètement que les deux baguettes qui se touchaient, deux moitiés entrelacées, bougeant librement, jointes par des courants de feu.

Chapitre 8

Bien avant les premières lueurs du jour, Eve était réveillée et habillée, et elle se glissait silencieusement hors de la maison. Elle se dirigea vers la grange en portant ses sacoches de selle et son tapis de couchage. Elle s'attendait à découvrir que Reno s'y trouvait déjà, préparant les chevaux, car elle avait entendu Caleb se lever plus tôt et quitter la maison silencieuse. Quelques minutes plus tard, elle avait entendu des voix d'hommes provenant de la grange.

Même si elle avait peu dormi la nuit précédente, elle avait été trop nerveuse pour rester un moment de plus dans la chambre d'amis des Black. Elle s'était dit qu'elle était simplement excitée à l'idée d'entreprendre la recherche de l'or qui avait obsédé en vain des générations de Lyon.

Pourtant, ce n'était pas l'or qui avait hanté ses rêves éveillés. C'était le souvenir des deux baguettes de sourcier se touchant et du courant invisible entre elles.

La porte de la grange était ouverte. À côté, deux hommes de grande taille s'occupaient de quatre chevaux. Tout près, une lanterne suspendue à un poteau de l'enclos brillait d'un jaune pâle contre l'obscurité déclinante.

En s'approchant doucement, Eve put entendre parler Caleb.

— ... quand vous descendrez des hauteurs. La plupart d'entre eux sont trop occupés à se déplacer vers un campement d'hiver pour représenter un problème. Mais reste aux aguets. Les guerriers se révoltent contre l'armée, et les chamanes sont tous à la recherche d'une puissante nouvelle vision.

Reno émit un grognement.

— Et il y a tout le reste, poursuivit Caleb.

— Le reste de quoi ?

— Oh, j'ai seulement l'impression qu'en tant qu'ami — et beau-frère —, je devrais t'avertir de ce qui peut arriver quand un homme amène une jolie fille dans une contrée sauvage, dit Caleb d'un ton hésitant.

— Tu peux toujours retenir ton souffle en attendant, dit Reno à Caleb avant de s'adresser sèchement à sa jument. Pas toi, Darling. Si tu retiens ton souffle, tu vas rapidement avoir mon genou contre ton ventre.

Eve sourit. Elle avait appris sur la piste que la jument mustang de Reno avait une façon sournoise de respirer à pleins poumons avant qu'il serre la sangle, puis de relâcher son souffle ensuite. Si Reno n'avait pas été conscient du petit truc de la jument, il se serait retrouvé la tête en bas la moitié du temps.

Le cuir glissa contre le cuir avec un son sifflant pendant que Reno resserrait la courroie de sa jument. Elle hennit et piaffa pour montrer son mécontentement.

Dans l'immobilité précédant l'aube, chaque son était particulièrement clair.

– Quand même, dit Caleb. J'ai accepté de guider une jolie fille jusqu'aux monts San Juan pour trouver son frère, et je me suis retrouvé marié.

Le cuir claquait contre le cuir tandis que Reno attachait la sangle de selle avec des gestes à la fois fluides et puissants.

– Willow est tout à fait différente d'Eve, dit finalement Reno.

– Pas tant que ça. Bien sûr, ses cheveux sont plus noirs que ceux de Willow, et ses yeux sont fauves plutôt que noisette, mais…

– Ce n'est pas ça que je veux dire, l'interrompit brusquement Reno.

– Tu me fais penser à un jeune mustang qui sent une corde autour de son cou pour la première fois de sa vie, dit Caleb sur un ton nettement amusé.

Reno grogna.

Caleb éclata de rire et plaça une selle de bât sur le petit cheval bai. Son épaisse crinière tombait sur ses épaules, et sa queue était si longue qu'elle laissait des marques sur le sol poussiéreux.

Un autre mustang bai attendait patiemment près du premier. Les deux animaux étaient jumeaux. Comme il était difficile de les distinguer l'un de l'autre, on les appelait simplement Shaggy One et Shaggy Two, dépendamment duquel se trouvait à ce moment le plus proche de la personne qui parlait. Les deux hongres étaient inséparables. Où l'un allait, l'autre le suivait.

Le deuxième Shaggy était déjà complètement chargé. Outre l'équipement habituel pour la piste, il y avait de grands contenants vides et deux petits barils de poudre noire attachés de chaque côté de sa selle.

– Revêche comme un jeune étalon qu'on vient d'attraper, poursuivit joyeusement Caleb. Wolfe était comme ça au début, mais il a changé. Les hommes intelligents savent reconnaître quand ils ont quelque chose de bien.

Reno fit semblant de ne pas entendre.

– Crois-moi sur parole, dit Caleb. Ce que tu as maintenant n'a rien à voir avec ce qu'une bonne épouse t'apportera.

Reno frappa le flanc de son mustang.

– Tiens-toi sur tes pattes, Darling, marmonna-t-il. Les miennes ont suffisamment à faire en ce moment.

– Elle cuisine bien, aussi, souligna Caleb. Cette tarte aux pommes était vraiment délicieuse.

– Non, fit brusquement Reno.

– Sottises. Si tu ne l'as pas aimée, pourquoi en as-tu pris trois fois ?

– Merde, ce n'est pas ce que je voulais dire, et tu le sais.

– Alors, que voulais-tu dire ? demanda Caleb d'une voix ironique.

Reno poussa un juron à voix basse. Il passa sous le cou de Darling et s'approcha du dernier cheval, une jument louvette avec une robe, une queue et des sabots noirs, de même qu'une ligne noire le long de son dos.

Maintenant, les deux hommes travaillaient si près l'un de l'autre qu'ils se marchaient presque sur les pieds, et Reno avait ainsi plus de mal à faire semblant qu'il n'entendait pas la voix basse et le ton nonchalant de Caleb. Impatient de se retrouver sur la piste, il étrillait la jument avec de grands gestes musclés.

Au moment où Eve pensa pouvoir s'approcher dans le cercle de lumière du fanal, Caleb recommença à parler.

— Willow aime bien Eve. Ethan s'est tout de suite attaché à elle, et il est plutôt froid avec les étrangers.

La brosse s'immobilisa dans la main de Reno. La jument hennit et le poussa du museau pour qu'il continue de l'étriller.

— Elle est brillante et fougueuse, dit Caleb

Puis il rit doucement avant d'ajouter :

— C'est sûr qu'elle te donnera du fil à retordre.

— La jument louvette ? Peut-être que je devrais l'utiliser comme cheval de bât et donner à Eve un des Shaggy.

Caleb lui lança un grand sourire.

— Elle ferait tourner la tête de la plupart des hommes, mais elle te convient bien.

— Je préfère Darling.

Caleb pouffa de rire.

— Je pensais que mes deux chevaux étaient mes meilleurs amis, puis Willow m'a appris que…

— Eve n'est pas comme Willow, l'interrompit Reno d'un ton glacial.

— C'est ça, mon vieux. Continue de lutter contre cette corde de soie.

Reno poussa un juron silencieux.

— Ça ne servira à rien de te battre, dit Caleb, mais aucun homme digne de ce nom n'abandonne sans lutter.

Reno laissa échapper un autre juron puis se tourna pour faire face à Caleb.

— On devrait me fouetter pour avoir amené Eve dans la maison de ma sœur, dit-il catégoriquement.

Eve éprouva un frisson. Elle savait ce qu'allait dire Reno ensuite, et elle ne voulait pas l'entendre.

Mais surtout, elle ne voulait pas être surprise à les écouter, même si c'était fait innocemment. Elle commença à reculer un pas à la fois en priant pour ne faire aucun bruit qui puisse trahir sa présence.

— Tu m'as demandé comment j'avais rencontré Eve, et j'ai évité la question, dit Reno. Eh bien, je suis fatigué de l'éluder.

— Heureux d'entendre ça.

— Je l'ai rencontrée dans un saloon de Canyon City.

Le sourire de Caleb s'évanouit.

— Quoi ?

— Tu m'as bien entendu. Elle distribuait des cartes au Gold Dust. Slater et un pistolero du nom de Raleigh King étaient à la table.

Reno arrêta de parler, contourna la jument louvette et commença à la brosser.

— Et ? insista Caleb.

— J'ai pris des cartes.

Pendant la minute qui suivit, on n'entendit que le son de la brosse glissant sur la robe luisante. Puis vint le meuglement assourdi du bétail pendant que l'aube commençait lentement à poindre.

— Continue, dit finalement Caleb.

— Elle trichait.

Caleb attendit encore.

Reno demeurait silencieux.

— Bon sang, c'est comme se faire arracher une dent, marmonna Caleb. Vide ton sac.

— Je t'ai dit l'essentiel.

— Pas du tout. Je te connais, Reno. Tu n'amènerais pas une putain dans la maison de ta sœur.

— Je t'ai raconté qu'Eve trichait aux cartes ; je n'ai pas dit qu'elle couchait avec les hommes.

Il y eut un silence tendu suivi du bruit sec d'une couverture de selle que Reno secouait.

— Parle, dit brusquement Caleb.

— Quand son tour est venu de distribuer, elle m'a servi une quinte.

Caleb siffla entre ses dents.

— Quand Raleigh a tendu la main vers son pistolet, j'ai poussé la table sur lui. Eve a saisi la mise et est sortie par l'arrière en me laissant au cœur d'une fusillade avec Raleigh et Slater.

— La putain de Crooked Bear n'a pas parlé de la mort de Slater. Seulement de Raleigh King et de Steamer.

— Slater n'a pas sorti son arme. Eux, oui.

Caleb secoua la tête et dit :

— Que je sois damné. Eve ne ressemble pas à une fille de saloon.

— C'est une tricheuse et une voleuse, et elle m'a piégé pour que je meure.

— Si un autre homme que toi me disait ça, je le traiterais de menteur.

Sans avertissement, Reno se retourna et regarda dans l'obscurité au-delà du cercle de lumière.

— Dites-le-lui, fille de saloon.

Eve s'immobilisa pendant qu'elle faisait un pas vers l'arrière. Après une brève lutte intérieure, elle maîtrisa son instinct de fuir, mais il n'y avait rien qu'elle puisse faire pour remettre de la couleur sur son visage devenu pâle comme la lune. La tête haute, elle marcha jusque dans la lumière.

– Je ne suis pas ce que vous croyez, dit-elle.

Reno saisit les sacoches de selle qu'Eve tenait, les ouvrit et en sortit la robe qu'elle avait portée à Canyon City. Il la brandit comme une condamnation.

– Elle n'est pas aussi attristante qu'une robe confectionnée avec des sacs de farine, mais elle exprime foutrement mieux la vérité, dit Reno à Caleb.

La couleur revint sur les joues d'Eve en une marée pourpre.

– J'étais une servante engagée, dit-elle d'une petite voix. Je portais ce qu'on me donnait.

– C'est ce que vous dites, *gata*. C'est ce que vous dites. Vous portiez ça dans un saloon quand je vous ai rencontrée, et vos maîtres étaient morts.

Reno remit la robe dans la sacoche, posa les deux sacoches jointes sur la clôture de l'enclos et retourna seller la jument louvette.

– Avez-vous mangé ? demanda Caleb à Eve.

N'osant pas parler, elle secoua la tête. Elle ne pouvait pas non plus croiser le regard de Caleb. Il l'avait accueillie chez lui, et ce qu'il devait penser d'elle maintenant qu'il connaissait la vérité lui fit souhaiter de se trouver ailleurs. N'importe où.

– Est-ce que Willow est déjà debout ? ajouta-t-il.

Eve secoua de nouveau la tête.

– Ça ne m'étonne pas, dit Caleb d'un air décontracté. Ethan a été à cran toute la nuit dernière.

– Ses dents perçaient ses gencives.

La phrase était à peine un murmure, mais Caleb comprit.

Reno jura à voix basse, mais claire dans l'immobilité de l'aube.

– Clou de girofle, murmura Eve un moment plus tard.

– Pardon ? fit Caleb.

Eve s'éclaircit douloureusement la gorge.

– De l'huile de clou de girofle. Sur ses gencives. Ça va le soulager.

– Je préférerais de loin lui botter le cul autour de la grange, dit Caleb et je ne parle pas d'Ethan.

Reno leva la tête et jeta un regard dur vers Caleb. Celui-ci le lui rendit immédiatement.

– Homme de Yuma, dit froidement Reno, je pensais que tu serais le dernier à tomber sous le charme d'un joli visage.

Reno tendit la main sous le ventre de la jument, fit passer la longue courroie de cuir dans l'anneau de la sangle de selle et commença à la serrer avec des gestes rapides et violents. Rapides et violents comme ses paroles.

– Tu es parti dans la contrée sauvage avec Willy, une fille innocente qui cherchait l'amour, dit Reno.

Le cuir crissa sur le cuir, puis il ajouta :

– Je pars dans la contrée sauvage avec une petite voleuse expérimentée qui veut la moitié d'une mine d'or.

Il mit l'étrier en place d'un geste sec. Le crissement du cuir était comme un cri dans le silence.

– Si nous trouvons la mine, je vais devoir faire attention, sinon elle va me voler et me tirer dans le dos ou me laisser là pour me faire abattre par des gens comme Jericho Slater, lança Reno d'un ton dur. Elle l'a déjà fait.

Le son d'un triangle de fer frappé avec une baguette de métal se fit entendre en provenance de la maison quand Willow appela les hommes pour le petit-déjeuner.

Reno saisit brusquement les sacoches de selle d'Eve sur la clôture de l'enclos, prit le tapis de couchage dans ses mains et attacha le tout derrière la selle. Quand il eut terminé, il pivota sur lui-même, souleva Eve et la jeta sur la selle.

Ce n'est qu'à ce moment qu'il se tourna vers Caleb.

— Dis au revoir à Willy pour nous.

Il bondit sur le dos de sa rouanne bleue comme un grand félin. D'un geste vif, il détacha la corde qui retenait Shaggy One à la clôture de l'enclos, puis il fit tourner Darling et l'éperonna. La jument mustang sortit de la cour au petit galop. Les deux Shaggy et la jument louvette suivirent, de même que la voix de Caleb.

— Cours pendant que tu le peux, foutue tête de mule. Il n'y a rien de plus solide qu'une corde de soie — ou de plus doux!

Reno savait qu'ils étaient suivis. Il força la cadence des chevaux de l'aube jusqu'au crépuscule, franchissant une distance deux fois plus grande que l'aurait fait un voyageur normal en espérant épuiser les chevaux de Jericho Slater.

En ce moment, Slater avait l'avantage parce que ses chevaux du Tennessee aux longues pattes étaient plus rapides que les mustangs. Dans le désert, la situation se renverserait rapidement. Les mustangs pouvaient cheminer plus vite et plus longtemps avec moins de nourriture et d'eau que n'importe quel cheval de Slater.

Eve ne se plaignit pas une seule fois de la cadence au cours des longues heures de chevauchée. En fait, elle ne prononça pas une parole sauf pour répondre à une question directe, et Reno en avait très peu. Progressivement, sa colère céda le pas à la curiosité à propos de la contrée qu'ils traversaient. Le haut-pays aux grands espaces la remplit lentement d'une paix et du sentiment enivrant d'être au bord d'une vaste terre vierge.

Sur sa gauche s'élevait un haut plateau escarpé couvert de pins et de genévriers. Sur sa droite, elle aperçut les pentes vallonneuses de crêtes basses couvertes de pins, et derrière elle, une magnifique vallée cernée de sommets granitiques, de crêtes escarpées et d'une immense mesa entourée de falaises de pierre pâle. Même sans le journal pour la guider, elle savait qu'ils descendaient lentement des hauteurs vertes et granitiques des Rocheuses. La terre elle-même changeait sous les pattes agiles des mustangs. Les contreforts se dissolvaient en des sommets de plateaux séparés par de profonds ravins creusés par des ruisseaux. Les berges rocheuses des cours d'eau avaient été remplacées par des berges sablonneuses et des langues de sable dans les courbes des rivières. Le grès et le schiste avaient remplacé le granit et l'ardoise.

Les trembles gracieux et les bosquets denses de sapins et d'épinettes avaient cédé le pas aux peupliers de Virginie, aux pins à pignons et aux genévriers. Ici et là, des buissons de sauge apparaissaient à la place des chênes du Maryland. Les nuages se rassemblaient, et le tonnerre grondait dans les sommets, mais la pluie ne tombait pas aux basses altitudes. Et au-dessus de tout trônait la sombre mesa. Eve ne pouvait détourner les yeux de cette avancée de terre escarpée, car elle n'avait jamais rien vu de tel. Des plantes poussaient sur les flancs escarpés de la mesa, mais il n'y en avait pas assez pour dissimuler les couches de pierre extrêmement différentes dessous. Aucune rivière ni aucun ruisseau ne la drainaient. Aucune eau ne dévalait ses ravins. Et aucun arbre haut ne croissait sur sa crête.

La carte dans le journal espagnol laissait entendre que la mesa ne représentait que le début des changements. C'était le rebord d'un immense plateau élevé aussi étendu que nombre de pays européens. Devant, au-delà du soleil couchant, les hautes terres du plateau descendaient en d'immenses marches de pierre qui se terminaient par d'innombrables canyons de pierre. Eve ne pouvait voir le labyrinthe de pierre, mais elle le sentait juste au-dessus de l'horizon, la fin du terrain montagneux qui avait commencé à Canyon City et s'était poursuivi sur des centaines de kilomètres.

Le labyrinthe de pierre était une terre terriblement sèche où ne coulait aucune rivière – sauf après des orages, et même dans ce cas, le phénomène était très bref. Pourtant, au fond du canyon le plus profond se trouvait un fleuve si puissant qu'il ressemblait à la mort elle-même ; aucune personne qui traversait ses limites ne revenait pour dire ce qu'il y avait de l'autre côté.

Eve aurait voulu demander à Reno comment une pareille chose était possible, mais elle se retint. Elle n'allait pas lui demander quoi que ce soit qui ne faisait pas partie du marché diabolique qu'ils avaient conclu.

Et la pensée d'avoir à respecter cette entente – celle de se donner à un homme qui la considérait comme une menteuse et une tricheuse – lui était presque insoutenable.

Sûrement, Reno ne peut pas continuer de croire ça. Plus nous passons de temps ensemble, plus il doit voir que je ne suis pas ce qu'il croit.

Comme Reno l'avait fait pendant toute la journée, il se retourna pour vérifier la piste derrière eux. Au départ, Eve avait cru que c'était parce qu'il craignait qu'elle s'enfuie, mais elle s'était lentement rendu compte que c'était tout à fait autre chose.

Ils étaient suivis. Elle le sentait de la même manière instinctive qu'elle sentait le désir de Reno chaque fois qu'il la regardait.

Elle se demanda si, comme elle, il se souvenait des deux baguettes qui se touchaient, se collaient, se joignaient par des courants secrets, chatoyant sous l'effet des possibilités inconnues. Elle n'avait jamais éprouvé une pareille chose.

Pendant les longues heures sur la piste, ce souvenir l'avait hantée. Chaque fois qu'il lui revenait à l'esprit, il provoquait chez elle des frissons d'émerveillement et d'excitation qui atténuaient sa colère à l'endroit de Reno.

Comment pouvait-elle être fâchée contre un homme dont la chair et l'âme mêmes étaient si bien assorties à sa chair et à son âme ?

Il l'a senti aussi clairement que moi.

Il ne peut pas croire que je ne suis pas mieux que ma robe rouge bon marché.

Sûrement, il comprend. Il est seulement trop têtu pour avouer qu'il avait tort à mon sujet.

Cette pensée avait autant d'attrait pour elle que la possibilité de trouver l'or espagnol quelque part devant eux sur cette terre sauvage, l'or caché de tous, attendant d'être découvert par des gens assez braves ou assez fous pour se risquer à pénétrer dans le dangereux labyrinthe de pierre.

– Attendez ici.

C'est tout ce que dit Reno, mais c'était suffisant.

Eve tira les rênes de sa monture fatiguée, saisit la corde de Shaggy One et regarda Reno s'éloigner sans lui demander où il allait ni pourquoi il partait. Elle resta simplement assise sur sa jument et attendit son retour avec une patience issue de l'épuisement. Autour d'elle, les dernières couleurs du jour disparaissaient du ciel, laissant derrière elles le crépuscule.

Il faisait complètement noir quand Reno réapparut aussi silencieusement qu'un spectre. Les Shaggy et la jument louvette étaient trop occupés à brouter l'herbe rare pour se soucier d'accueillir en hennissant leur compagnon de piste. La rouanne bleue ne paraissait pas non plus vouloir dépenser de l'énergie sur les cérémonies ; aussitôt que Reno le lui permit, elle commença à brouter avec l'appétit d'une jument mustang qui avait grandi en volant sa propre nourriture.

Reno attendit qu'Eve demande où il était allé et pourquoi. Quand il vit qu'elle se taisait, il fut irrité et serra les lèvres.

– Allez-vous bouder toute la nuit aussi ? demanda-t-il

– Pourquoi vous préoccupez-vous de ce que fait une menteuse, une tricheuse et une fille de saloon ? demanda-t-elle d'un air las.

Elle fit semblant de ne pas entendre le juron que poussa Reno à voix basse en descendant de cheval. Il commença à desseller Darling avec des gestes rapides et colériques. Après avoir déposé la selle sur le sol pour laisser sécher la toison, il se tourna vers Eve, les poings sur ses hanches minces.

– Je ne comprends pas pourquoi les femmes se fâchent quand un homme les qualifie de ce qu'elles sont, dit-il sans ménagement.

Eve n'avait pas assez d'énergie pour être polie, et elle était beaucoup trop fatiguée pour être prudente.

— Moi, je peux comprendre comment un coureur de jupons, un malotru, aveugle, têtu et froid peut voir les choses ainsi, dit-elle.

Un silence tendu suivit ses paroles pendant qu'elle descendait de cheval.

Puis Reno éclata de rire.

— Rentrez vos griffes, *gata*. Vous n'avez rien à craindre de moi ce soir.

Eve lui jeta de biais un regard fatigué.

— Je suis peut-être un coureur de jupons, dit-il sèchement, mais je ne suis pas stupide. Aussi longtemps que Slater sera sur ma piste, je ne vais pas me faire surprendre les pantalons par terre.

Eve se dit qu'elle n'était pas déçue de ne pas se faire déranger ce soir — ou les soirs suivants — par les attentions contraignantes de Reno. C'était mieux ainsi. Elle se rappela encore une fois les paroles de Donna :

« Il n'y a qu'une chose qu'un homme veut obtenir d'une femme, ne te méprends pas là-dessus. Quand tu la lui as donnée, tu ferais mieux d'être mariée, sinon il partira à la recherche d'une autre fille assez stupide pour écarter les jambes au nom de l'amour. »Pourtant, même l'écho des conseils amers de Donna Lyon ne pouvait empêcher Eve de voir Reno avec son neveu, souriant et doux, de même qu'avec sa sœur. L'amour en lui avait été puissant au point d'être palpable.

Eve voulait palper cet amour. Elle voulait fonder avec Reno le foyer auquel elle avait toujours rêvé, le refuge sécuritaire à l'abri d'un monde qui ne se souciait pas du fait qu'elle vive ou qu'elle meure, et faire des enfants que personne ne lui arracherait des bras pour les envoyer ailleurs.

Eve fut effrayée en constatant à quel point et de quelles façons elle désirait Reno. Elle n'était pas constituée de fer comme les aiguilles espagnoles, qui n'étaient pas blessées par les courants étranges les unissant. Elle ne pensait pas avoir cette chance si elle s'abandonnait à son appétit complexe et inattendu pour Reno.

Pendant qu'elle passait l'étrier par-dessus le pommeau de la selle, Reno glissa un bras autour de sa taille et l'attira contre lui. Elle sentit tout à coup les muscles de son corps se mouler à elle, des épaules jusqu'aux cuisses. Une arête de chair rigide se pressait contre ses hanches.

— Je suis loin d'être froid, dit Reno. En particulier quand vous êtes tout près pour me garder chaud.

Au début, sa moustache titilla son oreille sensible, puis le bout de sa langue, puis la pointe de ses dents. La retenue dans ses caresses contredisait son excitation évidente. La combinaison d'intense appétit masculin et de maîtrise de soi tout aussi intense était à la fois désarmante et attirante. Elle n'avait jamais connu un homme fort qui avait exercé une quelconque retenue quand il s'agissait de prendre ce qu'il voulait.

Sauf Reno.

Peut-être que plus il est avec moi, plus il voit que je ne suis pas une fille de saloon qu'on peut acheter et vendre selon les caprices d'un homme.

L'idée était extrêmement attrayante. Elle voulait que Reno la regarde et voie une femme qu'il pouvait respecter et en qui il pouvait avoir confiance, une femme avec qui il pourrait fonder un foyer, avoir des enfants, partager une vie.

Une femme qu'il pourrait aimer.

Peut-être que quand il verra que je tiens parole aussi, il me regardera avec autre chose que du désir, songea-t-elle avec espoir. *Peut-être et peut-être et peut-être…*

Si je n'essaie pas, je ne le saurai jamais.

Mises sur la table. Poker à cinq cartes. Une quinte flush royale en cœur ou une quinte flush en cœur ratée.

Pendant qu'il sentait le corps d'Eve se détendre subtilement, Reno éprouva à la fois une vague de désir et de soulagement. Il n'avait pas voulu qu'elle entende sa conversation avec Caleb, et il n'avait pas non plus voulu la blesser en soulignant à Caleb le fait qu'elle n'était pas la jeune femme innocente de la campagne qu'elle semblait être. Mais Caleb ne lui avait pas laissé le choix.

— Est-ce que ça signifie que Slater se trouve suffisamment loin derrière nous pour que vous ne vous inquiétiez pas d'être, euh, distrait ? demanda Eve.

— Non, avoua-t-il à contrecœur en la relâchant. J'ai bien peur que nous devions camper sans chaleur de plusieurs façons ce soir.

— Slater est donc si proche que ça ? demanda-t-elle.

— Oui.

— Bon Dieu, comment est-ce possible ? Après une journée comme celle que nous venons de passer sur la piste, même nos ombres se plaignaient d'avoir du mal à nous suivre.

Le sourire de Reno brilla dans le clair de lune.

— Comment a-t-il su où nous trouver après qu'il ait perdu notre piste à l'extérieur de Canyon City ? ajouta-t-elle.

— Il n'y a pas tant de chemins qui traversent la ligne de partage des eaux.

Eve soupira.

— Je suppose que le pays n'est pas aussi vide de gens qu'il le semble.

— Oh, il est certainement vide. J'ai parcouru ces hauteurs pendant des mois sans croiser une seule âme. Il n'y a que les carrefours et les cols qui deviennent en quelque sorte surpeuplés.

— Sans parler de la nature humaine, dit Eve en s'étirant.

— Quoi ?

— Même si nous prenions un chemin difficile pour traverser la ligne de partage des eaux, du moment où Crooked Bear a une femme qui tient aussi compagnie à un des cavaliers de Caleb, Slater saura très rapidement où nous avons été.

— C'est ce que je me disais, répondit Reno, mais nous avons quand même un avantage.

— Lequel ?

— Les mustangs. La plupart des gars de Slater ont des chevaux du Tennessee.

— Ces chevaux l'emportent sur tout ce qui se meut sur quatre pattes à Canyon City, souligna Eve.

Le sourire de Reno était aussi dur que sa voix.

— Nous ne sommes plus à Canyon City. Nos mustangs ne feront qu'une bouchée des chevaux du Tennessee de Slater.

Chapitre 9

Le jour, Reno chevauchait avec une carabine en travers de sa selle. La nuit, Eve et lui dormaient avec les mustangs attachés tout près de leurs campements isolés. Par précaution supplémentaire, Reno éparpillait des branches sèches le long des voies d'accès évidentes menant aux campements.

Reno envoyait plusieurs fois par jour Eve et les chevaux de bât devant pendant qu'il revenait sur ses pas. Il chevauchait le long de la piste jusqu'à un endroit surélevé, où il descendait de cheval, sortait sa lunette d'approche et scrutait l'espace qu'ils venaient de franchir.

Il n'aperçut que deux fois Slater. La première fois, il était accompagné d'une demi-douzaine d'hommes. La deuxième, il y en avait 15.

Reno referma la lunette, monta à cheval et galopa pour rattraper Eve et les chevaux de bât. Au son des sabots, elle se retourna. Il vit l'éclair doré de ses yeux sous le rebord de son chapeau et l'intense couleur miel de ses cheveux sous le chaud soleil du mois d'août. Il vit également les fines rides que la fatigue et l'inquiétude avaient dessinées autour de ses lèvres.

Quand il atteignit Eve, la tentation de se pencher et de goûter une fois de plus son discret mélange de sel, de douceur et de chaleur faillit avoir raison de sa maîtrise de soi. Sa bouche se transforma en un rictus sauvage alors qu'il songeait à son appétit croissant et indiscipliné pour la fille du Gold Dust Saloon.

– Sont-ils plus proches ? demanda Eve en regardant le visage sombre de Reno.

– Non.

Elle lécha ses lèvres sèches, et les yeux d'un vert cristallin de Reno suivirent le bout de sa langue.

– Est-ce qu'ils s'éloignent ? demanda-t-elle, pleine d'espoir.

– Non.

Elle grimaça.

– Apparemment, ces chevaux du Tennessee sont plus robustes que vous le pensiez.

– Nous ne sommes pas encore dans le désert.

– Ah, non ?

Eve regarda la terre environnante. Ils chevauchaient le long d'une vallée encaissée coincée sur toute sa longueur entre deux corniches. Il y poussait si peu de végétation qu'on voyait clairement à travers les buissons et les pins leurs différentes couches de pierres. En conséquence, les corniches avaient pris une couleur de sable tacheté qui tenait davantage de la pierre que des plantes.

– Êtes-vous sûr que nous ne sommes pas dans le désert ? demanda Eve. C'est tellement sec.

Reno lui jeta un regard incrédule.

– Sec ? Et qu'est-ce que c'est, d'après vous ? fit-il en pointant quelque chose du doigt.

Elle suivit des yeux la direction qu'il indiquait. Un mince cours d'eau sinuait au fond de la vallée. Il était plus brun que bleu et si étroit qu'un cheval aurait eu du mal à avoir simultanément les quatre pattes à l'eau en le traversant.

– On peut difficilement appeler ça un ruisseau, dit Eve. Il y a plus de sable que d'eau.

Avec un sourire ironique, Reno enleva son chapeau, essuya son front avec sa manche et le remit en place.

– Quand vous reverrez autant d'eau, vous croirez que c'est un fleuve, promit-il.

Eve regarda d'un œil dubitatif le petit cours d'eau sale qui serpentait à travers la vallée sèche.

– Vraiment ? demanda-t-elle.

– Si nous trouvons le raccourci, oui. Autrement, nous verrons un fleuve qui semblera tout droit sorti de l'enfer.

– Le Rio Colorado ?

Reno acquiesça.

– J'ai connu beaucoup d'hommes qui aimaient les contrées sauvages, mais je n'en ai jamais connu un qui ait traversé le Colorado là où il coule au fond du labyrinthe de pierre et qui soit revenu pour le raconter.

Un regard oblique en direction de Reno convainquit Eve qu'il ne la taquinait pas. De toute façon, il faisait trop chaud, et il y avait trop de poussière pour que quiconque ait assez d'énergie pour faire des plaisanteries.

Même Reno sentait la chaleur. Il avait roulé les manches de sa chemise de batiste délavée et en avait détaché plusieurs boutons. Les gouttes de sueur brillaient comme de minuscules diamants dans l'épaisseur de poils noirs que révélait sa chemise à demi détachée. Trois jours de chevauchée avaient laissé sur son visage une barbe naissante qui rendait son sourire sauvage plutôt que rassurant.

Quiconque l'aurait regardé en ce moment n'aurait pu se tromper en le prenant pour autre chose que ce qu'il était : un homme coriace qui avait la réputation de sortir vainqueur d'une fusillade.

Pourtant, malgré l'apparence menaçante de Reno et les courants de tension sexuelle qui circulaient entre elle et lui, Eve n'avait jamais dormi en se sentant aussi en sécurité qu'au cours des derniers jours.

Pour la première fois depuis des lustres, elle ne devait pas avoir un sommeil léger pour écouter chaque bruit. Elle n'avait pas à être prête à saisir n'importe quelle arme à sa portée et à défendre ceux qui étaient plus faibles qu'elle contre prédateurs rodant dans la nuit au-delà du feu de camp ou près d'une chambre d'hôtel minable.

Le fait de dépendre de quelqu'un d'autre était une chose si simple, mais en se rendant compte qu'elle pouvait se fier à Reno, elle éprouvait d'étranges sensations qui modifiaient ses vieilles certitudes.

Reno vit Eve prendre une inspiration et la relâcher puis le faire de nouveau, comme si c'était un luxe que de respirer profondément.

— Il semble que l'idée de pouvoir manquer d'eau ne vous inquiète pas, dit-il.

— Quoi ? Oh, fit-elle avec un léger sourire. Ce n'est pas ça. Je me disais seulement à quel point c'était bien de dormir pendant toute la nuit sans m'inquiéter.

— De quoi ?

— Qu'une brute ou un pervers coince un des jeunes enfants au lit à l'orphelinat ou que des hors-la-loi attaquent le campement des Lyon, dit-elle avant de hausser les épaules. Ce genre de choses.

Reno fronça les sourcils.

— Ça arrivait souvent ?

— Qu'il y ait des brutes et des pervers ?

Il opina de la tête d'un mouvement brusque.

— Ils ont appris à me laisser tranquille après un moment. Mais les plus jeunes enfants... Je faisais ce que je pouvais, mais ce n'était pas assez.

— Le vieux Lyon était-il un pervers ?

— Pas du tout. C'était un homme doux et gentil, mais...

— Un mauvais bagarreur, termina Reno.

— Je ne m'attendais pas à ce qu'il soit doué pour ça.

Reno lui jeta un regard étonné.

— Pourquoi ? Était-il lâche ?

Ce fut au tour d'Eve de paraître surprise.

— Non. C'était simplement un homme bon. Il n'était pas aussi rapide, dur, fort ou méchant que la plupart des hommes. Il était trop... civilisé.

— Il aurait dû vivre dans l'Est, marmonna Reno.

— C'est ce qu'il a fait, mais quand ses mains ont commencé à ralentir et que Donna est devenue trop âgée pour distraire les hommes par son apparence, ils sont revenus dans l'Ouest. Il était plus facile de distraire les gens d'ici.

— En particulier après qu'ils vous aient achetée sur le train d'orphelins et vous aient appris à « distraire » les hommes et à distribuer les cartes, répondit durement Reno.

Eve plissa les lèvres, mais il ne servait à rien de le nier.

— Oui, dit-elle. Ils ont beaucoup mieux vécu après m'avoir achetée.

Eve comprit en voyant l'expression de Reno qu'il avait peu de sympathie quant à la difficulté qu'éprouvaient les Lyon à gagner leur vie.

Elle hésita puis parla de nouveau en essayant de lui faire comprendre que les Lyon n'avaient jamais été cruels à son égard.

— Je n'aimais pas ce qu'ils me faisaient faire, fit-elle lentement, mais c'était mieux que l'orphelinat. Ils étaient gentils.

— Il existe un mot pour des hommes comme Don Lyon, et ce n'est certainement pas « gentil ».

Reno tira sur les rênes et s'éloigna avant qu'Eve puisse répondre. Il n'avait aucune envie de l'écouter défendre son souteneur.

Il se répéta mentalement les mots d'Eve : « C'était un homme doux et gentil. »

Même si Reno chevauchait rapidement, il ne pouvait oublier le son de la voix d'Eve, car elle se répercutait dans le silence colérique de son esprit :

« Ils ont beaucoup mieux vécu après m'avoir achetée. »

« Je n'aimais pas ce qu'ils me faisaient faire. »

« Il était gentil. »

L'idée qu'Eve se sente si seule qu'elle appréciait les plus petites manifestations de décence humaine et appelait ça de la gentillesse perturbait profondément Reno. Il pouvait seulement les accepter au même titre que d'autres choses qu'il ne comprenait pas, comme son désir de protéger une fille de saloon à qui on avait minutieusement enseigné à mentir, à tricher et à distraire les hommes.

Une fille qui lui faisait confiance au point où elle avait mieux dormi ces derniers jours qu'elle ne l'avait fait pendant des années. Il entendit à nouveau la voix d'Eve dans son esprit :

« Je me disais seulement à quel point c'était bien de dormir pendant toute la nuit sans m'inquiéter. »

Reno savait bien que l'idée d'accorder ce genre de paix à la fille du Gold Dust Saloon n'aurait pas dû le toucher.

Mais cela le touchait quand même.

Les montagnes disparurent derrière Reno et Eve comme une fraîche marée bleue, ne laissant que le souvenir de hauteurs où l'eau s'agitait dans une beauté cristalline et où les arbres étaient si rapprochés qu'un cheval ne pouvait marcher entre eux. Il y avait plein d'espace pour les chevaux dans les étendues sèches et sur les sommets désertiques des plateaux où tous deux chevauchaient maintenant. Il n'y avait que de l'espace sur des kilomètres et des kilomètres.

— Regardez ! s'exclama Eve.

En parlant, elle approcha sa jument de celle de Reno, saisit son bras droit et le pointa dans une direction.

— Là.

Reno regarda et ne vit que des affleurements mordorés de grès, comme les os de la terre elle-même surgissant à travers la mince peau du sol.

— Quoi ? demanda-t-il.

— Là-bas, insista Eve. Vous ne voyez pas ça ? Ces constructions de pierre. Est-ce que ce sont les ruines dont vous parliez ?

Après un moment, Reno comprit.

— Ce ne sont pas des ruines, dit-il. Ce ne sont que des couches de grès façonnées par le vent et les orages.

Eve faillit rouspéter, mais elle se retint. Quand Reno lui avait dit la première fois qu'ils allaient chevaucher à travers des vallées entières où aucun ruisseau ne coulait dans les hautes terres et où aucune eau ne s'accumulait dans les basses terres, elle avait pensé qu'il la taquinait.

Ça n'avait pas été le cas. Il existait de telles vallées. Elle les avait vues et les avait traversées. Elle en avait goûté la poussière chauffée par le soleil sur sa langue. Elle en traversait une en ce moment.

À ses yeux, les transformations de la terre étaient une source constante d'émerveillement. Pendant toutes les années au cours desquelles elle avait lu le journal de Cristobal Lyon, elle n'avait jamais vraiment compris ce que cela avait été pour les explorateurs espagnols de chevaucher dans le désert inconnu, de suivre des rivières qui s'amenuisaient de plus en plus jusqu'à ce qu'elles disparaissent totalement en ne laissant derrière elles que la soif.

Elle n'avait jamais imaginé non plus ce que ce serait que de regarder sur une centaine de kilomètres dans toutes les directions et de ne voir aucun ruisseau, aucun étang, aucune promesse luxuriante d'ombre et d'eau pour assouvir une soif aussi vaste que la terre sèche elle-même.

Mais Eve était plus que tout renversée à la vue des rochers nus et multicolores aux formes fantastiques qui s'élevaient de la terre. Plus hautes que n'importe quelle construction qu'elle avait eu l'occasion de voir, teintées de rouille, de crème et d'or, les formations de pierre massives la fascinaient.

Parfois, elles ressemblaient à des bêtes assoupies ou à des champignons. Et parfois, comme maintenant, l'une des formations ressemblait à l'image qu'elle avait déjà vue d'une cathédrale gothique avec des arcs-boutants de pierre solide.

Reno se leva sur ses étriers et regarda par-dessus son épaule. Les montagnes n'étaient plus qu'une tache sombre et bleuâtre à l'horizon. Il aurait pu les cacher avec sa main. Les longues vallées sèches à travers lesquelles il les avait conduits n'offraient que fort peu de cachettes, que ce soit pour lui ou pour les hommes qui les poursuivaient.

Pourtant, depuis l'aube, il n'avait rien vu bouger d'autre que l'ombre des rares nuages.

— Il semble que les chevaux de Slater aient finalement abandonné, dit Eve en scrutant la piste derrière eux.

Reno émit un son qui aurait pu signifier n'importe quoi.

— Est-ce que ça veut dire que nous allons camper tôt ? demanda Eve avec espoir.

Il la regarda et sourit.

— Ça dépend, répondit-il.

— De quoi ?

— Du ruisseau qu'avait indiqué le père de Cal, et s'il coule encore. Si oui, nous allons y remplir nos contenants et dresser le camp quelques kilomètres plus loin.

— Quelques kilomètres ? demanda Eve en espérant avoir mal entendu.

— Oui. Dans cette contrée asséchée, seulement un imbécile ou une armée camperait près de l'eau.

Elle y réfléchit un instant et soupira.

— Je vois, fit-elle d'un ton triste. Camper près de l'eau équivaudrait à camper au milieu d'un carrefour.

Reno acquiesça.

— À combien de temps se trouve le ruisseau ? demanda-t-elle.

— À quelques heures.

Comme Eve demeurait silencieuse, Reno lui jeta un regard. Malgré la chevauchée difficile, elle lui paraissait bien aller. Ses cheveux n'avaient rien perdu de leur éclat, son visage avait de la couleur, et son esprit était tout aussi vif.

Mais ce qui était encore plus agréable à ses yeux, c'était de voir qu'Eve partageait sa fascination pour cette contrée austère. Ses questions le démontraient, tout comme ses longs silences pendant qu'elle examinait les couches de pierre qu'il lui indiquait du doigt en essayant d'imaginer les forces qui les avaient édifiées.

— De quelle taille est le ruisseau ? demanda-t-elle.

— Qu'avez-vous en tête ?

— Un bain.

L'idée de voir Eve nue dans un bassin d'eau eut un effet rapide et profond sur le corps de Reno. En poussant un juron silencieux, il écarta ses pensées du souvenir de ses mamelons dressés et luisants sous les caresses exploratrices de sa bouche.

Reno faisait d'immenses efforts pour ne pas du tout penser à Eve de cette façon. C'était beaucoup trop dérangeant. Il était de ce type d'homme qui avait une maîtrise de soi hors du commun. Et pourtant, ce matin à l'aube, il avait failli tendre la main vers elle et envoyer au diable ses préoccupations à propos des hors-la-loi à leur poursuite.

— Vous pourriez prendre un bain dans un bassin du ruisseau, dit-il sur un ton neutre.

Le petit son de plaisir qu'émit Eve ne fit rien pour diminuer la conscience qu'il avait de sa sensualité.

— Est-ce que c'est au bout de cette vallée ? demanda-t-elle.

— Ce n'est pas une vallée. C'est le sommet d'une mesa.

Elle regarda Reno puis tourna la tête derrière eux.

— Ça me semble être une vallée, dit-elle.

— Seulement si vous y arrivez de cette direction, répondit-il. Si vous y arrivez en venant du désert, vous n'avez aucun doute. C'est comme grimper une immense marche puis une autre et une autre encore, jusqu'à ce que vous atteigniez les contreforts puis les vraies montagnes.

Eve ferma les yeux en se rappelant les cartes dans les journaux et en songeant à quel point la terre lui avait paru différente de ce qu'elle avait semblé aux Espagnols qui l'approchaient d'une autre direction que celle d'où elle et Reno étaient venus.

— C'est pour ça qu'ils l'ont appelée Mesa Verde, dit-elle tout à coup.

— Quoi ?

— Les Espagnols. Ils ont d'abord aperçu la mesa quand ils étaient dans le désert, et en comparaison, elle était verte comme l'herbe.

Reno retira son chapeau, le remit en place et regarda Eve en souriant.

— Ça vous intrigue depuis des jours, n'est-ce pas ? demanda-t-il.

— Plus maintenant, dit-elle d'un air satisfait.

— Les Espagnols étaient peut-être obsédés par l'or, mais ils n'étaient pas fous. L'apparence d'une chose dépend de la façon dont vous l'approchez, voilà tout.

— Même les robes rouges ? demanda Eve.

Elle regretta immédiatement ses paroles.

— Vous n'abandonnez jamais, n'est-ce pas ? demanda froidement Reno. Eh bien, j'ai de mauvaises nouvelles pour vous. Moi non plus.

Pendant un long moment, rien d'autre ne brisa le silence que le son des sabots frappant le sol à une cadence si familière que c'était comme des battements de cœur qu'on ne remarquait pas jusqu'à ce qu'ils changent subitement.

La vallée qui n'en était pas vraiment une commença à descendre de façon de plus en plus abrupte. Tandis qu'elle s'étirait vers le labyrinthe de pierre, la terre changeait, s'élevant lentement de chaque côté du canyon asséché que Reno avait choisi de suivre.

Le chenal était flanqué de peupliers de Virginie rabougris dont les feuilles d'un vert poussiéreux fournissaient de l'ombre, mais peu de fraîcheur. Les plantes qui exigeaient de l'eau de surface pour survivre avaient depuis longtemps fleuri, avaient produit des graines puis s'étaient transformées en tiges fragiles qui s'agitaient à chaque brise en attendant les pluies saisonnières.

Plus le canyon se dirigeait vers le nord-ouest, plus les murs de chaque côté s'élevaient et plus le passage entre eux se rétrécissait. Après un certain temps, Reno détacha la lanière de cuir qui retenait son six-coups dans son étui et tira sa carabine à répétition de sa gaine. Il inséra une balle dans le chargeur et posa l'arme sur ses genoux.

Eve comprit en le regardant qu'ils n'avaient d'autre choix que d'aller de l'avant et que ce chemin menait de plus en plus profondément dans ce qui devenait rapidement une grande fissure dans le corps sec de la terre. Elle tira le fusil de chasse à deux canons de sa gaine usée et vérifia s'il était chargé.

Reno tourna la tête en entendant le bruit sec du fusil quand Eve l'ouvrit pour glisser une cartouche dans chaque canon. Elle referma l'arme et la déposa comme il l'avait fait en travers de sa selle, pointée dans la direction opposée à celle du fusil de Reno. L'expression de son visage était intense et inquiète, mais non effrayée.

À ce moment, Reno se souvint de Willow qui s'était déjà tenue debout derrière lui, un fusil dans les mains, attendant de voir si la prochaine personne sortant de la forêt serait Caleb ou un membre de la bande de Jed Slater.

C'était Caleb qui était sorti de la forêt, mais Reno n'avait aucun doute sur le fait que Willow aurait abattu n'importe qui d'autre.

Il ne doutait pas non plus du courage d'Eve. Pas de cette façon. Elle avait passé trop d'années à se défendre pour flancher devant ce qui devait être fait. Il se remémora alors ce qu'elle avait dit à propos des brutes qui s'en prenaient aux jeunes enfants de l'orphelinat ou aux Lyon :

« Ils ont appris à me laisser tranquille. »

Les yeux de Reno bougeaient sans cesse, scrutant les ombres et les courbes aléatoires du lit du cours d'eau. La jument mustang qu'il chevauchait n'aimait pas davantage que lui le rétrécissement du canyon. Ses oreilles s'agitaient et se dressaient au moindre son. Malgré le long chemin parcouru, elle avançait d'un pas léger, les muscles tendus, prête à bondir dans n'importe quelle direction au premier signe de danger. La jument louvette était tout aussi à cran. Eve pouvait sentir son inquiétude dans ses mouvements rapides et le va-et-vient nerveux de sa queue. Même les deux Shaggy étaient nerveux. Ils serraient de près la jument, comme s'ils ne voulaient pas risquer d'être laissés derrière.

Des cours d'eau asséchés se présentaient sur la droite et sur la gauche, mais le canyon principal continuait de se rétrécir en s'enfonçant de plus en plus dans la terre. Les murs de chaque côté devenaient des falaises qui s'élevaient au point de cacher le soleil.

Soudain, Reno orienta sa jument dans un des canyons latéraux. Les autres chevaux suivirent. Quand Eve s'apprêta à parler, il lui fit signe de garder le silence.

De longues minutes plus tard, une petite horde de chevaux sauvages passa au trot devant l'embouchure de l'étroit canyon. Le bruit de leur passage était à peine atténué par le sol sablonneux. Les chevaux venaient de la direction opposée à celle d'où étaient venus Eve et Reno.

Eve sentit s'enfler le corps de la jument tandis que l'animal prenait une respiration pour hennir. Elle se pencha immédiatement sur la selle et referma ses doigts sur le museau du mustang.

Le geste attira l'attention de Reno. Il vit ce qu'elle venait de faire, opina la tête d'un air approbateur et reprit sa surveillance. Bien après que le dernier mustang sauvage soit passé, il attendit.

Rien d'autre ne bougeait.

Il songea à la fatigue des chevaux, à l'heure du jour et à la carte dans sa tête, et il prit rapidement une décision.

– Nous allons camper ici.

Le ruisseau n'était indiqué que par la couleur éclatante de la verdure. Là où l'eau débordait, il y avait une étroite bande de fougères et de mousse qui cédaient presque immédiatement la place à des plantes mieux adaptées pour survivre au soleil implacable. Pourtant, même ces plantes ne résistaient pas longtemps, parce que l'air absorbait l'humidité plus vite que poussait n'importe quoi. À une quinzaine de mètres du ruisseau, le filet d'eau disparaissait dans le sable et les cailloux.

Reno s'accroupit et examina les pistes autour du point d'eau. Des cerfs étaient venus boire, de même que des coyotes, des lièvres, des corbeaux et des chevaux. Aucun de ces derniers ne semblait avoir été ferré, mais quelque chose à propos des pistes dérangeait quand même Reno.

Il s'était servi des hordes des chevaux sauvages pour cacher les pistes de ses propres chevaux. Il n'y avait aucune raison de penser que Slater était moins futé pour dissimuler les siennes, mais Reno ne pouvait prouver que cela s'était produit à cet endroit. Il se leva en hésitant, grimpa sur Darling et revint le long du chenal vers l'endroit où Eve attendait avec les chevaux de bât. Après avoir franchi une trentaine de mètres, il regarda les empreintes qu'il venait de laisser. Les sabots ferrés de Darling avaient imprimé des marques évidentes sur la terre humide au bord du ruisseau.

— Est-ce que Slater est passé par ici ? demanda Eve avec un calme apparent quand Reno la rejoignit.

Il s'était attendu à cette question. Au long des heures et des jours sur la piste, il s'était rendu compte qu'Eve était habituée à se servir de ses yeux et de son cerveau. Même si les journaux n'indiquaient aucune piste que Slater aurait pu suivre pour les devancer, la chose demeurait possible.

Les Espagnols et l'armée américaine n'avaient pas trouvé tous les chemins à travers la terre sauvage, mais il n'en était pas ainsi des Indiens, et certains des hommes qui chevauchaient avec Slater pouvaient facilement connaître des choses qu'ignoraient tous les hommes blancs.

— On ne peut pas le démontrer en se fiant aux empreintes, répondit Reno.

Elle émit un long soupir silencieux.

— Mais on ne peut pas non plus prouver le contraire, poursuivit-il. Les hommes de Slater n'ont pas tous des chevaux ferrés.

— Ils étaient tous ferrés à Canyon City.

Puis, avant que Reno puisse le dire, elle ajouta brièvement :

— Mais nous ne sommes plus à Canyon City.

Le coin de sa moustache se souleva en un sourire.

— Les Comancheros ne sont pas les bienvenus à Canyon City.

— Les empreintes que vous avez vues, ne peuvent-elles pas avoir été faites par les mustangs ?

— Quelques-unes, oui, et certaines s'enfonçaient profondément dans le sol.

— Comme un cheval portant un homme ? demanda Eve.

— Ou comme un cheval galopant pour s'éloigner d'un voisin irritable. Il se passe beaucoup de choses entre les chevaux près d'un point d'eau aussi petit.

Eve émit un son exaspéré et se lécha les lèvres.

— Ne vous en faites pas, *gata*, dit Reno. Je n'ai pas l'intention de vous laisser continuer sans que vous ayez pris votre bain.

Elle sourit avec ravissement et se rendit compte qu'à un certain moment pendant qu'ils parcouraient la piste difficile menant à l'or espagnol, le surnom que Reno lui donnait avait cessé de lui déplaire.

Ou c'était peut-être simplement parce que sa voix avait perdu son ton tranchant quand il l'appelait *gata*. Maintenant, il était caressant, comme si elle était effectivement une chatte inquiète qu'il attirait de plus en plus près de sa main pour la câliner davantage.

Cette pensée la fit rougir d'une façon qui n'avait rien à voir avec la chaleur que dégageaient les murs de pierre du canyon.

– Couvrez-moi d'ici pendant que je remplis les gourdes, dit Reno. Quand j'aurai fini, je vais arroser les chevaux un à un.

Une fois que les gourdes furent remplies, que les humains et les chevaux furent rassasiés et qu'ils retournèrent au petit canyon latéral, le soleil ne frôlait même plus les hauts rebords des murs de pierre. L'air était épais, car aucun vent ne soufflait dans le canyon dissimulé. Les ombres jaillissaient de chaque crevasse, s'accumulaient et s'élevaient en une marée silencieuse. Au-dessus d'Eve et Reno, le ciel se colorait des teintes vives du crépuscule.

Pendant que Reno prenait soin des chevaux, Eve démarra un petit feu contre un rocher. Quand la fumée atteignit le sommet du rocher, il ne restait rien d'autre qui puisse révéler la présence d'un campement qu'une vague odeur de feu de pin et de café. À la faible lumière des flammes, Eve mangea rapidement et rassembla ce dont elle aurait besoin pour un « bain ».

Reno l'observa silencieusement pendant qu'elle s'éloignait dans l'obscurité avec une gourde, un petit bol de métal, un chiffon doux et un morceau de savon. La robe usée faite de vieux sacs de farine était drapée sur ses épaules. Il n'arrivait pas à décider si elle allait la porter pour revenir au camp ou l'utiliser comme serviette.

– N'allez pas loin, dit-il.

Même s'il avait parlé doucement, Eve se figea.

– Et prenez le fusil avec vous.

Reno écouta les petits sons que fit Eve tandis qu'elle prenait son fusil et qu'elle retournait dans l'obscurité. Elle n'alla pas loin. Juste assez pour se trouver à bonne distance de la lumière du feu.

Il entendit l'éclaboussement atténué de l'eau et se dit qu'il lui était impossible d'entendre le murmure du linge contre la peau d'Eve pendant qu'elle se dévêtait. Il n'entendit pas non plus son soupir de plaisir quand l'eau fraîche la caressa. Et il ne l'entendit certainement pas retenir son souffle quand ses mamelons se dressèrent au contact du linge mouillé. Mais il pouvait l'imaginer.

Et c'est ce qu'il fit.

10

L'air était doux et frais sur la peau humide d'Eve quand elle termina son bain. Elle frissonna, mais non de froid. Comme les mustangs nerveux et à moitié sauvages, elle sentit qu'elle n'était plus seule. Elle secoua sa robe de sacs de farine et s'empressa de la glisser par-dessus sa tête.

— Vous avez fini ?

La voix de Reno était toute proche. Eve pivota vers lui, les yeux écarquillés. Il se tenait à deux pas et avait des vêtements propres à la main.

— Oui, murmura-t-elle. J'ai fini.

— Alors, ça ne vous dérangera pas que je me serve du bol.

— Oh…

Eve prit une inspiration tremblante. Elle se dit qu'elle n'était pas déçue que Reno l'ait suivie simplement parce qu'il souhaitait aussi se rafraîchir après la longue chevauchée. Elle lui tendit rapidement le bol.

— Voilà, dit-elle.

— Je peux utiliser votre linge aussi ?

La voix rauque de Reno lui intensifia la conscience qu'elle avait de sa présence jusqu'à ce que cela en devienne presque douloureux. Sa peau la chatouillait comme si elle avait été caressée.

— Oui, bien sûr, dit-elle.

— Et votre savon ?

Elle acquiesça.

Le mouvement de sa tête défit le nœud lâche de ses cheveux et les libéra. La lumière de la lune joua dans les boucles fauves qui descendaient sous sa taille.

— Et vos mains, *gata*. Je peux m'en servir aussi ?

Il entendit Eve retenir son souffle et souhaita pouvoir entrevoir ses yeux. Il voulait savoir si c'était la curiosité, la crainte, la sensualité ou la peur qui lui avait coupé le souffle.

— Je sais que ça ne faisait pas partie de notre marché, dit-il, mais j'aimerais bien un rasage. La chaleur rend la barbe terriblement piquante.

— Oh. Oui, bien sûr, dit-elle rapidement.

— Avez-vous déjà rasé un homme ?

L'éclat de la lune coulait comme de l'argent liquide à travers la chevelure d'Eve quand elle acquiesça de la tête.

— Et coupé des cheveux, dit-elle. Et donné des manucures.

— C'était une autre façon de gagner votre vie, n'est-ce pas ?

Le ton dur de Reno la fit tressaillir.

— Oui, dit-elle.

Puis, en sachant ce qu'il pensait, elle ajouta :

— Et aucun de ces hommes ne m'a touchée.

— Pourquoi ? Y avait-il un coût supplémentaire ?

– Non. J'avais un rasoir sur leur gorge, répondit-elle brièvement.

Reno se souvint de la façon dont il l'avait vue quelques minutes plus tôt, nue sous le clair de lune, sa peau luisante et veloutée, avec des courbes qui remplissaient un homme d'un désir douloureux. Il aurait voulu croire qu'elle était aussi pure qu'elle le semblait.

Mais il ne le pouvait pas.

Même l'obscurité ne parvenait pas à cacher le scepticisme de Reno. Eve le voyait clairement. Son expression changea et devint aussi froide et lointaine que la lune.

– Je ne me suis jamais vendue, pistolero.

Reno sourit tristement. Il voulait la croire de la même façon qu'il voulait prendre sa prochaine inspiration. Il aurait renoncé au ciel et choisi l'enfer si cela avait pu rendre Eve à moitié aussi innocente qu'elle l'avait semblé pendant qu'elle se tenait nue et frissonnante sous la lune.

Il était renversé de constater à quel point il désirait croire qu'elle n'avait jamais été achetée et vendue. Pourtant, il ne pouvait davantage nier son désir futile qu'il pouvait contrôler sa réaction primaire devant quelque chose d'aussi simple que le fait de la regarder se déplacer autour du feu de camp.

Il n'arrivait pas non plus à comprendre sa réaction à cette femme. Il n'avait jamais été attiré par les filles de saloon, et il n'avait jamais eu recours à leurs services. Il avait préféré se priver d'eau plutôt que d'étancher sa soif à un point d'eau souillé. Malgré cela, il désirait follement Eve, malgré le nombre d'hommes qu'elle pouvait avoir connus dans sa jeune vie.

C'était pour cette raison qu'il avait accepté les cartes dans le Gold Dust Saloon. Un seul regard vers les yeux calmes et la bouche tremblante d'Eve lui avait fait directement traverser la pièce. Il ne s'était pas soucié du fait que les deux hors-la-loi à la table avec elle puissent s'opposer à ce qu'un étranger se joigne à eux pour quelques mains de poker. Il se serait battu seulement pour s'assoir près d'elle. Il aurait tué.

Et c'est ce qu'il avait fait.

Soudain, Reno se tourna et se rendit à la saillie de grès qu'Eve avait utilisée pour déposer son bol d'eau. Il s'assit sur le rebord rocheux, déposa près de lui les vêtements propres et commença à détacher sa chemise avec des mouvements rapides et secs.

— Avez-vous un rasoir avec vous ? demanda Eve.

Reno tendit la main vers sa poche arrière et en sortit un rasoir pliant. Il le tendit à Eve sans dire un mot. Il avait peur que sa voix trahisse le fait qu'il détestait penser aux mains d'Eve qui se déplaçaient sur d'autres hommes, sur leurs cheveux, sur leurs mains… Et penser au fait que pendant tout ce temps, les hommes regardaient ses lèvres et ses seins, respiraient l'odeur de lilas sur sa peau, la déshabillaient en esprit, écartaient ses cuisses…

Eve s'approcha prudemment de l'homme dangereux qui la regardait avec des yeux rendus incolores par le clair de lune. Pendant les années où elle avait vécu dans la charrette de gitans des Lyon, elle avait appris comment se laver et laver les autres avec un minimum de gestes et d'eau. Elle mouilla les cheveux de Reno et sa barbe de plusieurs jours, puis elle commença à les savonner.

Normalement, elle se tenait derrière un homme pour faire ça, mais Reno était assis sur un affleurement rocheux plutôt que sur une chaise, alors elle n'avait d'autre choix que de se tenir debout devant lui.

Et elle dut avouer qu'elle n'avait aucun désir réel de se tenir ailleurs. Elle aimait regarder les yeux fermés de Reno en sachant que son contact lui plaisait.

Pendant qu'elle travaillait, Reno modifia lentement sa position. Avant qu'elle comprenne comment la chose s'était produite, elle se retrouva debout entre ses jambes. Elle laissa échapper un hoquet de surprise.

Comme si elle avait trébuché, les mains de Reno vinrent la stabiliser.

— Damnation, murmura-t-elle.

Il ouvrit les yeux.

— Je vous demande pardon ?

— La manucure. J'ai oublié vos mains.

Reno souleva un sourcil noir et plia ses mains, enfouissant ses doigts dans la chair luxuriante des hanches d'Eve. Il sentit clairement la chaleur de son corps parce qu'il n'y avait qu'une couche de tissu entre sa peau et la sienne. Elle était nue sous sa robe.

Eve retint son souffle jusqu'à ce qu'elle se sente étourdie. Elle n'avait jamais imaginé pouvoir éprouver du plaisir en ayant des mains d'homme sur ses hanches.

— Vos mains, dit-elle.

Reno sourit et plia de nouveau ses doigts.

— Mes mains, acquiesça-t-il.

Puis il se pencha et murmura contre les seins d'Eve :

— Aimeriez-vous qu'elles soient ailleurs ?

— Ce n'est pas ce que je voulais dire.

Elle se tourna rapidement puis s'éloigna de Reno. En se servant de la gourde qu'il avait apportée, elle versa juste assez d'eau dans le bol pour recouvrir ses mains.

— Voilà, dit-elle en posant le bol sur les genoux de Reno. Faites tremper vos mains.

D'un air ironique, Reno ramena ses genoux ensemble afin de former une plateforme pour le bol. Ce faisant, il se demanda si Eve pensait vraiment que le fait de mettre ses mains dans un bol les garderait éloignées de ses courbes chaudes.

Il sentit les doigts d'Eve masser son crâne, et un frisson traversa tout son corps. Dans le silence de son esprit, il jura contre sa réaction involontaire devant cette femme, mais il ne dit rien. Si elle choisissait d'ignorer son érection, il n'allait pas attirer son attention sur elle.

Il ne voulait pas lui accorder encore plus d'ascendance sur lui. La sensation de ses doigts enfouis dans ses cheveux l'excitait au point où c'en était douloureux.

— Avez-vous froid ? demanda Eve en sentant un léger frémissement chez Reno.

— Non.

Sa voix était trop rauque, mais il n'y pouvait rien, tout comme il était incapable de s'empêcher de regarder la lumière de la lune et les ombres jouer sur le visage d'Eve pendant qu'elle se penchait et se tournait en s'affairant sur lui avec des mains étonnamment fortes.

Il se souvint tardivement des ampoules qu'il avait aperçues sur les mains d'Eve après qu'elle ait enterré les Lyon dans une tombe le long de la piste. Il saisit une de ses mains et la retourna, la tenant sous la clarté lunaire. Même si elle était presque guérie, la peau affichait encore les marques cruelles de la pelle.

— Ça fait mal ? demanda-t-il.

— Plus maintenant.

Il relâcha la main d'Eve sans dire un mot.

Il lui jeta un regard inquiet avant de se tourner vers le rasoir. Le petit bruit que fit la lame quand elle l'ouvrit parut presque fort dans la nuit silencieuse. Elle passa délicatement un doigt sur la lame. Malgré sa prudence, le rasoir traça une ligne peu profonde sur sa peau.

— Damnation, marmonna-t-elle. Ne faites pas de mouvements brusques. Le rasoir est très aiguisé.

Le sourire de Reno était comme une mince tranche de clair de lune.

— Cal l'a aiguisé pour moi, dit Reno. Cet homme pourrait rendre une brique tranchante.

Même si rien ne parut sur le visage d'Eve, Reno sentit la tension intérieure de son corps.

— Qu'est-ce qui ne va pas maintenant ? demanda-t-il.

Elle le regarda d'un air inquiet en se demandant quand il avait appris à si bien lire en elle.

— Ne faites rien qui… me fasse sursauter, dit-elle finalement.

— Comme ?

— Eh bien, si vous me touchez…

— Je pensais que vous n'alliez jamais le demander, dit Reno d'une voix traînante en sortant ses mains de l'eau.

— Ce n'est pas ce que j'ai voulu dire, fit rapidement Eve en s'écartant. Enfin, oui, mais pas de cette façon.

— Décidez-vous.

— Je voulais dire que vous ne devriez pas me toucher.

Le corps tout entier de Reno devint immobile.

— Nous avons une entente, *gata.* Vous vous en souvenez ?

Eve ferma les yeux.

— Oui, dit-elle. Je me souviens. Je ne pense pratiquement qu'à ça.

Mises sur la table. Poker à cinq cartes. Une quinte flush royale en cœur ou une quinte flush en cœur ratée, se répéta-t-elle mentalement.

Relance ou retire-toi de la partie.

— Je n'essaie pas de revenir sur notre marché, poursuivit-elle, mais si vous commencez à me toucher, je vais devenir nerveuse, et cette lame est terriblement tranchante.

Elle regarda prudemment l'homme si immobile qui la regardait avec un appétit que même l'obscurité ne pouvait cacher.

— Je ne vais pas bouger, dit Reno d'une voix profonde.

— D'accord.

Elle prit une profonde inspiration et la relâcha.

Reno réussit à peine à dissimuler le frisson qui le traversa lorsqu'il sentit son souffle chaud sur sa poitrine nue.

— Prêt ? demanda-t-elle.

Il rit.

— Vous ne savez pas à quel point je le suis.

Eve se pencha et commença à raser Reno avec des mouvements habiles et précis, essuyant la lame sur le linge à intervalles réguliers. Pendant qu'elle travaillait, elle essaya de se dire que c'était seulement comme un millier d'autres fois quand elle avait rasé Don Lyon. Celui-ci avait juré que les mains de la jeune fille représentaient sa chance secrète. Elles lui donnaient un air assuré et prospère avant qu'il s'insinue par la parole dans une partie de cartes sans autre chose que son allure aristocratique et une poignée de pièces d'argent qu'il n'aurait pas fallu qu'on examine de trop près.

— Restez très immobile, maintenant, l'avertit Eve d'une voix basse.

— Comme un roc, promit Reno.

Elle lui releva le menton et fit glisser le rasoir sur sa gorge à petits coups légers et réguliers. Quand elle eut fini, elle entendit le long soupir qu'il laissa échapper. Il passa délicatement la main sur son cou.

— Je ne vous ai pas coupé, s'empressa-t-elle de dire.

— Je ne fais que vérifier. Cette lame est tellement aiguisée que je ne saurais pas si j'ai été tué jusqu'à ce que je voie le sang couler vers ma boucle de ceinture.

— Si vous étiez si inquiet à propos de mon talent, dit-elle d'un ton aigre, pourquoi m'avez-vous demandé de vous raser au départ ?

— Je me suis posé la même question.

Eve dissimula son sourire pendant qu'elle rinçait le chiffon dans l'eau fraîche. Elle souriait encore quand elle se tourna vers lui, le chiffon humide entre les mains. Il retint son souffle un instant puis recommença à respirer plus profondément pendant qu'elle rinçait son visage. Elle le fit une première fois, puis elle répéta l'exercice, pour faire bonne mesure.

Pendant qu'elle travaillait, de petites gouttes d'eau tombaient sur les épaules de Reno et se mêlaient à la toison noire de sa poitrine. Quand il respirait, des gouttes tremblotaient et luisaient comme des perles translucides. La tentation de toucher une goutte était si grande qu'elle s'en étonna.

— Quelque chose ne va pas ? demanda Reno d'une voix rauque.

Eve secoua trop vivement la tête. Ses cheveux se répandirent sur ses épaules et sur la poitrine de Reno. Il siffla entre ses dents comme s'il avait été brûlé.

— Désolée, dit-elle.

— Je ne le suis pas.

Elle lui adressa un regard surpris puis rassembla ses cheveux et en fit un autre nœud sur sa nuque.

— Je préfère quand ils sont libres, dit Reno.

— Ils me nuisent.

— Mais ils ne me nuisent pas, *gata.*

— Levez vos mains, se contenta-t-elle de dire.

Reno leva les mains et attendit pendant qu'Eve versait plus d'eau dans le bol et le rinçait minutieusement du sommet du crâne jusqu'aux épaules.

— Pas une seule coupure, dit-elle d'un air satisfait. Pendant que vous finirez votre bain, je vais chercher de l'hamamélis.

Avant que Reno puisse soulever une objection, elle s'empressa de retourner au campement.

L'idée de se déshabiller, de se laver et d'attendre nu qu'elle revienne le tenta, mais en pensant aux profondes marques de sabots près du point d'eau, il se dit qu'il était idiot de même envisager une telle chose.

Il pouvait détourner assez longtemps son attention pour goûter la peau fraîche d'Eve et écouter sa respiration se briser de désir, mais s'il était nu à son retour, il ne pourrait s'empêcher de la prendre.

En jurant à voix basse, il se dévêtit, se lava, enfila les sous-vêtements propres qu'il avait apportés et remit ses pantalons. Il allait prendre sa chemise propre quand la voix d'Eve lui parvint de l'obscurité.

— Reno ?

— Venez. Je suis habillé.

Elle s'approcha suffisamment pour voir l'éclat léger de ses épaules nues et humides ainsi que la silhouette sombre de ses jeans.

— Merci, dit-elle.

— Pourquoi ?

— Pour ne pas m'avoir rendue honteuse.

— Un étrange choix de mot pour une...

Reno se rendit compte qu'il ne pouvait terminer sa phrase. Il n'avait pas pensé à Eve comme à une fille de saloon. Il laissa échapper un son irrité et commença à lisser sa chemise pour pouvoir l'enfiler. Puis il eut une meilleure idée.

— Défroissez-la, vous voulez bien ? demanda Reno en lui tendant la chemise.

Quand Eve hésita, il dit d'un ton sarcastique :

— Oubliez ça. Ça ne faisait pas partie de notre marché, n'est-ce pas ?

Elle prit la chemise et la secoua vigoureusement. Il l'observa avec des yeux auxquels le clair de lune avait donné une couleur argentée. Il était évident que les vêtements d'hommes lui étaient aussi familiers que les siens.

— Vous faites très bien ça, dit Reno.

— Vers la fin, Don ne pouvait plus enfiler ses vêtements et encore moins les attacher, dit Eve.

— Alors, ça ne vous dérangerait pas de m'aider ?

Surprise, elle dit :

— Bien sûr que non. Tendez les bras.

C'est ce qu'il fit, et elle lui enfila la chemise.

– Vous voulez l'attacher pour moi ? demanda-t-il d'une voix neutre.

Elle lui lança un regard inquiet.

– Vous n'avez pas à le faire, dit-il. Ça ne fait pas partie de…

– … notre marché, marmonna-t-elle en tendant les mains vers les premiers boutons. Damnation. Je suppose qu'ensuite, vous voudrez que je vous déshabille.

– Excellente idée. Vous vous portez volontaire ?

– Non, répondit-elle immédiatement. Ça ne fait pas partie de…

– … notre marché.

Elle releva brusquement la tête. Il sourit.

Eve se concentra sur les boutons. Ce faisant, elle s'efforça de ne pas remarquer à quel point le corps puissant de Reno était différent de celui de Don Lyon, fragile et déformé par l'âge.

C'était impossible. La force et la santé irradiaient du grand corps de Reno.

– Pourquoi la femme de Lyon ne prenait-elle pas soin de lui ? demanda-t-il.

– Donna faisait ce qu'elle pouvait, mais souvent, l'état de ses mains était pire que celui des mains de son mari.

L'odeur de lilas monta des cheveux d'Eve, enveloppant Reno dans une fragrance plus capiteuse encore que celle du savon parfumé qu'il avait. Reno comprit, en voyant la manière nonchalante qu'avait Eve de travailler, qu'elle avait passé beaucoup de temps à s'occuper intimement d'un homme qui ne pouvait pas – ou qui ne voulait pas – prendre soin de lui-même.

C'est tout aussi bien que ce souteneur tricheur soit mort, songea amèrement Reno. *La tentation de le tuer aurait pu l'emporter sur mon bon sens.*

— Voilà. C'est fini, dit Eve.

— Pas tout à fait. Ma chemise n'est pas rentrée dans mes pantalons.

— Vous vous arrangerez.

— Qu'est-ce qui ne va pas ? Ce n'est pas comme si je vous demandais de me déshabiller.

Quand elle lui adressa un regard sceptique, il sourit.

— Je suppose que vous préféreriez que je recommence à vous toucher, n'est-ce pas ? demanda-t-il.

— Damnation.

Avant de pouvoir réfléchir davantage, Eve tendit les mains vers la taille de Reno. Comme sa ceinture était déjà détachée, il ne lui fallut qu'un instant pour décrocher les boutons de métal. Rapidement, elle commença à rentrer sa chemise dans son pantalon comme elle l'avait fait pour Don Lyon en commençant par l'arrière et en se dirigeant vers l'avant.

Quelques instants plus tard, Reno retint son souffle en sentant la pression des doigts d'Eve sur sa chair excitée. Elle laissa échapper un hoquet de surprise et essaya de retirer vivement sa main de ses jeans.

Reno était plus rapide. Il lui attrapa les poignets et tint ses doigts où ils étaient, où il voulait qu'ils soient depuis si longtemps qu'il faillit perdre sa maîtrise à leur simple contact.

— Lâchez-moi !

— Du calme, *gata*. Il n'y a rien là qui puisse vous mordre, et vous avez détaché suffisamment de pantalons pour le savoir aussi bien que moi.

Eve le regarda d'un air si ébahi qu'il faillit éclater de rire, mais son désir était trop féroce.

— J'ai envie que vous me câliniez un peu, mais je ne pourrais pas rester concentré. Je vais me contenter d'un baiser ou deux, dit Reno.

Eve lutta contre sa poigne et ne réussit qu'à frotter davantage ses doigts contre sa chair en érection.

Reno ne put réprimer un grognement de plaisir et de désir. Il regarda d'un air affamé les douces lèvres qui n'étaient qu'à quelques centimètres de sa bouche.

— Restez tranquille… commença-t-il d'une voix rude.

— Laissez-moi…

— Restez tranquille, sinon, je vais enlever mes pantalons, poursuivit Reno. Je vous ferai terminer ce que vous avez commencé, et au diable nos poursuivants.

— Ce que *j'ai* commencé ? C'est vous…

— Ne bougez pas !

Eve se figea.

Reno laissa échapper un soupir tendu. Il commença à retirer les mains d'Eve de ses pantalons, puis il s'arrêta parce que ses mains refermées en un poing lui rendaient la tâche difficile.

— Ouvrez vos mains, fit-il.

— Mais vous m'avez dit de ne pas bou…

— Faites-le, l'interrompit-il. Lentement, *gata.* Très lentement.

Eve déplia ses doigts et, ce faisant, se rendit compte qu'elle effleurait chaque centimètre du membre rigide de Reno. Celui-ci émit un son comme s'il était écartelé sur un chevalet. Il retira lentement les mains d'Eve de ses pantalons, mais plutôt que de lui lâcher les poignets, il les tira sur ses épaules.

— Arrêtez de lutter contre moi, dit-il. Il est temps de me montrer à quel point vous pouvez tenir parole.

La peur et le souvenir du plaisir qu'elle avait éprouvé quand il l'avait embrassée luttèrent ensemble pour la maîtrise de son corps.

Peut-être que quand il verra que je tiens parole aussi, il me regardera avec autre chose que du désir. Peut-être…

— Vous allez tenir parole aussi ? demanda-t-elle.

— Je ne vous prendrai pas, à moins que vous le vouliez, dit-il d'une voix impatiente. C'est ce que vous voulez dire ?

— Oui, je…

La bouche de Reno se referma sur la sienne. Sa langue glissa entre ses lèvres, lui enlevant toute possibilité de parler.

Elle n'émit aucune protestation à l'exception d'un petit hoquet de surprise. Malgré sa force et son désir évidents, il ne s'imposait pas à elle, au contraire. Quand il comprit qu'elle n'allait pas se débattre, il la tint plutôt doucement.

L'épaisse moustache soyeuse de Reno caressait le bord sensible des lèvres d'Eve. Les pensées attrayantes qui avaient pris vie à l'instant où elle l'avait vu pour la première fois se renforcèrent tandis que le baiser s'approfondissait inévitablement. Elle sentit au creux de son ventre une chaleur qui provoqua chez elle un frisson délicieux. Elle avait voulu cela sans le savoir.

Mais maintenant, elle le savait.

Elle ouvrit de grands yeux curieux en se demandant si Reno éprouvait la même chaleur inattendue. Elle ne vit que ses épais cils noirs que toute femme aurait enviés. Leur douceur la rassura.

En hésitant, elle frôla la langue de Reno avec la sienne, redécouvrant les textures de sa bouche, le velours, la soie et la chaleur. Pendant un moment, elle oublia tout à propos de sa peur, des ententes et de ses espoirs pour l'avenir. Elle savoura simplement le baiser dans un silence frémissant qui ne ressemblait à rien de ce qu'elle avait déjà connu.

Une chaleur inattendue s'empara d'elle, une unique vague de sensations qui la traversa des seins jusqu'aux genoux. Elle aimait le goût et l'effet de ce baiser intime. Il provoquait des vagues de plaisir dans des parties cachées de son corps, lui enseignant à propos d'elle-même des choses qu'elle n'avait jamais soupçonnées. Le lent frottement de la langue de Reno sur la sienne était étourdissant, et elle avait du mal à respirer. Instinctivement, elle resserra sa poigne sur lui en même temps qu'elle s'écartait.

Reno émit un son guttural de protestation.

— Je ne peux pas respirer, expliqua-t-elle.

Le ton rauque de sa voix renseigna Reno davantage que ses paroles. Il saisit sa lèvre inférieure entre ses dents et la mordit doucement, s'abreuvant de son souffle.

— Rendez-la-moi, *gata.*

— Quoi ?

— Je l'aime chaude et profonde.

Reno serra les bras, la rapprochant de plus en plus de sa bouche affamée.

— Vous vous souvenez ? demanda-t-il.

Avant qu'elle puisse répondre, il s'empara de ses lèvres. Sa tête bougea brusquement, ouvrant la bouche d'Eve.

Le frottement sensuel de la langue de Reno sur la sienne lui fit émettre un petit son du fond de sa gorge. Son corps se tendit, mais ce n'était pas pour protester contre la force croissante de l'étreinte. Cette fois, elle aimait qu'il la tienne fermement contre son corps musclé. Et plus encore, elle en avait besoin d'une manière qu'elle ne remettait même pas en question.

Les contacts hésitants de sa langue contre celle de Reno se modifièrent à mesure qu'elle s'habituait à leur duel sensuel. Elle l'enfonça plus profondément dans sa bouche, le goûtant plus pleinement et caressant sa langue sans retenue avec la sienne. La sensation de sa langue s'entremêlant en cadence à la sienne l'étourdit. Son souffle se coinça dans sa gorge jusqu'à ce qu'elle puisse à peine respirer.

Reno poussa un grognement et attira Eve encore davantage, prenant et donnant un baiser qui lui fit comprendre qu'il n'avait jamais vraiment embrassé une femme auparavant — pas comme ça, alors que deux flammes affamées brûlaient, se tordaient et se tendaient l'une vers l'autre à travers les barrières de la chair et des vêtements.

Quand Eve écarta finalement sa bouche de celle de Reno, sa respiration était saccadée, et sa bouche se sentait vide sans lui. Elle le regarda avec des yeux hébétés. Le sourire de Reno était sombzre, excitant et aussi viril que la puissance de son corps. Ses doigts s'enfoncèrent dans la chair souple des hanches d'Eve tandis qu'il la pressait contre lui, lui faisant sentir le feu qu'elle avait déclenché.

Puis Reno l'embrassa de nouveau, l'étourdissant encore. Elle n'était consciente que de sa force, de sa chaleur et de sa langue, qui caressait la sienne en cadence. Le serrant autant qu'elle le pouvait, elle laissa sa chaleur s'insinuer en elle.

— Vous me brûlez vif, *gata.*

— Non. C'est vous qui me brûlez.

Il la souleva et la tint suspendue dans ses bras pendant que sa bouche s'acharnait sur la sienne. Il aurait voulu l'étendre sur le sol et s'enfouir dans son corps chaud et consentant, mais il savait que cela aurait été idiot.

Pis encore, cela aurait pu être fatal.

Foutu Slater, se dit-il silencieusement. *J'aurais dû le tuer à Canyon City. Alors, je n'aurais pas eu à passer chaque minute de mon temps à regarder par-dessus mon épaule.*

Ses bras se serrèrent, et il s'empara de la bouche d'Eve comme il aurait voulu s'emparer du reste de son corps sensuel. Sans rompre le baiser, il la porta jusqu'au rebord de grès et s'y assit.

Elle émit un son de surprise quand le monde bougea et qu'elle se retrouva assise sur les genoux de Reno. Il sortit rapidement son six-coups et déposa l'arme à portée de sa main. Avec un mur de pierre dans son dos et une femme sensuelle sur ses genoux, il se sentait aussi en sécurité que possible.

Mais pas assez, songea-t-il ironiquement.

Toutefois, Jericho Slater lui parut très loin quand il abaissa encore sa bouche contre celle d'Eve. Le baiser d'Eve était aussi féroce que le sien, aussi affamé.

Ce baiser ni talentueux ni timide apprit à Reno qu'elle le désirait suffisamment pour oublier pendant cet instant tous les trucs qu'employaient les femmes avec des hommes en chaleur pour les allumer jusqu'à ce qu'ils acceptent n'importe quoi et cèdent à la tentation ardente à portée de leurs mains.

Reno ne s'était jamais trouvé avec une femme qui le désirait au point d'oublier le jeu faussement timide du titillement et du recul et qui finissait par brûler de son propre feu. Le fait de savoir qu'Eve le désirait tant le fit trembler d'un désir plus intense que tout ce qu'il avait connu.

– Dieu du ciel, dit-il d'une voix épaisse. C'est une bonne chose que cette robe n'ait pas de boutons.

– P… pourquoi ?

– Je les aurais arrachés jusqu'à votre taille avant que vous puissiez cligner des yeux, et ç'aurait été une erreur.

Eve s'apprêta à lui répondre, mais Reno l'embrassa presque sauvagement. Le tissu de la robe qu'elle portait était devenu fragile à cause d'une longue usure et était tellement aminci par le temps qu'il ne représentait qu'un faible obstacle à ses caresses.

En dessous, elle ne portait rien d'autre que la chaleur qui irradiait jusqu'à lui en chassant toute retenue.

Eve éprouva un frémissement en sentant les doigts de Reno palper et caresser ses seins. La chaleur s'épanouit dans l'obscurité de son corps. Le plaisir que lui procurait son baiser se trouvait accru par la pression sensuelle et changeante de ses mains.

Puis la bouche de Reno remplaça ses mains, tirant la chair sensible d'Eve à travers le tissu. Ses mamelons se durcirent dans une poussée de sensations qui lui arrachèrent un petit cri. La surprise et des vagues de plaisir traversèrent son corps, lui donnant l'impression d'avoir été frappée par un tendre éclair.

Les sons rauques qu'elle émettait faillirent entraîner Reno au bord du précipice. Ses mains se serrèrent instinctivement tandis qu'il luttait pour maîtriser la fureur inattendue de son désir. Quand ses doigts se serrèrent de nouveau, le tissu usé de sa robe céda à la couture d'une épaule. Un pan de tissu tomba vers l'avant, faisant apparaître un sein parfait.

Reno grogna. Il n'avait pas voulu se tenter à ce point, mais l'ayant fait, il ne pouvait plus résister.

Il pencha la tête et prit profondément le mamelon durci dans sa bouche. Eve goûtait la nuit chaude d'été, le lilas, les ruisseaux cachés et les plaisirs secrets. Le son rauque qu'il tira de la gorge d'Eve était un chant de sirène l'exhortant à oublier tout danger qui pouvait se tapir dans l'obscurité environnante.

Le reste de la robe céda avec un son doux qui se perdit dans la série de cris qu'émit Eve pendant que la bouche et les mains de Reno rendaient ses seins si sensibles que c'en était presque douloureux. Elle savait qu'elle aurait dû protester devant une pareille intimité, mais le plaisir qu'il lui donnait était si grand qu'elle ne pouvait se résoudre à s'écarter.

Elle se rendit compte que Reno avait subrepticement glissé sa main entre ses jambes uniquement au moment où le fragile obstacle du vieux tissu sépara ses doigts de son sexe. Tout ce qu'elle sut, c'est qu'elle ne s'était jamais sentie ainsi, n'avait jamais éprouvé la chaleur d'un tel feu l'attirant vers quelque chose d'inconnu, quelque chose qui était à la fois féroce et magnifique, quelque chose qu'elle devait avoir, au risque de mourir en le perdant. La passion s'empara d'elle, l'inondant d'une chaleur liquide, et malgré cela, l'impatience qui l'avait envahie ne connaissait aucun soulagement. Elle se tordait comme une flamme sur les genoux de Reno, cherchant une libération du désir déchirant qu'elle n'avait jamais ressenti.

— Vous me tuez, murmura-t-elle d'une voix saccadée.

Reno rit presque douloureusement.

— Non. C'est vous qui me tuez. Faites-le encore, douce *gata*.

— Quoi ?

Sa main bougea de nouveau, se resserrant sur la douce chair qui pleurait de passion à la moindre de ses caresses.

Eve retint son souffle et sentit le feu liquide se propager de son corps à la main de Reno.

Soudain, Reno la souleva et la tourna jusqu'à ce qu'elle chevauche ses cuisses. Quand il remonta sa jupe, elle vit que ses pantalons étaient détachés. La preuve éclatante de son excitation luisait entre ses cuisses dans le clair de lune.

Eve comprit trop tard vers quoi le feu tendait, et elle sut qui, en fin de compte, en éprouverait de vifs regrets, alors que les paroles de Donna résonnaient dans son esprit :

« Il n'y a qu'une chose qu'un homme veut obtenir d'une femme, ne te méprends pas là-dessus. »

— Non, dit Eve. Non Reno !

— Vous le voulez tout autant que moi. Vous en tremblez.

— Non ! répondit-elle désespérément. Vous m'avez promis de ne pas me prendre si je ne le voulais pas. Je ne le veux pas !

Reno laissa échapper des mots qui firent pâlir Eve. Soudain, il la poussa si brusquement de sur ses genoux qu'elle eut à peine le temps de s'accrocher au rebord de pierre pour garder son équilibre. Elle remonta sa robe sur ses seins et lui fit face avec une colère aussi grande que l'avait été sa passion.

— Vous n'avez aucun droit d'utiliser ces mots pour me décrire ! dit-elle d'une voix tremblante.

— J'en ai tout à fait le droit ! Vous m'avez allumé et…

— Je vous ai allumé ? dit-elle d'une voix sauvage, l'interrompant. Ce n'est pas moi qui vous ai enlevé vos vêtements et qui ai posé ma main entre vos jambes et…

— Vous vous colliez à moi comme du miel répandu, aboya Reno en enterrant ses paroles.

— Ce… n'était pas mon intention, bredouilla Eve. Je ne sais pas ce qui… est arrivé.

— Je le sais, répondit Reno d'une voix féroce. Une petite allumeuse et une tricheuse s'est retrouvée pendue au bout de sa propre foutue corde.

— Je ne suis pas ce que vous croyez !

— Vous n'arrêtez pas de dire ça, *gata*. Puis vous n'arrêtez pas de prouver que vous êtes une menteuse. Vous me désiriez.

— Vous ne comprenez pas.

— Je ne comprends que trop bien.

Eve ferma les yeux et serra si fort le tissu usé sur son corps que ses doigts en pâlirent. Tout son corps était douloureux et tremblant, et elle aurait voulu hurler.

— Pourquoi les hommes ne veulent-ils qu'une chose de la part d'une femme ? demanda-t-elle avec colère.

— L'honnêteté ? répliqua Reno. Je n'en ai aucune idée. Je ne pense pas que l'honnêteté fasse partie de la femme.

— Et je pense qu'il est tout naturel pour l'homme de prendre ce qu'il veut puis de partir sans une pensée pour ce qu'il a fait !

— Qu'aviez-vous à l'esprit ? Le mariage ?

La question sarcastique de Reno lui fit l'effet d'un coup de fouet. Elle ouvrit la bouche, mais aucun mot n'en sortit. La douleur l'envahit quand elle se rendit compte qu'il avait raison. Elle voulait qu'un homme l'aime assez pour construire une vie avec elle. Mais elle était trop intelligente pour parler d'amour avec le pistolero dont le corps excité luisait dans le clair de lune.

— Je veux un homme qui prendra soin de moi, dit-elle finalement.

— C'est ce que je pensais, répondit Reno. Vous ne pensez qu'à votre confort, et au diable le sien.

— Ce n'est pas ce que je voulais dire !

— Conneries.

— Je parlais du fait d'être aimée, dit-elle avec passion, et non d'être gardée comme une princesse sur un coussin de satin !

Eve recula rapidement quand Reno se leva et commença à rattacher ses pantalons avec des gestes brusques et colériques. Il poussait sans arrêt des jurons, dégoûté par lui-même et par la fille de saloon qui pouvait le faire souffrir comme aucune autre femme ne l'avait fait.

— Peu importe à quel point vous m'allumez, dit-il d'une voix sauvage, vous ne me ferez pas vous supplier de m'épouser.

Il se pencha, ramassa son six-coups et fit tourner le barillet pour vérifier qu'il était chargé. Ses paroles étaient comme le pistolet lui-même, froides, dures, implacables.

— Les femmes se vendent en se mariant de la même façon que les putains vendent leur corps une heure à la fois, dit-il. Les femmes ne se donnent jamais que par amour à un homme qui ne leur a rien promis en retour sauf son propre amour.

— Est-ce que c'était ainsi entre Willow et Caleb ? demanda Eve d'un air de défi.

Un sourire froid se dessina sur les lèvres de Reno.

— Ils représentent l'exception qui confirme ma règle d'or.

Il rengaina le pistolet d'une geste fluide et la regarda. L'expression glaciale de son visage la fit frissonner.

– Quelle règle ? demanda Eve tout en sachant qu'elle n'aimerait pas la réponse.

– On ne peut pas compter sur les femmes, dit Reno, mais on peut compter sur l'or.

11

Avant même que l'aube soit davantage qu'une vague promesse à l'horizon, Reno et Eve étaient en route. Pendant toute la matinée, il scruta tour à tour le paysage et les journaux. Il n'avait pas dit deux mots à Eve depuis qu'il lui avait exposé sa propre version de la règle d'or.

À l'heure du midi, elle s'était fatiguée de ses conversations à sens unique avec sa jument louvette. Les deux Shaggy n'étaient pas mieux. En fait, ils étaient pires. Ils n'agitaient même pas une oreille dans sa direction quand elle leur parlait.

— Ce sont en partie des mules, tout comme lui, dit Eve d'une voix claire.

Si Reno avait entendu — et elle en était certaine —, il ne se soucia même pas de regarder dans sa direction. Il ouvrait simplement un journal après l'autre, les tenant sur sa cuisse pendant qu'il essayait de trouver quelque chose.

— Je peux aider ? demanda finalement Eve.

Reno secoua la tête sans lever les yeux.

Un autre kilomètre défila sans aucun changement, sauf quand Reno s'arrêta assez longtemps pour sortir sa lunette d'approche et regarder attentivement la terre devant et derrière lui. Puis il referma la lunette et éperonnait Darling.

Auparavant, le silence sur la piste n'avait pas du tout dérangé Eve. En fait, elle l'avait trouvé paisible. Il lui avait accordé autant de temps qu'elle voulait pour contempler les formations rocheuses hautes en couleur, sans cesse changeantes, et lui avait permis d'imaginer comment elles avaient évolué pour devenir ainsi.

Ce matin était différent. Le silence de Reno la stimulait d'une façon qu'elle ne comprenait pas.

— Sommes-nous perdus ? demanda-t-elle enfin.

Reno ne répondit pas.

— Qui boude, maintenant ? marmonna-t-elle.

— Bouclez-la, fille de saloon. Je cherche seulement un chemin pour contourner ça.

Eve regarda dans la direction qu'indiquait Reno et ne vit rien d'autre qu'un cours d'eau asséché conduisant à une autre entaille dans la terre, une marche de plus dans ce qu'elle appelait privément « l'escalier de Dieu » menant au fond du labyrinthe de pierre des canyons.

— Nous avons traversé des endroits pires que ça, dit-elle.

— Ma nuque me chatouille.

— Peut-être que je n'ai pas enlevé tout le savon.

Reno se tourna et lui jeta un regard de ses yeux verts étincelants.

— Êtes-vous en train de m'offrir d'essayer encore ?

— Votre gorge dans une main et un rasoir dans l'autre ? demanda doucement Eve. Ne me tentez pas, pistolero.

Reno examina la fille qui, le soir précédent, avait été un orage d'été sauvage et sensuel. Ce seul souvenir accéléra les battements de son cœur, durcissant son membre en un élan torride. Mais en fin de compte, elle lui avait refusé la chose même avec laquelle elle l'avait tenté.

Il avait au moins la satisfaction amère de savoir qu'il n'était pas le seul à avoir mal dormi la nuit dernière, lacéré par les griffes du désir inassouvi.

— Attendez ici, dit-il. Je vais voir s'il y a des empreintes qui se dirigent vers le défilé. S'il m'arrive quoi que ce soit, fuyez jusqu'au ranch de Cal.

Ce n'était pas la première fois que Reno avait laissé Eve pour partir en reconnaissance, mais c'était la première fois qu'il l'avait si carrément avertie à propos d'un danger. Elle l'observa anxieusement pendant qu'il quadrillait les routes les plus évidentes menant au défilé.

Finalement, il lui fit signe de venir. Pendant qu'elle amenait les chevaux de bât, il sortit son six-coups, fit tourner le barillet une fois pour en vérifier la charge et le rengaina. Puis il tendit la main et prit un autre six-coups et deux barillets supplémentaires dans une sacoche de selle. Il prit aussi un étrange harnais semblable à une cartouchière mexicaine conçu pour contenir autre chose que seulement des munitions.

Le deuxième pistolet était déjà chargé, tout comme les deux barillets supplémentaires. Il glissa le second pistolet dans une gaine sur la cartouchière et les barillets supplémentaires dans la bretelle spéciale. Eve regarda les préparations d'un air inquiet pendant qu'il vérifiait minutieusement la bretelle.

— Est-ce qu'il y a quelque chose que vous ne me dites pas ? demanda-t-elle.

La bouche de Reno se souleva en un rictus.

— Pas du tout. Je vous ai toujours dit exactement ce que j'avais en tête.

— Vous n'avez jamais utilisé un deuxième pistolet auparavant, dit Eve.

— Le journal de Cal mentionne un passage terriblement étroit devant nous.

— Est-ce qu'un cheval peut le traverser ?

— Oui, mais ma carabine à répétition ne sert à rien dans un endroit comme ça, répondit calmement Reno.

— Je vois.

Eve souleva nerveusement son chapeau, y coinça quelques mèches de cheveux et regarda partout sauf dans les yeux verts et froids de Reno. Elle ne voulait pas qu'il voie à quel point elle se sentait effrayée.

Et seule.

— Qu'est-ce que je dois faire avec mon fusil ? demanda-t-elle après un moment.

— Servez-vous-en, mais assurez-vous de ne pas rater votre cible. Une balle qui ricoche fait plus de dommages qu'une balle ordinaire.

Eve opina de la tête.

— Vos rênes sont-elles toujours attachées ensemble ? demanda Reno.

Elle acquiesça de nouveau.

— Détachez Shaggy One et mettez les chevaux de bât entre nous, dit-il.

Eve tourna vivement la tête vers lui.

— Pourquoi ?

Reno vit l'inquiétude dans ses yeux dorés et eut envie de la prendre dans ses bras pour la rassurer.

Mais ç'aurait été une fausse assurance. Le chemin sur lequel ils s'engageaient était dangereux, et il était poussé par son instinct comme par des éperons de fer. Le fait de rassurer Eve n'aurait pas été un geste de gentillesse. Elle allait avoir besoin de toute sa présence d'esprit, et lui aussi.

– Il y a tout un tas de pistes, dit Reno. Le sol est trop sablonneux pour que je sache avec certitude s'il s'agit de mustangs ou de chevaux ferrés. Si Slater se trouve devant, il va tenter de m'abattre. Si vous êtes trop près, vous pourriez recevoir une balle. Alors, placez les chevaux de bât entre nous.

– Je vais prendre le risque de recevoir une balle.

Le sourcil gauche de Reno se souleva en une arche noire.

– Comme vous voulez, mais détachez le licou de Shaggy One.

– Si je faisais comme je le veux, dit clairement Eve, en commençant à détacher la corde, je resterais loin du défilé.

– C'est la seule route menant à la mine espagnole indiquée dans votre journal, à moins que vous vouliez refaire tout le chemin à travers les Rocheuses et prendre la route qui part de Santa Fe.

– Damnation, marmonna Eve. Nous n'y arriverions pas avant le printemps.

– Ce chemin mène aussi au seul point d'eau dont l'existence nous a été confirmée.

Eve soupira. Elle n'avait jamais su quelle quantité d'eau il fallait pour garder un cheval en santé et à quel point elle pouvait être précieuse.

– Peut-être que Slater a abandonné la partie, dit-elle.

Elle se pencha sur la selle et rattacha la corde autour du cou de Shaggy One.

— Il a peut-être abandonné pour ce qui est de punir une fille de saloon qui triche, mais je ne pense pas qu'il ait renoncé à l'or. Ou, ajouta-t-il d'un ton sarcastique, à abattre l'homme qui a contribué à mettre en pièces la bande de ses frères jumeaux.

— Vous ?

Reno acquiesça.

— Cal et Wolfe et moi.

— Caleb Black ? Mon Dieu ! Et si Slater s'en prend à Caleb plutôt qu'à nous ?

— Le vieux Jericho est plus futé que ça. Cal a des hommes coriaces avec lui, en particulier ses trois esclaves affranchis. Deux d'entre eux étaient des Buffalo Soldiers[5]. Le troisième s'appelle Pig Iron. Il est à moitié Séminole et méchant comme un taureau.

Eve fronça les sourcils.

— Sauf avec Willow, ajouta Reno en voyant le malaise sur le visage d'Eve. Elle s'est occupée d'eux après qu'ils aient mangé de la viande avariée. Ils la considèrent comme une sainte, et leurs femmes aussi, y compris la squaw comanchero qui n'arrive pas à se décider entre Crooked Bear et Pig Iron.

— Sont-ils armés ?

— Évidemment. Quelle utilité peut avoir un homme qui n'est pas armé ?

— Tout de même, dit Eve, Slater a beaucoup d'hommes.

— Ce n'est pas la même chose que d'avoir de *bons* hommes. Ne vous inquiétez pas à propos de Cal. C'est une

5. N.d.T.: Surnom donné aux soldats afro-américains au lendemain de la Guerre civile.

armée à lui seul. J'aimerais bien qu'il soit là en ce moment pour surveiller mes arrières.

Sur ce, Reno dirigea sa rouanne bleue vers le défilé. La jument louvette suivit immédiatement, et les deux Shaggy prirent leur place malgré l'absence de licous.

Reno n'avait pas besoin de dire à Eve de rester silencieuse. Elle chevauchait de la même manière que lui, en état d'alerte devant chaque ombre, inquiète devant chaque bifurcation qui pourrait dissimuler des cavaliers en embuscade. Le fusil sur ses genoux scintillait dans les rares taches de soleil.

La chaleur de la journée céda lentement le pas à une sorte de crépuscule tandis que les murs rocheux s'élevaient de plus en plus de chaque côté de la piste. Les couches de pierres s'empilaient les unes sur les autres jusqu'à ce que le ciel ne devienne qu'une large bannière de nuages au-dessus de leurs têtes. Il n'y avait d'autres sons que le crissement du cuir, le bruissement de la queue d'un cheval et le bruit de sabots, atténué par le sable.

De temps en temps, de petits canyons rejoignaient le plus grand. Tous étaient asséchés.

Finalement, le pan de ciel nuageux au-dessus d'eux commença à s'élargir, et Eve comprit qu'ils étaient presque sortis du lit asséché de la rivière qui séparait les murs de pierre vertigineux. Droit devant, le défilé s'incurvait vers la droite autour d'une autre saillie rocheuse. Un autre canyon latéral s'ouvrait derrière elle sur sa gauche.

Soudain, la rouanne bleue bondit de côté. Reno hurla à Eve de se mettre à couvert.

Des hommes crièrent, et des coups de feu retentirent tandis que les balles sifflaient entre les murs de pierre.

Certains venaient de Reno. Dans un roulement de tonnerre furieux, il faisait feu vers les hommes qui avaient surgi de derrière le mur de pierre, juste devant sa jument.

La rapidité avec laquelle Reno avait dégainé et faisait feu avec les deux pistolets prit les attaquants par surprise. Sa précision mortelle étonna les hommes qui avaient survécu à ses 12 premiers coups de feu. Les hors-la-loi encore capables de bouger bondirent à couvert dans un enchevêtrement de membres agités et de jurons terribles.

Avec des mouvements si rapides qu'ils étaient à peine visibles, Reno changea ses barillets vides pour d'autres qui étaient pleins et recommença à tirer avant que les hommes puissent récupérer.

— Derrière nous! s'écria Eve.

Son dernier mot se perdit dans le son assourdissant du fusil de chasse tandis qu'elle actionnait les doubles canons. Les deux hors-la-loi qui s'étaient cachés dans le buisson du canyon latéral crièrent de douleur alors que les chevrotines sifflaient autour d'eux.

Reno fit tourner sa jument et tira si rapidement que le son de ses balles fut enterré par le bruit du fusil. Les hommes tombaient où ils étaient et ne bougeaient plus.

— Eve! Êtes-vous blessée?

— Est-ce que...?

Le reste de la question d'Eve se trouva coupé par le tonnerre des sabots des chevaux se répercutant entre les murs de pierre. Le son venait de derrière et de devant, grandissant comme une marée.

— Nous sommes coincés! cria Eve.

— Allez à gauche!

Tout en parlant, il éperonna sa rouanne vers l'étroit canyon latéral en poussant devant lui Eve et les chevaux de bât. Ils piétinèrent les corps des deux hors-la-loi et s'engagèrent à toute vitesse dans la petite ouverture. Quelques mètres plus loin, le canyon s'incurvait après une saillie de pierres rouges.

Eve s'agrippait à la jument louvette avec ses genoux et ses talons, et elle essayait de recharger le fusil de chasse pendant que la jument mustang courait ventre à terre à travers les obstacles sur la rivière asséchée. Elle réussit à insérer une cartouche dans le fusil.

Elle essayait d'y glisser une deuxième cartouche quand elle lui échappa des doigts au moment où la jument glissa sur un bout d'assise rocheuse qui perçait à travers la mince couche de sable. La jument tomba sur les genoux puis se redressa avec une force qui fit jaillir des étincelles quand ses fers frappèrent la pierre plus dure que le grès.

Ensuite, Eve laissa tomber l'idée de charger le fusil et se concentra sur le fait de garder sa jument mustang sur ses pattes.

Un kilomètre plus loin, le lit de la rivière commença à s'élever plus abruptement sous les sabots des chevaux. Du coin de l'œil, Eve ne voyait plus défiler des peupliers de Virginie. Il y avait peu de buissons à franchir ou à éviter, et même ceux qui se trouvaient là étaient rabougris.

Les murs de pierre se resserrèrent. Le sable fit place à des plaques et à des creux avec entre les deux des étendues de pierres polies par l'eau. La piste devint dangereusement glissante et inégale. Même les mustangs robustes et agiles faillirent tomber plus d'une fois.

– Arrêtez ! cria finalement Reno.

Eve fit freiner avec reconnaissance sa jument lancée à toute allure. Elle se retourna pour poser une question, mais elle ne vit que Reno qui entraînait sa rouanne bleue vers le chemin qu'ils venaient de suivre.

Les deux Shaggy se rapprochèrent du mustang d'Eve comme s'ils avaient besoin de se rassurer. Elle tâtonna pour introduire une autre cartouche dans le fusil avant de se pencher sur sa selle pour vérifier le harnachement des chevaux de bât. Rien n'avait bougé. Rien ne s'était détaché. Même les petits barils placés à l'extérieur des bâches étaient encore en place, tout comme les pioches et les pelles. Reno était aussi minutieux quand il s'agissait de prendre soin des animaux qu'il l'était en ce qui concernait ses armes.

Des coups de feu se répercutèrent le long du canyon dans une fusillade qui sembla durer une éternité. Les Shaggy hennirent et se rapprochèrent encore, mais ils ne montrèrent aucune envie de partir en courant. Le cœur d'Eve battait si fort qu'elle craignait qu'il éclate dans sa poitrine.

D'autres coups de feu retentirent. Le silence qui suivit les échos fut pire que le tonnerre.

Après avoir compté jusqu'à 10, Eve n'en pouvait plus. Elle éperonna durement sa jument et partit en sens inverse à toute allure pour voir ce qui était arrivé à Reno. La jument mustang abaissa ses oreilles vers l'arrière et se mit à galoper malgré les difficultés du terrain. La tête basse et la queue haute, la jument filait comme le vent sur le terrain dangereux.

Le bruit des sabots alerta Reno. Il arrêta sa jument juste à temps pour voir Eve se précipiter vers lui sur le dos du mustang. La jument bondit par-dessus une saillie rocheuse, projeta du sable et faillit tomber sur une étendue de calcaire.

Reno pensa qu'Eve s'en trouverait ralentie, mais aussitôt que la jument se retrouva sur ses quatre sabots, Eve la poussa à toute allure.

— Eve !

Elle ne l'entendit pas.

Reno poussa sa rouanne à découvert, et la jument d'Eve se cabra pendant qu'elle se penchait sur ses pattes arrière et s'arrêtait en dérapant.

— De toutes les choses stupides… hurla Reno.

— Êtes-vous blessé ? cria Eve en l'interrompant.

— De toutes les choses stupides que vous auriez pu faire, vous avez fait la pire. Bien sûr que je ne suis pas…

— J'ai entendu des coups de feu puis le silence, et je vous ai appelé. Et vous n'avez pas répondu.

Elle parcourait anxieusement du regard le corps de Reno en y cherchant des blessures.

— Je vais bien, dit-il d'une voix sèche. Sauf que vous avez sacrément failli me faire avoir une crise cardiaque en lançant votre jument à cette vitesse sur un pareil terrain.

— Je pensais que vous étiez blessé.

— Qu'alliez-vous faire ? Piétiner la bande de Slater ?

— Je…

Reno poursuivit et lança :

— Si jamais vous refaites pareille idiotie, je vais vous coucher sur mes genoux et vous flanquer une fessée.

— Mais…

— Mais rien, l'interrompit-il brusquement. Vous auriez pu galoper tout droit dans un échange de coups de feu et être dépecée.

— Je pensais justement que ça vous était arrivé.

Reno soupira et retint sa colère, qui menaçait d'éclater dans toute sa fureur. Il s'était trouvé dans beaucoup d'endroits dangereux et avait été plus d'une fois la cible de tireurs, mais il n'avait jamais été aussi effrayé que quand il avait vu Eve faire courir sa jument mustang ventre à terre sur le sable et le calcaire.

— C'était mon embuscade, cette fois, dit-il finalement, et non la leur.

Pour toute réponse, Eve poussa un profond soupir.

— Ils ne viendront pas en redemander de sitôt, poursuivit-il, mais nous ferions mieux d'espérer que ça ne soit pas trop long.

— Pour quelle raison ?

— L'eau, dit-il brièvement. Ce canyon est complètement sec.

Eve leva les yeux d'un air inquiet en voyant revenir Reno de sa brève exploration du canyon latéral. La ligne sévère de sa bouche lui apprit qu'il n'avait rien découvert d'utile.

— Tout est sec, dit-il.

Elle attendit.

— Et c'est une impasse, ajouta-t-il.

— À quelle distance ?

— Peut-être deux kilomètres, dit Reno.

Eve regarda le long de l'étroit ravin où les hommes de Slater attendaient leurs proies.

— Ils ont besoin d'eau aussi, souligna-t-elle.

— Un seul homme peut mener beaucoup de chevaux au point d'eau. Les autres vont rester là et attendre que nous ayons assez soif pour faire quelque chose de stupide.

— Alors, nous n'avons qu'à les contourner.

Le sourire de Reno n'avait rien de réconfortant.

— Tout bien considéré, dit-il, je préférerais prendre le risque de grimper le mur principal du canyon plutôt que de me retrouver coincé dans ce genre de feu croisé.

Eve regarda le mur de pierre qui s'élevait jusqu'au ciel derrière Reno en couches successives.

— Et les chevaux ? demanda-t-elle.

— J'espère seulement ne pas avoir à les relâcher.

Ce que Reno ne dit pas, c'était qu'un homme à pied sur une terre asséchée avait peu de chance de survivre. Mais aussi petite que soit cette chance, c'était mieux que de réussir à traverser un étroit canyon sous le feu nourri des hommes de Slater.

— Allons-y, dit Reno. À partir de maintenant, nous allons avoir de plus en plus soif.

Eve ne discuta pas. Sa bouche était déjà sèche. Elle pouvait imaginer la soif des mustangs qui avaient parcouru une course à obstacles à travers le canyon torride.

— Vous d'abord, lança Reno. Puis les chevaux de bât.

Le lit du cours d'eau asséché rétrécissait jusqu'à ne devenir rien de plus qu'une ouverture sculptée par l'eau sinuant à travers la pierre solide. Au-dessus d'eux, les nuages défilaient et s'épaississaient en survolant la terre aride. Le tonnerre résonnait au loin, suivi d'éclairs invisibles.

Reno vit Eve regarder les nuages avec envie.

— Vous feriez mieux de prier pour qu'il ne pleuve pas, dit-il.

— Pourquoi ?

Il fit un geste vers le mur du canyon qui ne se trouvait qu'à une dizaine de centimètres de son bras étendu.

— Vous voyez cette ligne ? demanda-t-il.

— Oui. Je me suis demandé ce que c'était.

— C'est la ligne des hautes eaux.

Eve écarquilla les yeux, puis elle regarda la ligne qui courait le long du canyon bien au-dessus de leurs têtes et se tourna vers Reno.

— D'où vient tout ça ? demanda-t-elle.

— Du sommet du plateau. Pendant les gros orages, la pluie descend plus vite qu'elle peut s'enfoncer dans le sol. Et à certains endroits, elle ne peut pas s'enfoncer du tout. Alors, elle s'écoule simplement entre les murs. Dans ces canyons étroits, elle devient très rapidement profonde.

— Quel pays ! dit Eve. Vous mangez du sable ou vous vous noyez.

Le coin de la bouche de Reno se souleva légèrement.

— Il m'est arrivé quelques fois de devoir faire l'un ou l'autre.

Pourtant, il ne s'était jamais trouvé en aussi mauvaise situation qu'en cet instant : il y avait une impasse devant, des hors-la-loi derrière et la soif entre les deux.

Sans dire un mot, Reno examina les murs du canyon latéral où lui et Eve étaient coincés. Quelque chose le tenaillait à propos des couches de pierre.

— Arrêtez-vous, dit-il à Eve.

Elle tira les rênes et regarda par-dessus son épaule. Reno était assis, les deux mains sur le pommeau de sa selle, et examinait le petit canyon étroit comme s'il n'avait jamais rien vu d'aussi intéressant de toute sa vie.

Après une minute, il poussa sa rouanne bleue vers l'avant et dépassa les deux Shaggy et la jument louvette d'Eve pour aller jusqu'au minuscule canyon qu'il avait découvert quand il était parti en reconnaissance. Il l'avait écarté en considérant qu'il s'agissait d'un canyon de ruissellement, mais maintenant, il pensait avoir été trop pressé.

– Votre fusil est-il chargé ? demanda-t-il.

– Oui.

– Vous vous êtes déjà servi d'un six-coups ?

– Parfois. Mais je serais bien incapable de m'en servir pour abattre un éléphant à plus de 10 mètres.

Reno se tourna et la regarda. Le sourire qu'il lui adressa lui fit comprendre encore une fois à quel point c'était un bel homme.

– Ne vous inquiétez pas, *gata*. Aucun éléphant ne va nous tomber dessus.

Eve éclata de rire.

Reno sortit son deuxième six-coups et retira une balle du barillet avant de remettre l'arme dans la cartouchière.

– Tenez, dit-il en lui donnant la cartouchière. Le percuteur se trouve vis-à-vis une chambre vide, alors vous devrez tirer deux fois la détente pour faire feu.

La cartouchière convenait à Eve comme un grand manteau qu'on aurait remis à un enfant. Quand Reno tendit les mains pour en ajuster la ceinture, le dos de ses doigts frôla accidentellement un de ses seins, et la respiration d'Eve s'accéléra. Le mouvement soudain eut l'effet de frotter encore davantage son sein contre sa main. Les deux contacts firent durcir son mamelon en un instant.

Reno leva les yeux de son sein et regarda la fille de saloon aux yeux clairs qui hantait même ses rêves.

– Vous êtes tellement vivante, fit-il d'une voix presque dure, et vous êtes passée tellement près de mourir…

Il ajusta aussi bien que possible la cartouchière sur Eve. Tout en se disant qu'il ne devait pas le faire, il fit glisser sa main autour de la nuque de la jeune femme et la tira vers lui en se penchant.

— Je vais vérifier ce petit canyon, dit-il contre ses lèvres. Gardez un œil sur la piste derrière nous pendant que je serai parti.

— Soyez prudent.

— Ne vous inquiétez pas. J'ai l'intention de vivre assez longtemps pour jouir de tout ce que j'ai gagné au Gold Dust Saloon, et vous en faites partie.

Le baiser qu'il lui donna fut comme un éclair, chaud et fougueux, qui la frappa droit au cœur et ne dura qu'un instant.

Puis Reno partit, la laissant avec son goût sur les lèvres, son appétit et ses paroles frémissant en elle, à la fois un avertissement et une promesse, alors que ses dernières paroles résonnaient en elle :

« J'ai l'intention de vivre assez longtemps pour jouir de tout ce que j'ai gagné au Gold Dust Saloon, et vous en faites partie. »

12

Quelques heures plus tard, Eve, Reno et les chevaux en étaient encore en train d'escalader l'une après l'autre les couches de pierres en suivant un chemin précaire pour sortir de l'impasse. Plusieurs fois, le passage menaça de disparaître devant une falaise ou une autre, les laissant coincés, mais ça n'arriva pas.

Pas tout à fait.

— Ne regardez pas en bas.

L'ordre de Reno était inutile. Eve n'aurait pas regardé en bas même si quelqu'un lui avait tenu un pistolet contre la tempe. En fait, elle aurait pu considérer le faire d'être tuée comme une bénédiction, si cela avait signifié qu'elle n'aurait plus jamais à mener une jument mustang le long d'une piste si étroite loin au-dessus du plancher du canyon.

— Êtes-vous sûre que tout va bien ? demanda Reno.

Eve ne répondit pas. Elle n'avait pas d'énergie à dépenser en parlant. Elle était trop occupée à fixer ses pieds en s'efforçant de ne pas trébucher.

La texture du grès était gravée dans son esprit. Elle était certaine qu'elle hanterait ses cauchemars pendant des années à venir. Des cailloux de la taille et de la forme de billes étaient éparpillés sur la surface de la saillie, prêts à faire glisser un pied imprudent.

Les mustangs avaient peu de difficulté. Ils disposaient de quatre pattes. Si une glissait, il y en avait trois autres pour la remplacer. Eve n'avait que ses mains, qui étaient déjà douloureuses après qu'elle se soit rattrapée la dernière fois qu'elle avait trébuché.

— Vous voyez le rocher blanc devant ? demanda Reno d'une voix encourageante. Ça signifie que nous nous rapprochons du rebord du plateau.

— Alléluia, murmura-t-elle.

La jument louvette hennit et branla la tête pour chasser une mouche.

Eve put à peine retenir un cri quand les rênes lui tirèrent la main et menacèrent son fragile équilibre.

— Ça va, dit Reno d'une voix calme.

Vous m'en direz tant.

Mais Eve n'avait pas de souffle à perdre en contredisant Reno à haute voix.

— Ce n'était qu'une mouche qui dérangeait votre jument, dit-il. Posez les rênes sur son cou, et elle vous suivra sans être menée.

Elle se contenta d'opiner de la tête dans sa direction.

Quand elle passa les rênes par-dessus la tête du mustang, ses bras tremblaient tant qu'elle faillit les échapper.

Les mains de Reno se refermèrent en un poing. Impitoyablement, il se força à détendre un doigt à la fois. S'il avait pu cheminer sur la piste à la place d'Eve, il l'aurait fait ; mais c'était impossible.

D'un air sombre, il recommença à grimper. Pendant une éternité, la pluie et le vent avaient façonné la pierre et y avaient gravé des canaux presque perpendiculaires. Plus il grimpait, plus les canaux traversant la surface lisse et pâle de la pierre devenaient abrupts. De temps en temps, il devait se retourner et trouver une façon de contourner un canyon particulièrement large.

Il grimpa tant bien que mal sur une autre terrasse de calcaire. La rouanne bleue le suivait de près, aussi agile qu'une chatte. Les autres mustangs l'étaient tout autant. Il avança rapidement, impatient d'arriver au prochain obstacle et de le franchir.

Il n'avait pas remarqué qu'Eve avait envoyé sa jument mustang devant au premier endroit plus large sur la piste. Il s'était concentré sur le prochain obstacle puis sur l'autre. Avant d'avoir grimpé sur la dernière terrasse de calcaire et d'avoir vu le sommet de la mesa s'ouvrir devant lui, il n'aurait pas su s'ils avaient lutté pour grimper le long de toute cette paroi pour finalement arriver dans une impasse au pied d'une falaise. Il était impatient de le découvrir parce qu'il ne voulait pas devoir revenir sur ses pas à la lumière déclinante.

Eve gardait les yeux sur les petites marques qu'avaient laissées les sabots des chevaux sur la pierre. Chaque fois qu'elle arrivait à un des nombreux canaux de ruissellement qui croisaient la couche massive de roche blanche, elle prenait son courage à deux mains et le franchissait en ignorant l'abîme sous ses pieds.

Elle ne regardait plus à droite ou à gauche, ni même devant elle, et elle ne regardait certainement pas derrière, parce que chaque fois qu'elle l'avait fait, elle avait frissonné d'effroi à la vue des couches de roche qui se perdaient en bas dans un brouillard bleu. Elle n'arrivait pas à croire qu'elle avait grimpé si haut. Et elle n'arrivait pas à croire qu'elle devait continuer à grimper.

Le souffle court, elle s'arrêta pour se reposer en espérant retrouver quelque force dans ses jambes épuisées. Elle aurait tout donné pour une gorgée d'eau, mais elle avait laissé la lourde gourde attachée à la selle de la jument louvette. Elle soupira, frotta ses mains sur ses cuisses douloureuses et grimpa sur la terrasse suivante pour voir ce qui l'y attendait. Seulement quelques pas devant elle, la roche s'inclinait vers un autre canyon de ruissellement. Celui-là avait la forme d'un entonnoir dont le bout aurait été coupé. Il y avait une descente abrupte jusqu'à une étroite saillie. À partir de là, le canyon s'ouvrait sans fin à travers la roche blanche, la divisant en deux masses distinctes.

Reno et les chevaux se trouvaient de l'autre côté.

— Ce n'est pas plus large qu'un mètre, se dit Eve à travers ses lèvres serrées. Je peux le traverser.

Ça fait plus d'un mètre. Je vais devoir sauter.

— Je sautais plus loin que ça au-dessus du ruisseau seulement pour le plaisir, dit-elle pour elle-même.

Ça n'avait pas d'importance si je tombais dans le ruisseau. Si je tombe maintenant…

La faiblesse de ses genoux l'inquiétait. Elle avait soif, et elle était épuisée et nerveuse après avoir passé des heures à s'attendre à glisser et à tomber à chaque pas. Et elle devait maintenant franchir cet abîme.

Elle ne pouvait pas. Elle ne pouvait tout simplement pas.

Arrête ça, se dit-elle durement. *J'ai fait des choses plus difficiles ces dernières heures. La fissure n'est pas si large. Je n'ai qu'à faire un petit saut, et je vais me retrouver de l'autre côté.*

Elle se sentit mieux en se répétant ces phrases, surtout parce que ses yeux étaient fermés. Ç'aurait été plus facile si elle avait pu voir Reno et les chevaux de l'autre côté, mais elle ne les voyait pas. D'où elle était, elle n'apercevait que la pente abrupte dans son dos et l'abîme devant elle.

Eve fit courir sa langue sèche sur ses lèvres qui l'étaient tout autant. Elle était tentée de revenir sur ses pas et de parcourir une centaine de mètres pour boire à l'une des petites cavités dans la pierre où l'eau était restée après une récente pluie. Elles pouvaient contenir entre une tasse et plusieurs litres d'eau.

Finalement, elle décida de ne pas revenir sur ses pas parce qu'elle ne voulait pas franchir un seul mètre de plus sans que ce soit absolument nécessaire. De plus, les crevasses fourmillaient de minuscules créatures aquatiques.

Elle prit une profonde inspiration et s'approcha de l'abîme entre elle et les chevaux. D'après les marques qu'elle pouvait voir sur la pierre, les mustangs s'étaient assis sur leurs pattes arrière, avaient glissé le long de la saillie puis avaient bondi de l'autre côté. Il n'y avait pas de pente à remonter à cet endroit. Elle pouvait tomber sur une surface plane quand elle atterrirait, et ça n'aurait pas d'importance.

C'est aussi facile que de sauter une marche. Facile comme tout.

Elle prit une autre inspiration et s'avança.

Un caillou roula sous son pied, lui faisant perdre l'équilibre. Elle se tourna en tombant, les bras écartés, ses doigts essayant d'agripper toute chose qui aurait pu arrêter sa chute, mais il n'y avait rien à quoi se raccrocher.

Elle tomba si durement qu'elle en perdit le souffle et se mit à rouler rapidement vers l'abîme. Il n'y avait ni bas ni haut, aucune chose à laquelle s'accrocher. Elle dévalait la pente en agitant les bras, se dirigeant vers une mort certaine.

— *Reno !* hurla-t-elle.

Ses pieds puis ses genoux se frappèrent contre le rebord, puis ce fut au tour de ses cuisses. Ses mains réussirent à saisir la pierre assez fermement pour arrêter sa chute. Elle resta étendue, la joue contre la pierre, les bras tremblants et les jambes suspendues au-dessus du gouffre. Quand elle essaya de se relever, elle faillit perdre la prise qu'elle avait sur la pierre.

Une seconde plus tard, elle se sentit brusquement libérée de la pierre. Elle lutta sauvagement avant de se rendre compte que c'était Reno qui la soulevait et l'éloignait de l'abîme. Il écarta les jambes et l'étreignit.

— Du calme, *gata*. Je vous tiens.

Tremblant de tous ses membres, Eve se laissa aller contre Reno.

— Êtes-vous blessée ? demanda-t-il d'une voix inquiète.

Eve secoua la tête.

Il regarda la pâleur de son visage, le tremblement de ses lèvres et les sillons brillants que les larmes avaient laissés sur sa peau.

— Pouvez-vous vous tenir debout ? demanda-t-il.

Elle prit une inspiration frémissante et mit plus de poids sur ses pieds. Il la relâcha juste assez pour voir si elle pouvait tenir debout. Elle le pouvait, mais elle tremblait.

– Nous ne pouvons pas revenir en arrière, fit Reno. Nous devons continuer.

Même s'il essayait de parler d'un ton doux, sa frayeur avait rendu sa voix dure.

Eve opina de la tête pour montrer qu'elle avait compris et essaya de faire un pas. Immédiatement, ses jambes la trahirent.

Reno la rattrapa et posa doucement sa bouche sur la sienne. Le baiser ne ressemblait à aucun autre qu'il lui avait donné, car il n'exigeait rien en retour. Il la fit s'assoir sur la pierre et s'assit près d'elle, la tenant entre ses bras pendant qu'elle tremblait à cause d'un mélange d'épuisement, de peur et de soulagement.

Reno prit la gourde qu'il portait en bandoulière. Le bruit du bouchon de la gourde fut suivi de la musique cristalline de l'eau qui coulait tandis qu'il mouillait son bandeau. Quand le tissu frais toucha le visage d'Eve, elle tressaillit.

– Du calme, ma petite, murmura Reno. Ce n'est que de l'eau, comme vos larmes.

– Je ne p-pleure pas. Je… me repose.

Il versa un peu plus d'eau sur son bandeau noir et essuya le visage pâle et taché de larmes d'Eve. Elle laissa échapper un soupir et resta tranquillement assise pendant qu'il épongeait ses larmes.

– Buvez, dit-il.

Eve sentit le rebord métallique de la gourde s'insérer entre ses lèvres. Elle but de minuscules gorgées, puis elle en prit de plus grandes tandis que l'eau glissait le long de sa gorge asséchée. Un petit son de plaisir lui échappa pendant qu'elle avalait. Elle ne savait pas qu'une chose pouvait avoir un goût si propre, si parfait. Elle tint la gourde des deux mains et but avec avidité, ignorant le mince filet d'eau qui coulait au coin de sa bouche.

Reno l'essuya d'abord avec son bandeau, puis avec sa langue. La chaude caresse fit sursauter Eve au point où elle laissa tomber la gourde. Il éclata de rire et la rattrapa, puis elle en revissa le bouchon et la remit en bandoulière sur son dos.

— Prête à repartir ? demanda-t-il doucement.

— Est-ce que j'ai le choix ?

— Oui. Vous pouvez franchir cet espace en ayant les yeux ouverts avec moi à vos côtés ou en étant inconsciente sur mon épaule.

Eve écarquilla les yeux.

— Je ne vous ferai pas de mal, ajouta-t-il.

Doucement, il encercla sa gorge de ses mains. Ses pouces trouvèrent les endroits où le sang coulait jusqu'à son cerveau.

— Je n'ai qu'à faire une petite pression, et vous perdrez connaissance, dit-il calmement. Vous vous réveillerez en quelques secondes, mais à ce moment, vous serez de l'autre côté.

— Vous ne pouvez pas me porter par-dessus ça, protesta-t-elle.

— Vous êtes comme une chatte, mince et légère. Mais malgré leur rapidité et leur grâce, les chats ne sont pas lourds.

Reno se leva, tira Eve sur ses pieds puis la souleva d'un geste fluide. Il déplaça sa poigne et la tint d'une main en équilibre contre sa hanche. Tout se passa si vite qu'elle n'eut pas le temps de respirer.

Elle écarquilla les yeux de surprise en se rendant compte à quel point il avait ménagé sa force quand il l'avait touchée. Elle avait toujours su qu'il était plus fort qu'elle, mais elle n'avait jamais su à quel point. Un étrange son étranglé s'échappa de ses lèvres.

Reno haussa les sourcils.

— Je n'avais pas l'intention de vous effrayer, dit-il.

— Ce n'est pas ça, répondit-elle dans un souffle.

Il attendit en la regardant.

— C'est seulement...

Eve émit ce son qui était à mi-chemin entre un rire et un sanglot.

— Je suis habituée d'être la plus forte.

Il y eut un long silence pendant lequel Reno tint Eve contre lui en songeant à ce qu'elle venait de dire. Il opina lentement de la tête. Ses paroles expliquaient beaucoup de choses, notamment la raison pour laquelle elle ne lui avait pas dit à quel point elle était au bout de forces. Ça ne lui était simplement pas venu à l'esprit. Elle était habituée de se trouver avec des gens qui avaient moins de force et de détermination qu'elle.

— Et j'ai l'habitude de voyager seul, dit Reno. Je vous ai trop poussée à avancer. J'en suis désolé.

Il déposa lentement Eve sur ses pieds.

— Vous pouvez marcher ? demanda-t-il.

Elle soupira et acquiesça de la tête.

Reno glissa un de ses bras autour de sa taille.

— Pauvre petite *gata* fatiguée. Passez votre bras autour de moi, et laissez-moi vous porter. Ce n'est pas loin.

— Je peux...

Reno posa brusquement sa main sur la bouche d'Eve, lui coupant la parole.

— Chut, murmura-t-il à son oreille. Quelqu'un vient.

Eve se figea et tendit l'oreille par-dessus les battements fous de son cœur.

Reno avait raison. La petite brise portait la voix de quelqu'un qui poussait sauvagement des jurons.

— Merde, s'exclama Reno à voix basse. Baissez-vous !

Eve n'avait pas le choix. Il l'avait abaissée contre la roche en une fraction de seconde.

— Gardez la tête basse, dit-il d'une voix très douce. Ils ne pourront pas vous voir jusqu'à ce qu'ils se trouvent au sommet de la pente au-dessus de nous.

Il retira son chapeau, tendit la gourde à Eve et tira son pistolet. Elle le regarda tandis qu'il commençait à ramper sur le ventre le long de la pente rocheuse de trois mètres.

De l'autre côté, trois Comancheros tiraient des mustangs maigres. Ils se dirigeaient droit vers lui. Crooked Bear les menait. Il aperçut immédiatement Reno. Quand le Comanchero cria, les balles commencèrent à siffler et à ricocher sur la roche pâle, envoyant voler des éclats de roche acérés.

Reno répliqua immédiatement, choisissant minutieusement ses cibles, car la distance convenait mieux à un fusil qu'à un six-coups. Il n'y avait pas beaucoup d'endroits abrités, mais les Comancheros firent bon usage de chaque irrégularité du terrain. Ils s'aplatirent dans les creux, plongèrent derrière de robustes pins à pignons ou se jetèrent dans une des nombreuses fissures qui parcouraient la surface de calcaire.

Malheureusement, à l'exception de Crooked Bear, tous se trouvaient hors de portée du six-coups de Reno. Le

Comanchero reçut une balle au bras, mais la blessure n'était pas grave. Au mieux, elle allait simplement ralentir un peu l'énorme Indien.

Reno se laissa glisser le long de la pente jusqu'à Eve et la remit sur pied.

– Ils vont se tenir tranquilles, mais pas pour longtemps, dit-il. Préparez-vous à courir.

Eve aurait voulu lui dire qu'elle ne pouvait pas courir, mais un regard des yeux verts de Reno la fit changer d'idée. Ses doigts se refermèrent autour de son bras droit juste sous l'épaule.

– Faites trois pas, puis sautez, dit-il.

Eve n'eut pas le temps d'hésiter ou de s'inquiéter. Reno la poussait vers l'avant. Elle fit trois enjambées et bondit comme un daim. Il était à côté d'elle, volant par-dessus le sombre canyon, puis il atterrit en la tenant debout quand son pied glissa. Quelques secondes plus tard, ils couraient à toute vitesse sur le calcaire.

Eve ne s'était jamais déplacée aussi vite de toute sa vie. La main puissante de Reno était serrée autour de son bras, la soulevant, la poussant vers l'avant, puis la soulevant de nouveau dès l'instant où ses pieds touchaient le sol.

Ils avaient presque atteint les chevaux quand les balles de fusil commencèrent à siffler et ricocher autour d'eux. Reno n'essaya pas de les mettre à l'abri. Il raffermit simplement sa poigne sur Eve et accéléra vers le ravin devant eux. Il savait que leur meilleure chance de survie consistait à atteindre le ravin où étaient cachés les chevaux avant que les Comancheros de Slater aient rechargé leurs fusils à un coup.

Eve respirait avec difficulté pendant qu'elle courait près de Reno, captive de la poigne de fer sur son bras. Au moment même où elle pensait ne plus pouvoir avancer, une balle ricocha tout près. Elle accéléra encore en se fiant au fait que Reno allait la rattraper si elle trébuchait. Tout à coup, ils sentirent la pente sous leurs pieds. Ensemble, ils se laissèrent glisser le long de l'inclinaison abrupte. Les mustangs hennirent et piaffèrent de frayeur quand Reno jeta Eve sur sa selle, bondit sur sa propre jument et se partit au galop le long du ravin.

Trop rapidement, le chemin commença à se rétrécir et à remonter abruptement vers une autre terrasse. Reno gardait les chevaux dirigés vers le haut, ne s'arrêtant même pas quand le chemin devint si étroit que les étriers frôlaient la pierre. Les agiles mustangs grimpèrent à travers les débris rocheux comme des chats.

Soudain, ils se trouvèrent hors de danger. Une large mesa s'ouvrait devant eux. Reno ne s'arrêta pas pour se féliciter de la chance qu'ils avaient eue de ne pas se retrouver devant une falaise. Il fit pivoter sa rouanne bleue et fila vers le Shaggy qui portait les petits barils. Il en détacha un, attrapa un sac de cuir sur la selle et se tourna vers Eve.

— Je vais essayer de fermer la piste, dit-il brusquement. Amenez les chevaux à une centaine de mètres le long du petit ravin et entravez-les.

Elle attrapa les rênes de Darling, frappa la jument et partit en remontant le ravin peu profond qui drainait le plateau. Les deux Shaggy suivirent. À peine une centaine de mètres plus loin, elle descendit de la jument, l'attacha puis courut vers Darling. La jument mustang hennit, mais elle était trop fatiguée pour mordre quand des mains étrangères attachèrent les entraves autour de ses pattes avant. Les deux

Shaggy broutaient déjà avec appétit. Ils se retrouvèrent attachés avant de savoir ce qui leur était arrivé.

Eve tira la carabine à répétition de la gaine de Reno, prit son propre fusil et courut le rejoindre au bord du plateau.

– Les voyez-vous ? demanda-t-elle, le souffle court.

Surpris, il se tourna vers elle.

– Qu'est-ce que vous faites ici ? Je vous ai dit…

– Ils sont entravés, l'interrompit Eve.

– Il vaut mieux, sinon nous allons nous retrouver à pied.

Il se pencha de nouveau sur le sol et versa rapidement la poudre noire dans une deuxième boîte de conserve.

– Qu'est-ce que vous faites ? demanda-t-elle.

– Je me prépare à faire tomber un monceau de rochers autour de ces gars.

Le son de plusieurs voix monta du ravin.

– Merde, ils sont rapides, marmonna Reno. Pouvez-vous tirer avec une carabine ?

– Mieux qu'avec un six-coups.

– Bien. Gardez ces Comancheros contre le sol pendant que je termine et laissez-moi le fusil.

Au moment où Eve se levait pour se diriger vers le rebord de la mesa avec la carabine de Reno, il l'agrippa.

– Restez penchée, lui ordonna-t-il d'une voix basse et sèche. Rampez sur le ventre sur les derniers mètres. Ils sont trois, et ils n'ont pas de carabine à répétition, mais il ne faut qu'une seule balle pour vous tuer.

Eve rampa jusqu'au bord de la mesa et regarda en bas vers les trois ravins. Elle ne voyait encore aucun des hommes, mais elle entendait parfaitement leurs voix, tout comme le bruit des sabots sur la pierre.

– La prochaine fois que ce foutu Jericho voudra que j'aille à la poursuite de ce foutu Reno Moran, dit une voix, je vais foutrement m'assurer que… *merde !*

Quand Eve fit feu, le son se répercuta encore et encore à travers le ravin. Elle rechargea et tira de nouveau. La balle siffla et carambola d'une pierre à l'autre. Elle tira un autre coup pour faire bonne mesure.

Aucun des hommes ne répliqua. Ils étaient trop occupés à essayer de se mettre à l'abri.

Eve regarda par-dessus son épaule. Reno refermait le couvercle de la deuxième boîte de conserve à coups de crosse. Une mèche de 60 centimètres pendait de chaque boîte.

– Gardez-les couchés, dit-il.

Tout en priant silencieusement, Eve mitrailla le ravin pendant que Reno rampait jusqu'à la saillie de roche lisse qui dépassait d'un côté du ravin. Il inséra prudemment les deux boîtes dans une profonde crevasse.

– Continuez de tirer, dit-il.

Pendant que les tirs se répercutaient, il prit une allumette et alluma les deux mèches.

Eve continua de faire feu jusqu'à ce qu'il la remette brutalement sur pied et l'éloigne en courant du ravin. À peine quelques secondes plus tard, un son semblable à un double coup de tonnerre résonna derrière eux. Reno jeta Eve par terre et la couvrit de son corps pendant que la pierre explosait et retombait en une pluie d'éclats acérés. Derrière eux, une partie du plateau s'effondra. Glissant, rebondissant, écrasant tout sur son passage, l'avalanche de pierres descendit l'étroit ravin jusqu'à ce qu'elle frappe un obstacle et empile les gravats dans un nuage de poussière et de débris.

— Ça va ? demanda Reno.

— Oui.

Il roula sur le côté et se mit lestement sur pied en relevant Eve avec lui. Il s'approcha lentement du rebord du plateau et jeta un coup d'œil.

Le ravin était bloqué par des pierres de toutes tailles.

— Bon sang, dit-il. Cette fissure doit avoir été plus profonde que je le pensais.

Eve regarda la scène d'un air hébété, surprise devant le changement qu'avaient pu produire deux boîtes de poudre noire. Au-dessus du bruit des quelques débris qui finissaient de s'empiler sur la pente leur parvint le son rythmé de sabots. Le bruit s'éloigna de plus en plus le long du ravin alors que les mustangs s'enfuyaient devant ce coup de tonnerre subi.

— Même si ces gars ont survécu, ils auront beaucoup de chemin à faire, fit Reno avec une satisfaction évidente.

— Alors, nous sommes… en sécurité ?

Reno lui adressa un sourire plutôt sombre.

— Pour un temps, oui, dit-il. Mais s'il y a un autre chemin qui mène à ce plateau, les Comancheros de Slater le sauront.

— Peut-être qu'il n'y en a pas, dit rapidement Eve.

— Vous feriez mieux d'espérer qu'il y en ait un.

— Pourquoi ?

— Parce que leur chemin pour monter, c'est notre chemin pour *descendre,* dit rapidement Reno.

Eve frotta son front poussiéreux contre sa manche tout aussi poussiéreuse et essaya de ne pas montrer son désarroi à l'idée d'être coincée au sommet du plateau.

Reno le vit de toute façon. Il serra son bras d'une manière rassurante juste avant de se retourner.

– Venez, dit-il. Allons voir à quel point vous avez bien entravé les chevaux.

13

Eve regarda la rouanne bleue regrimper au sommet du ravin escarpé. C'était la cinquième descente du plateau que Reno avait essayée au cours des deux dernières heures. Jusque-là, chaque ravin s'était terminé par une falaise que les chevaux ne pouvaient descendre.

Mais cette fois, Reno était resté parti au moins une demi-heure. Même si elle ne dit rien, elle ne put s'empêcher d'afficher un regard plein d'espoir. Inconsciemment, elle fit glisser sa langue sur ses lèvres. Aucune trace d'humidité n'apparut.

— Prenez une gorgée, dit Reno en s'approchant. Vous êtes sèche comme une pierre.

— Je ne peux pas boire quand ma jument a si soif qu'elle essaie de rentrer le museau dans ma poche chaque fois que je prends la gourde.

— Ne laissez pas cet imposteur à l'air suppliant vous berner. Il a avalé toute l'eau d'une de ces *tinajas* pendant que vous vous trouviez à 500 mètres derrière.

— Des *tinajas* ?

Eve fronça les sourcils puis se souvint de ce que signifiait le mot espagnol.

— Oh. Ces trous dans la pierre où s'accumule l'eau de pluie. Est-ce que l'eau est bonne ?

— Les mustangs l'ont aimée.

— En avez-vous bu ?

— Les chevaux en avaient davantage besoin que moi. De plus, avoua Reno avec un petit sourire, je n'avais pas assez soif pour laisser toutes ces petites bestioles me passer entre les dents.

Le rire d'Eve étonna Reno. Elle était poussiéreuse, épuisée et éraflée après avoir rampé sur les pierres… et il n'avait jamais vu une femme qui l'attirait autant. Il accrocha une mèche fauve derrière son oreille, fit courir le bout de son doigt le long de sa mâchoire et toucha ses lèvres avec son pouce.

— Montez en selle, dit-il doucement. Il y a une chose que je veux vous montrer.

Curieuse, Eve grimpa sur l'étrier et chevaucha à côté de Reno aussi loin que la piste le permettait. À son grand étonnement, le ravin peu profond ne devenait pas de plus en plus étroit comme l'avaient fait les autres, mais devenait plutôt de plus en plus large, descendant doucement à travers les pins à pignons et les cèdres.

Progressivement, le calcaire se couvrit de sable. De plus en plus, de petites rigoles asséchées rejoignaient le ravin en l'élargissant jusqu'à ce qu'elles cheminent à travers une vallée presque entourée de murs de pierre escarpés.

Eve se tourna et regarda Reno. Elle avait de l'espoir dans les yeux et une question sur les lèvres.

— Je ne sais pas, dit tranquillement Reno, mais ça me paraît bien. J'ai chevauché sur un autre kilomètre, et rien n'a changé.

Eve ferma les yeux et laissa échapper une bouffée d'air qu'elle ignorait retenir jusque-là.

– Pas d'eau, toutefois, ajouta Reno à contrecœur.

Sur plusieurs kilomètres, il n'y eut aucun autre bruit que ceux d'un aigle dansant sur le vent, du crissement du cuir sur les chevaux qui marchaient et du battement étouffé des sabots sur la terre aride. Même s'il était tard en après-midi, la journée était encore étonnamment chaude.

Des nuages se rassemblèrent haut dans le ciel. Leur couleur variait du blanc au bleu noir qui annonçait de la pluie. Mais pas sur le plateau. Il n'était pas assez élevé pour toucher ces nuages. Seules les montagnes l'étaient. Eve ne vit aucune eau courante sur le plateau.

– Reno ?

Il émit un petit bruit pour signifier qu'il avait entendu.

– Est-ce qu'il pleut ici ?

Il acquiesça.

– Où l'eau va-t-elle ? demanda Eve.

– Elle descend.

– Oui, mais où est-elle ? Nous sommes en bas de quelque chose, et il n'y a pas d'eau.

– Les ruisseaux ne s'écoulent qu'après une pluie, dit-il.

– Et les ruisseaux de montagne ? insista-t-elle. Il pleut tout le temps là-haut, et la neige fond. Où va toute cette eau ?

– Dans l'air et dans le sol.

– Elle ne va pas à la mer ?

– D'ici aux Sierra Nevadas en Californie, je ne connais qu'un fleuve qui atteint la mer avant de s'assécher, et c'est le Rio Colorado.

Eve chevaucha en silence pendant plusieurs minutes en essayant de comprendre comment une terre pouvait exister sans eau.

— À quelle distance sommes-nous de la Californie? demanda-t-elle.

— À peut-être 1000 kilomètres à vol d'oiseau, mais sacrément plus loin à la façon dont nous avançons.

— Et seulement un fleuve?

Reno opina de la tête.

Eve chevaucha en silence pendant longtemps, tentant d'imaginer une terre si aride que vous auriez pu la parcourir pendant des semaines et n'y trouver qu'une seule rivière. Aucun cours d'eau, ruisseau, ruisselet, lac ou étang. Il n'y avait que des rochers rouges, de la pierre pâle et des teintes de rouille où toute végétation se dressait comme un drapeau vert sur la terre asséchée.

L'idée était à la fois effrayante et curieusement exaltante, comme le fait de marcher dans un paysage qu'on avait déjà vu qu'en rêve.

Au fur et à mesure que la vallée descendait vers l'inconnu, les falaises beiges qui s'élevaient de chaque côté formaient de plus en plus une barrière. De temps en temps, Eve se tournait et regardait par-dessus son épaule. Si elle n'avait pas su qu'il existait derrière eux un chemin menant au plateau, elle ne l'aurait pas deviné d'après ce qu'elle voyait. Le mur de pierre paraissait uniforme.

Progressivement, la vallée se transforma, devenant plus étroite à mesure que les remparts de pierre se rapprochaient. À deux reprises, ils durent descendre de cheval et guider les mustangs sur des étendues de terre particulièrement difficiles. Ils circulèrent entre d'énormes rochers et glissèrent le long de rigoles au fond de pierres polies par l'eau.

En même temps, le soleil descendait. De longs rayons de lumière doraient les pierres et baignaient d'épaisses ombres pourpres la moindre irrégularité de terrain.

— Regardez, dit soudain Eve d'une voix basse. Qu'est-ce que c'est ?

— Où ? demanda Reno.

— Au bas de la falaise, juste à gauche de la saillie.

Reno garda un instant le silence, puis il siffla doucement et dit :

— Des ruines.

— Pouvons-nous nous y rendre ?

— Nous allons certainement essayer. Où il y a des ruines, il y a habituellement de l'eau tout près.

Il lui jeta un regard oblique et ajouta :

— Mais ne comptez pas là-dessus. Certaines peuplades d'Indiens dépendaient de citernes qui se sont depuis longtemps fissurées et qui ont perdu toute leur eau.

Malgré l'avertissement de Reno, Eve eut du mal à ne pas démontrer sa déception quand ils se frayèrent un chemin à travers les pins et les genévriers jusqu'au bas de la falaise encombrée de débris et ne trouvèrent aucun signe d'eau pérenne.

Alors que le soleil descendait au-delà du rebord du canyon, elle resta assise sur sa jument mustang fatiguée et regarda les murs brisés, les fenêtres aux formes étranges et les chambres murées des ruines. Le canyon était complètement silencieux, comme si même les animaux évitaient les constructions qui rappelaient les gens venus et repartis comme la pluie à la surface du sol.

— C'est peut-être ce qui leur est arrivé, dit Eve. Ils n'avaient plus d'eau.

— Peut-être, répondit Reno. Et peut-être qu'ils ont perdu trop de batailles pour continuer de s'accrocher à ce qu'ils avaient.

Une demi-heure après que le soleil ait glissé derrière les remparts de pierre, le ciel au-dessus d'eux brillait encore de la lumière de l'après-midi. Peu à peu, le vent changea de direction. L'un après l'autre, les mustangs levèrent la tête, agitèrent les oreilles et humèrent l'air.

Le six-coups de Reno apparut dans sa main à une vitesse renversante, mais il ne tira pas.

Eve eut la chair de poule quand elle vit un Indien marcher vers eux en venant de la direction des ruines.

— Je pensais que les Indiens évitaient les endroits comme celui-ci, dit-elle doucement.

— C'est vrai, mais parfois, un chamane très brave s'y rend pour chercher des herbes médicinales. Si je me fie à ses cheveux blancs, je suis porté à croire qu'il vient poser ses dernières questions à ses dieux.

Reno rengaina son six-coups aussitôt que l'Indien fut assez près pour voir qu'il avait peint son corps pour chercher des médicaments plutôt que pour faire la guerre. La peinture jadis éclatante était craquelée et poussiéreuse, comme si le chamane effectuait sa quête depuis très longtemps. Reno tendit la main dans une des sacoches pour en tirer le petit sac dans lequel il gardait toujours des biens à échanger. Puis il en sortit une blague à tabac et descendit de cheval.

— Ne bougez pas, dit-il, et ne parlez pas à moins qu'il vous parle d'abord.

Eve observa la scène avec curiosité pendant que Reno et le chamane échangeaient des salutations silencieuses. Le langage des signes qu'ils utilisaient était étrangement élégant, aussi fluide que l'eau. Après un moment, la blague à tabac fut offerte et acceptée. Eve se dit alors que de la nourriture aurait constitué un meilleur cadeau, car le chamane paraissait épuisé. Il était aussi mince qu'un mustang qui n'avait jamais connu le contact de l'homme.

Et comme un mustang, le chamane était vigilant, distant et fier dans sa liberté. Quand il se tourna et regarda directement Eve, elle sentit la force de sa présence aussi clairement qu'elle avait senti celle de Reno quand ils tenaient les aiguilles espagnoles.

Elle eut l'impression qu'il s'était écoulé un long moment avant que le chamane détourne les yeux en la libérant de son regard clair et mystérieux.

Quand le vieillard fit de nouveau face à Reno, ses bras et ses mains dessinèrent dans l'air des arches élégantes et des lignes rapides en des gestes vifs qu'Eve pouvait à peine suivre. Reno l'observait avec intensité. D'après sa parfaite immobilité, Eve comprit que quelque chose d'inattendu se produisait.

Soudain, l'Indien pivota et s'éloigna sans se retourner.

Reno regarda Eve d'un air étrange.

— Quelque chose ne va pas ? demanda-t-elle.

Il secoua lentement la tête.

— Non.

— Qu'est-ce qu'il a dit ?

— Selon ce que j'ai pu comprendre, il est venu ici pour voir le passé, mais il a plutôt vu l'avenir. Nous. Il n'a pas aimé ce qu'il a vu, mais les dieux ont répondu à ses questions, et voilà tout.

Eve fronça les sourcils.

— Comme c'est étrange.

— Les chamanes sont bizarres en général, dit sèchement Reno. Ce qui était vraiment curieux, c'était sa peinture.

Je n'ai jamais vu un Indien se servir des anciens signes qu'on trouve sur les murs de pierre.

Reno regarda par-dessus son épaule. Le chamane avait disparu. Il tourna de nouveau les yeux vers Eve en fronçant les sourcils.

— Il m'a dit qu'il y avait de l'eau devant.

— Bien.

— Ensuite, il m'a dit que l'or que je cherchais était déjà entre mes mains, poursuivit-il.

— Quoi ?

— Alors, il m'a dit que je ne pouvais pas voir l'or, puis il m'a dit comment atteindre la mine espagnole.

— Il le savait ? demanda-t-elle.

— Apparemment. Les repères correspondaient.

— Il vous l'a simplement dit ?

Reno acquiesça.

— Pourquoi ? demanda Eve.

— Je lui ai demandé la même chose. Il a dit que de cette manière, il se vengeait parce qu'il avait aperçu un avenir qu'il ne voulait pas voir. Puis il est parti.

Reno reprit les rênes de sa rouanne bleue et grimpa lestement dessus.

— Par vengeance. Dieu du ciel, dit Eve.

— Allons voir s'il avait raison, fit Reno. S'il avait tort, nous ne vivrons pas assez longtemps pour nous poser des questions à propos de la vengeance.

Il fit tourner Darling vers les ombres allongées au bas des falaises.

— L'empreinte d'un daim, dit Reno après une dizaine de minutes.

Eve regarda, mais ne vit rien dans l'obscurité croissante.

— Aucune empreinte de chevaux sauvages, poursuivit-il. C'est bizarre. Il existe très peu de points d'eau qu'un mustang n'arrive pas à trouver.

Tandis que le ciel se teintait des couleurs écarlates du crépuscule, un étroit canyon latéral apparut dans les falaises, et Reno y dirigea sa jument. En quelques minutes, le canyon se rétrécit au point où ils durent avancer en file indienne. Après quelques mètres de sable, le plancher du canyon se transforma en pierres lisses, polies par l'eau. Un bassin peu profond chatoya dans la lumière déclinante.

Darling tira impatiemment sur son mors.

— Ralentis, tête de nœud, marmonna Reno. Laisse-moi vérifier l'eau.

Pendant qu'Eve tenait les chevaux, Reno regarda la trace laissée dans le limon très fin qui bordait le bassin. Il revint aux chevaux, prit les gourdes et commença à les remplir. Quand il eut terminé, il recula de quelques pas.

— Laissez-les venir boire un par un, dit-il.

Pendant que Darling buvait, il regarda intensément le niveau d'eau.

— Ça va, ma fille. C'est assez. Laisse la jument louvette boire à son tour.

Sous le regard attentif de Reno, les quatre chevaux burent tout leur soûl. Quand ils eurent fini, il ne restait plus qu'une petite flaque limoneuse qui faisait à peine le quart de la taille du bassin peu profond qu'ils avaient vu en arrivant.

— Est-ce qu'il va se remplir ? demanda Eve.

Reno secoua la tête.

— Pas avant la prochaine pluie.

— Et ce sera quand ?

— Peut-être demain. Peut-être le mois prochain.

Il porta les yeux au-delà de la flaque à l'endroit où les murs de pierre se rapprochaient.

– Regardez ! s'exclama Eve.

Reno se tourna vers elle. Elle indiquait du doigt le mur derrière lui. Sur la surface roussâtre de la pierre, quelqu'un avait sculpté un symbole. Il était identique à un des symboles dans le journal espagnol.

– De l'eau pérenne, traduisit Eve.

Reno regarda la flaque puis le passage si étroit qu'il allait devoir y entrer de biais.

– Amenez les chevaux brouter et entravez-les, dit-il. Dormez si vous le pouvez.

– Où allez-vous ?

– Chercher de l'eau.

Le lendemain, Reno dormit jusqu'à ce que la lumière du soleil apparaisse en haut des murs du canyon et se déverse dans la vallée cachée. Il se réveilla comme toujours en un instant, l'esprit immédiatement alerte. Il roula sur le côté et regarda au-delà des cendres du petit feu de camp la fille qui avait dormi sur le côté avec sa magnifique chevelure fauve étalée sur les couvertures.

Instantanément, le désir s'empara du corps de Reno, un désir aussi silencieux et profond que la lumière du soleil qui envahissait la vallée. Il poussa un juron et s'extirpa de son tapis de couchage.

Eve s'éveilla en sursaut quand elle entendit les craquements du feu de camp. Elle se redressa si soudainement que les couvertures s'éparpillèrent.

– Du calme, *gata*. Ce n'est que moi.

Eve regarda autour d'elle en clignant des yeux.

— Je suis tombée endormie.

— En effet. Il y a à peu près 14 heures, lui dit Reno en levant les yeux du feu. Vous vous êtes réveillée quand je suis revenu.

— Je ne m'en souviens pas.

Reno s'en souvenait. Quand il avait posé les couvertures sur elle, elle lui avait embrassé la main d'un air ensommeillé puis s'était enfouie plus profondément dans les couvertures, car les nuits étaient toujours fraîches. La confiance implicite dans la caresse d'Eve avait touché Reno comme un éclair qui frappe dans la nuit. Il avait failli se glisser dans le lit près d'elle. La maîtrise de soi qu'il lui avait fallu pour s'empêcher d'écarter les couvertures et de faire courir ses mains sur tout le corps d'Eve l'avait renversé.

Il comprit à quel point il désirait une fille qui ne le désirait pas. Pas vraiment. Pas assez pour se donner à lui par pure passion.

— Avez-vous trouvé de l'eau ? demanda-t-elle.

— C'est pourquoi nous n'avons pas encore repris la route. Les chevaux ont besoin de repos.

Eve aussi. Mais Reno savait qu'elle insisterait pour qu'ils repartent si elle pensait qu'il ne s'arrêtait que pour elle. En la voyant dormir si longtemps et si profondément, il s'était rendu compte à quel point elle était à bout de force.

Ils prirent leur petit-déjeuner dans une sorte de silence nonchalant qui était plus amical que n'importe quelle conversation qu'ils auraient pu avoir. Quand ils eurent terminé, il lui sourit pendant qu'elle dissimulait un bâillement.

— Vous vous sentez assez en forme pour une petite marche ? demanda-t-il.

— Qu'entendez-vous par « petite » ?

— Moins de 300 mètres.

Eve sourit et se mit sur pied.

Elle suivit Reno à travers l'espace étroit entre les falaises au bout du canyon. Elle ne fut pas obligée d'avancer de côté, ce qui lui rendit la chose plus facile sur les quelques premiers mètres. Puis elle aussi dut se tortiller pour avancer. Peu à peu, le passage s'élargit jusqu'à ce que deux personnes puissent marcher de front. Les murs de pierre devinrent frais et humides. Des flaques d'eau étincelaient sur le sol rocheux du canyon.

Le canyon sinueux s'élargit pendant qu'il serpentait à travers les couches de roche. De petits bassins apparurent. Certains n'étaient profonds que de quelques centimètres, et d'autres faisaient au moins 30 centimètres. L'eau était fraîche et propre parce qu'elle était retenue dans des bassins de pierre solide. Le bruit d'une chute leur parvint d'un endroit devant eux. Eve se figea et prêta l'oreille en retenant son souffle. Elle n'avait jamais entendu quoi que ce soit d'aussi beau que l'écoulement musical de l'eau à travers une terre aride.

Quelques instants plus tard, Reno la conduisit à travers une ouverture dans l'étroit canyon. Un ruisseau à peine plus large que la main de Reno tombait d'une corniche qui se trouvait trois mètres plus haut, et il coulait dans une marmite de géant sculptée dans la pierre. L'eau émettait un bruit magnifique, un murmure entre la prière et le rire. Dans chaque crevasse poussaient des fougères, leurs frondes étant d'un vert si pur qu'elles brûlaient comme des flammes d'émeraude contre la pierre. Les rayons du soleil éclairaient l'ouverture baignée de bruine, faisant apparaître un million de minuscules arcs-en-ciel.

Eve resta immobile pendant un long moment, perdue dans la beauté du bassin secret.

– Regardez où vous posez les pieds, dit Reno quand il s'avança finalement.

Le sol était couvert de mousse et rendait la marche précaire. Les petites marques laissées par le passage de Reno la veille représentaient les seuls indices prouvant qu'un être vivant était venu dans cet endroit pour la première fois depuis fort longtemps.

Mais des hommes y étaient venus bien avant. Des Indiens et des Espagnols avaient gravé des messages et des noms à la surface des murs de grès escarpés.

– 1580, dit Reno à voix haute.

À côté de la date, un homme avait inscrit son nom :

– « Capitaine Cristobal Leon », lut Reno.

– Mon Dieu, souffla Eve.

Elle fit glisser ses doigts tremblants sur la date en songeant à l'homme qui avait laissé cette inscription des siècles auparavant. Elle se demanda s'il avait eu aussi soif qu'eux quand il avait trouvé le premier bassin et s'il avait été frappé par la beauté surnaturelle du dernier bassin rempli de milliers d'arcs-en-ciel chatoyants.

Il y avait d'autres inscriptions sur le mur de pierre, des dessins qui ne devaient rien à l'histoire artistique de l'Europe. Certains étaient assez faciles à déchiffrer – des cerfs grossièrement dessinés avec de larges bois, des pointes de flèches, une ondulation qui signifiait sans doute de l'eau ou une rivière. D'autres étaient plus mystérieux. Des visages qui n'étaient pas humains, des silhouettes qui portaient d'étranges robes, des yeux qui étaient restés ouverts pendant des milliers d'années.

Le chamane avait de semblables dessins sur son corps. Peut-être que cela avait été le cas d'autres hommes jadis. Mais maintenant, plus personne ne construisait de cités de pierre et ne venait boire dans ce bassin. Aucune femme ne venait plonger des gourdes et des jarres d'eau dans le silence frais du canyon. Aucun enfant ne mouillait ses petits doigts et ne faisait des dessins éphémères sur les murs de pierre.

Pourtant, il régnait une étrange paix à cet endroit. Qu'elle ait été orpheline ou non, fille de saloon ou sainte, amicale ou solitaire, Eve savait qu'elle faisait partie de la vaste diversité de la vie qui s'étirait du passé impossible à connaître jusqu'à un avenir imprévisible. Des mains comme les siennes avaient dessiné des énigmes sur ces murs d'innombrables siècles auparavant, et des esprits comme le sien essaieraient d'en résoudre les mystères pendant d'innombrables années.

Reno se pencha, trouva un caillou de la taille de sa paume et commença à en marteler minutieusement le mur. À chaque coup de la pierre contre la pierre, la fine pellicule noire que le temps et l'eau avaient laissée sur la pierre s'effrita en exposant la roche plus pâle dessous. En un temps étonnamment court, il inscrivit la date et son nom.

— Vous appelez-vous vraiment Evening Star ? demanda Reno sans se retourner.

— Je m'appelle Evelyn, dit-elle d'une voix rauque. Evelyn Starr Johnson.

Puis elle refoula ses larmes, car elle n'était plus la seule personne vivante à connaître son véritable nom.

Eve flottait sur le dos en observant le ciel d'un bleu saphir et les ombres qui se déplaçaient lentement sur les murs abrupts.

Les ondes provoquées par la chute la berçaient doucement. De temps en temps, elle se stabilisait en posant une main sur la pierre lisse ou sur le fond frais du bassin à une vingtaine de centimètres sous son corps.

Suspendue dans le temps aussi bien que dans l'eau, tournant aussi lentement que le jour, Eve savait qu'elle devrait retourner au campement, mais elle n'était pas encore prête à quitter la paix du bassin. Elle n'était pas prête à regarder les yeux verts de Reno pendant qu'il l'observait avec un désir presque palpable.

Elle se demanda ce qu'il voyait dans ses yeux à elle quand il se tournait soudain et découvrait qu'elle l'observait. Elle craignait qu'il y voie un reflet de son propre désir pour lui. Elle voulait connaître de nouveau le feu doux et étonnant qui l'envahissait quand il la tenait contre lui.

Pourtant, elle voulait davantage que la passion de Reno. Elle voulait son rire et ses rêves, ses silences et ses espoirs. Elle voulait sa confiance, son respect et ses enfants. Elle voulait avec lui tout ce qu'un homme et une femme pouvaient partager : la joie, la tristesse, l'espoir, le chagrin, la passion et la paix. Et toute la vie qui se trouvait devant eux comme un pays à découvrir.

Mais surtout, elle voulait son amour.

Lui, il désirait son corps et ne voulait rien d'autre. Elle se remémora les paroles de Reno :

« Je vais garder l'anneau et les perles jusqu'à ce que je trouve une femme qui m'aime autant qu'elle aime son propre confort.

Et pendant que j'y suis, je vais trouver un navire de pierre, une pluie sèche et une lumière qui ne projette pas d'ombre. »

Eve ferma les yeux pendant qu'une vague de tristesse l'envahissait. Mais peu importe à quel point elle serrait les paupières pour éviter de voir la vérité, elle était là et la hantait.

Il y avait qu'une seule façon de convaincre Reno qu'il avait tort à son propos. Une seule façon de le convaincre qu'elle n'était pas une tricheuse, une intrigante ou une catin en robe rouge. Une seule.

Se donner à lui et rembourser un pari qu'elle n'aurait jamais dû faire tout en mettant une fois de plus son avenir en jeu.

Alors, il verra que je n'ai pas menti à propos de mon innocence, que je tiens parole, que je suis digne de sa confiance. Alors, il me regardera avec plus que du désir. Il voudra obtenir de moi plus que l'usage de mon corps jusqu'à ce que nous trouvions la mine.

N'est-ce pas ?

Elle n'avait aucun autre moyen de répondre à cette question qu'en pariant une fois de plus. Un frisson la traversa devant l'ampleur du risque qu'elle prendrait.

Qu'arrivera-t-il s'il prend tout ce que j'ai à donner et ne me donne rien en retour à part son propre corps ?

C'était là le danger, le risque et l'issue probable. Une partie d'elle savait qu'il s'agissait là de la froide logique d'une orpheline qui avait appris à survivre à toutes les embûches que la vie avait semées sur sa route.

Et une autre partie d'elle avait toujours cru que la vie consistait en autre chose que la simple survie. Une partie d'elle croyait en des miracles comme le rire devant la douleur, la joie d'un bébé découvrant les gouttes de pluie et un amour assez grand pour surmonter la méfiance. Puis elle se souvint de ce que Reno avait dit à propos d'elle à Caleb :

« C'est une tricheuse et une voleuse, et elle m'a piégé pour que je meure. »

Eve termina tristement son bain, se sécha, enfila la chemise que Reno lui avait prêtée et retourna au campement.

Les yeux de Reno brillèrent de désir quand il la regarda.

– J'ai laissé le savon là-bas pour vous, dit Eve. Et la serviette.

Il opina de la tête et passa près d'elle. Elle le regarda jusqu'à ce qu'il disparaisse dans l'étroite ouverture avant de se rendre à la corde à linge qu'ils avaient attachée entre deux pins.

Elle retourna les pantalons de serge noire sur la corde. La chemise blanche froissée n'était pas tout à fait sèche. Elle la secoua puis la remit sur la corde. Elle retourna aussi les pantalons de Reno, lui enviant le luxe de pouvoir changer de vêtements. Depuis que sa robe de sacs de farine était tombée en morceaux, elle n'avait rien d'autre à se mettre que les vêtements de tous les jours de Don Lyon, parce qu'elle l'avait enterré avec ses plus beaux habits.

Il y a toujours la robe rouge.

Eve grimaça à cette idée. Elle n'allait jamais plus porter cette robe devant Reno. Elle aurait préféré rester nue.

Puis elle se demanda s'il était nu en ce moment, se laissant flotter comme elle l'avait fait dans le bassin aux arcs-en-ciel. Cette pensée était perturbante.

Son regard tomba sur les journaux ouverts côte à côte sur le tapis de couchage de Reno. Elle les prit et s'assit en tailleur, puis elle ramena les longs pans de chemise entre ses genoux. Au-delà de l'étroite ouverture où se trouvait le bassin, le soleil était encore chaud et brillant dans le ciel de la fin de l'après-midi. Ses rayons rendaient les journaux faciles à lire.

La prose dépouillée du père de Caleb en disait long sur les siècles que les Indiens avaient passés sous le joug espagnol…

Des os qui ressortent de la surface du désert. Un fémur et une partie de pelvis. Ça ressemble à un enfant. Une fille. Des morceaux de cuir tout près.

Bent Finger dit que les os appartiennent à une esclave indienne. Seuls les enfants pouvaient se glisser dans les trous étroits que les Espagnols appelaient des mines.

Une inscription en espagnol sur la roche. Des croix et des initiales.

Bent Finger dit que les pierres éparpillées faisaient partie d'une vista, une petite mission. Une minuscule cloche d'étain a été trouvée avec les os de l'enfant. Coulée, et non martelée.

Les Espagnols ne les appelaient pas des esclaves. L'esclavage était immoral. Alors, ils appelaient ça l'encomienda. Les sauvages devaient aux Espagnols l'enseignement chrétien. Les Espagnols étaient remboursés en argent ou en travail.

La guerre était immorale aussi. Alors, le roi a décrété un requerimiento. C'était une exigence qui devait être lue avant qu'une bataille commence. Elle disait aux sauvages que quiconque combattait les soldats de Dieu se condamnait à l'enfer.

En résumé, le requerimiento stipulait que tout Indien qui combattait les Espagnols était déclaré esclave et envoyé aux mines. Comme l'espagnol n'était que du charabia pour les Indiens, ils ne comprenaient pas l'avertissement. Non pas que ça ait eu une quelconque importance. Ils se seraient battus de toute façon.

Les prêtres espagnols exploitaient les mines. De la main-d'œuvre esclave. Les hommes ne survivaient qu'environ deux ans. Les femmes et les enfants tenaient le coup beaucoup moins longtemps.

L'enfer sur terre au nom de Dieu.

Eve eut un frisson en songeant aux ruines qu'elle avait vues dans la vallée. Les descendants des gens qui avaient construit ces maisons à plusieurs étages n'étaient pas de stupides animaux dont d'autres hommes pouvaient faire des esclaves.

Mais ils avaient été réduits en esclavage, et aucune guerre n'avait eu lieu pour les libérer. Ils avaient vécu et supporté un travail exténuant, puis ils étaient morts jeunes et avaient été enterrés comme des déchets dans des tombes sans sépulture.

Eve sentit qu'elle avait un lien avec ces morts oubliés. Plus d'une fois au cours des derniers jours, Reno et elle avaient failli mourir seuls sans que quelqu'un le sache. Et leurs tombes auraient été constituées seulement de la terre sur laquelle ils seraient tombés pendant qu'ils prenaient leur dernière inspiration. La leçon concernant la mortalité était aussi ancienne que l'expulsion de l'homme du paradis. La vie était brève. La mort était éternelle.

Eve exigeait davantage de la vie que ce qu'elle en avait connu jusque-là. Elle voulait quelque chose qu'elle pourrait nommer.

Pourtant, même sans un nom, elle savait que cette vie l'attendait dans les bras de Reno.

14

Quand Reno revint au camp, Eve avait revêtu une camisole, des sous-vêtements et une de ses chemises noires. Elle était aussi recroquevillée, endormie, sur son tapis de couchage. Il prit lentement le journal entre ses doigts détendus et le mit de côté. Elle bougea, ensommeillée, et leva sur lui des yeux qui réfléchissaient la lumière du soleil.

— Poussez-vous un peu, *gata*. J'aimerais faire une sieste aussi.

Quand il s'étendit près d'Eve, elle sourit.

— Vous sentez le lilas, murmura-t-elle. J'aime ça.

— J'espère bien. C'est votre savon.

— Vous vous êtes rasé, dit-elle en touchant un endroit sur le cou de Reno où il s'était coupé. Je vous aurais rasé. Pourquoi ne me l'avez-vous pas demandé ?

— J'en ai eu assez d'exiger des choses de vous, dit-il simplement.

Eve ouvrit les yeux et regarda Reno.

— J'aime vous raser, murmura-t-elle.

— Et m'embrasser ? Aimez-vous ça aussi ?

Les yeux verts de Reno étaient assez chaleureux pour l'embraser, mais il ne fit aucun geste vers elle.

— Oui, murmura-t-elle. J'aime ça aussi.

Reno se pencha et posa sa bouche sur celle d'Eve. Elle émit un petit son d'étonnement en même temps qu'elle se souvenait des autres baisers. Sa langue curieuse, chaude et affamée la fit frissonner de plaisir. Pendant de longues et douces secondes, elle réapprit les rythmes veloutés de la pénétration et du retrait. Elle connut une fois de plus les textures de son baiser profond et sentit de nouveau sa chaleur se répandre en elle en des vagues successives de plaisir.

Il prit son visage dans ses mains, laissant la chaleur de la peau d'Eve irradier à travers lui en un élan frémissant qui était plus brûlant et plus doux chaque fois qu'il le ressentait. Sa chaleur, son goût et sa douce bouche s'ouvrant sous la sienne enflammèrent Reno.

— *Gata*, murmura-t-elle. Vous me brûlez.

Elle ne répondit que par un cri étouffé et un frisson de plaisir pendant que les dents de Reno mordillaient son cou.

Son cri passionné ébrécha sérieusement la retenue de Reno. Il aurait voulu la débarrasser de ses quelques vêtements et s'enfouir dans la douceur sensuelle qui l'attendait, il le savait, dans le corps de la jeune femme.

Mais plus encore, il avait besoin de l'amener au point où elle le désirerait au moins autant qu'il la désirait. Il avait besoin qu'elle crie et qu'elle griffe et qu'elle exige qu'il la prenne. Il avait besoin qu'elle oublie tous ses froids calculs féminins et qu'elle vienne à lui sans restriction, comme un feu doré le brûlant jusqu'à la moelle de ses os.

Puis il la brûlerait à son tour en laissant sur elle une empreinte qu'elle n'oublierait jamais. Le nombre d'hommes qu'elle avait connus auparavant importait peu ; elle n'en connaîtrait plus un seul sans se rappeler ce que cela avait été d'être l'amante de Reno.

Il ne se demanda pas pourquoi il importait qu'Eve ne l'oublie jamais. Il accepta simplement ce fait comme il avait accepté les mystérieux courants des aiguilles espagnoles, une chose qu'il n'avait pas besoin de comprendre pour s'en servir.

Lentement, il posa de nouveau sa bouche contre celle d'Eve et laissa les courants croissants de la passion tourbillonner entre eux, les joignant en une quête qui, ultimement, ne pouvait avoir qu'une seule conclusion.

Eve fit glisser ses doigts dans la chevelure épaisse et fraîche de Reno à la recherche de la chaleur brute dessous. Ses ongles coururent légèrement sur son crâne. Le petit son qu'il émit était à la fois une récompense et une stimulation. Elle plia de nouveau les doigts, et encore une fois, elle sentit la réaction qui traversait son grand corps musclé.

— Quelles petites griffes douces ! dit Reno.

Il lui mordit la lèvre inférieure avec une minutieuse retenue. Elle émit un son de surprise et de plaisir. En souriant, il relâcha sa lèvre si lentement qu'il put sentir les minuscules crénelures de ses dents caresser la peau douce et sensible.

Eve se rapprocha de lui tandis qu'il s'écartait, car elle voulait davantage de cette douce torture. Il rit doucement et se tourna de côté, lui refusant sa bouche. Quand elle tenta de le suivre, il tint son visage immobile entre ses mains. Ses lèvres étaient ouvertes, brillantes de désir, et elles tremblaient légèrement.

— Reno ?

Il laissa échapper un son interrogateur qui ressemblait davantage à un ronronnement de satisfaction.

— Ne voulez-vous pas m'embrasser ? murmura-t-elle.

— Voulez-vous m'embrasser ? répliqua Reno.

Elle acquiesça de la tête.

Les cheveux dorés glissèrent sur ses mains, le caressant comme un feu froid. Il retint soudain son souffle.

— Alors, faites-le, *gata*. Faites-le maintenant.

Eve vit la chaleur dans ses yeux, entendit sa voix basse et sentit la tension dans ses bras. En sachant à quel point il désirait son baiser, elle éprouva une étrange sensation de chaleur au plus profond d'elle-même.

— Voulez-vous me goûter ? murmura-t-elle. Est-ce de cette manière que vous voulez faire ça ?

Mais Reno ne put répondre, parce qu'Eve avait déjà posé sa bouche sur la sienne. Les délicates explorations de sa langue le firent frémir. Elle releva la tête.

— Encore, dit-il d'une voix rauque.

Elle lui donna ce qu'il demandait parce que c'était aussi ce qu'elle voulait. Le goût de leurs bouches unies lui était familier. Ses textures l'attiraient, la faisaient se sentir à la fois étourdie et étrangement puissante. Elle se pressa contre lui pour le goûter encore davantage. Elle voulait le serrer si fermement qu'elle deviendrait une partie de lui et n'en serait plus jamais complètement séparée.

Avec une impatience qu'elle ne comprenait pas, ses mains caressantes glissèrent de la tête de Reno à ses épaules pendant qu'elle se pressait encore davantage contre lui. Il ne s'avança pas ni ne recula, la laissant venir à lui. Les bras d'Eve se serrèrent autour de son cou.

Une exquise sensation la traversa quand ses seins rencontrèrent la chaleur musclée de la poitrine de Reno. Elle n'avait pas su à quel point elle désirait ce contact jusqu'à ce qu'elle l'éprouve. Instinctivement, elle commença à se frotter lentement contre lui, faisant glisser ses mamelons de plus en plus durs sur les muscles tendus de sa poitrine.

Le son qu'émit Reno était à la fois un encouragement et une exigence sensuelle. Elle enfouit ses ongles dans les muscles tendus de son dos, voulant sentir ses bras puissants autour d'elle, voulant se tenir plus fermement contre lui que ce que ses bras lui permettaient.

Quand il ne réagit pas comme elle le souhaitait, elle laissa échapper un bruit de frustration.

– Quoi ? demanda Reno d'une voix basse.

Eve essaya encore une fois d'attirer sa bouche sur la sienne, mais il était plus fort qu'elle. Il tenait ses lèvres tout près des siennes, la titillant avec le baiser qu'il retenait tout comme il se retenait de céder à ses exigences passionnées.

– Que voulez-vous ? murmura-t-il.

– Vous embrasser.

Il frôla sa bouche sur ses lèvres.

– Comme ça ? demanda-t-il.

– Non. Oui.

– Oui et non ?

Reno titilla Eve du bout de sa langue pendant qu'elle luttait pour se rapprocher.

– Oui, répondit-elle en frissonnant au contact de sa langue.

Puis il s'écarta.

— Non, dit-elle vivement.

— Oui et non. Décidez-vous, douce *gata*.

— Reno, dit Eve d'une voix impatiente. Je veux... davantage.

Il poussa un gémissement comme si elle l'avait fouetté.

— Ouvrez la bouche, dit-il d'une voix profonde. Embrassez-moi comme ça. Faites-moi voir que vous le voulez autant que moi.

La lumière du soleil brilla sur les lèvres d'Eve et sur le bout de sa langue. Reno grogna et serra les bras puis releva le visage d'Eve vis-à-vis le sien.

— Encore plus, dit-il en frottant ses lèvres entrouvertes sur celles d'Eve.

Elle frissonna et fit ce qu'il demandait.

La bouche de Reno se referma sur la sienne, et sa langue s'inséra dans la chaleur qui s'était ouverte pour lui. Il s'empara de sa bouche comme il souhaitait s'emparer de son corps — totalement, en une fusion de chair et de chaleur mielleuse.

Le contact léger de l'air sur la peau d'Eve quand Reno délaça sa camisole était, comme le bout de ses dents, un contraste excitant par rapport à la chaleur satinée de son désir.

Eve ne savait pas à quel point ses seins souhaitaient être caressés jusqu'à ce que Reno les prenne dans ses mains et que ses pouces en fassent fièrement raidir les mamelons. Elle ne prit conscience du fait qu'il était à moitié étendu sur elle qu'au moment où ses doigts tirèrent sur ses mamelons durcis et que des vagues de feu la traversèrent et firent arquer son corps en un contact inattendu avec le sien.

Elle aurait voulu crier en éprouvant le plaisir sensuel de son corps contre celui de Reno, mais les seuls bruits que permettait l'union de leurs bouches n'étaient que de petits sons provenant du fond de sa gorge. Il absorba les gémissements passionnés et en exigea silencieusement d'autres, chatouillant et palpant ses seins sensibles. Ses longs doigts la caressèrent tendrement jusqu'à ce qu'elle se torde presque sauvagement sous lui.

Ce n'est qu'à cet instant que Reno bougea de nouveau et s'étendit complètement sur elle, lui donnant ce dont elle avait besoin sans le savoir. Ses hanches se pressèrent contre les siennes jusqu'à ce qu'elle écarte les jambes en un effort instinctif pour que la douloureuse douceur entre ses cuisses corresponde à la preuve rigide de l'appétit de Reno.

Eve ne sut pas qui des deux émit ce son rauque de découverte quand Reno colla son corps contre elle. Elle eut seulement conscience du feu qui montait sauvagement en elle. Ses doigts s'enfoncèrent dans les muscles souples du dos de Reno pendant qu'elle retenait son souffle sous l'emprise d'un désir incandescent. Reno ne s'opposa pas à ses ongles. Il réagit simplement en grognant et frotta ses hanches contre elle en un réflexe passionné. Le feu liquide de la réaction d'Eve surgit entre leurs corps tendus.

Eve demeura figée de surprise jusqu'à ce que les hanches de Reno se remettent à bouger en provoquant à travers son corps un feu de brousse qu'elle ne pouvait nier ni dissimuler. Quand il répéta le mouvement, sa langue s'enfouit dans sa bouche d'une manière si totalement possessive tout en étant si excitante par sa retenue qu'Eve pleura.

Une des mains de Reno bougea entre leurs corps. Le son de ses pantalons qu'il détachait se perdit dans les protestations passionnées qu'émit Eve quand il souleva son poids de sur ses hanches.

— Tout va bien, *gata*, dit Reno d'une voix épaisse tandis qu'il se défaisait de son pantalon. Je ne vais nulle part.

Eve entendit à peine les mots. Elle eut seulement conscience du poids de Reno qui se posait de nouveau sur elle, mais ailleurs qu'elle le souhaitait. Elle se tordit contre lui, car elle voulait davantage que ce qu'il lui donnait. Peu importe comment elle bougeait, il réussissait à lui échapper.

— Reno… dit-elle, le souffle court.

— Quoi ? demanda-t-il quand elle n'ajouta rien.

Tout en parlant, il mordilla son cou.

Eve ne trouvait pas les mots pour lui répondre, car elle ne s'était jamais sentie ainsi, impatiente d'obtenir une chose qu'elle ne pouvait nommer.

Reno sourit, car il savait exactement ce qui lui manquait.

— Qu'est-ce qu'il y a ? demanda-t-il.

Puis il écouta la voix brisée d'Eve pendant que ses dents se refermaient avec plus de force sur sa peau lisse.

— Je ne peux pas… Je ne… commença-t-elle en hoquetant.

Il s'empara de nouveau de ses mamelons et tira. Le souffle d'Eve jaillit en un son rauque tandis que son corps se cabrait. Le mouvement le fit s'installer plus profondément sur ses jambes, mais sans que ce soit encore où elle le voulait. Elle serra les bras à cause d'une frustration insupportable. Elle se tordit contre lui, mue par une exigence inconsciente.

— Écartez les jambes, murmura-t-il.

Pendant qu'il parlait, il bougea ses hanches juste assez pour frôler les replis passionnés d'Eve. La caresse lui arracha un cri saccadé tout en provoquant en elle une vague de chaleur. Elle bougea, car elle souhaitait obtenir davantage de la douce violence qu'il avait fait jaillir en elle.

— Encore, dit-il d'une voix épaisse. Faites-moi voir que vous me désirez.

Eve bougea de nouveau.

— Encore, *gata*. Vous savez que vous allez aimer ça. Levez les genoux de chaque côté de moi.

Elle fit ce qu'il demandait, et elle ouvrit les jambes jusqu'à ce que Reno se retrouve confortablement entre ses cuisses. Lentement, il commença à titiller ses mamelons, puis il la regarda pendant qu'il tirait sur les extrémités roses et sensibles.

— Oui, dit-il quand Eve souleva instinctivement ses hanches contre lui. Comme ça. Dites-moi que vous me désirez.

La torture sensuelle de ses mains sur ses seins ne suffisait plus. Eve agitait sa tête autant que ses hanches, cherchant à se libérer de la poigne du désir qui se refermait sur elle.

— Reno, je…

Eve se mordit la lèvre et frissonna.

— Je sais. Je le vois.

Le sous-vêtement ne comportait pas de couture au centre, permettant aux doigts de Reno de caresser ses lieux secrets sans défense. Tous sauf un.

— Je peux le sentir, dit-il d'une voix basse.

Eve retint son souffle, à la fois sous l'effet de la peur et de la passion, en se rendant compte qu'elle gisait, vulnérable, devant Reno.

Il tira délibérément sur le tendre bourgeon qui s'était gonflé de désir. Le sursaut de plaisir qu'elle éprouva fut si intense qu'elle laissa échapper un cri aigu et se pressa contre lui.

– Encore, dit Reno en frottant son pouce sur son sein, l'allumant avec ce qu'il lui refusait encore.

Elle émit un son brisé.

– Laissez-moi sentir votre plaisir, murmura-t-il. Maintenant.

Puis il la caressa, et elle lui accorda ce qu'il exigeait. Le gémissement rauque de satisfaction qu'il laissa échapper était une autre caresse légère, un autre coup de fouet délicatement passionné sur sa chair intensément sensible.

– Vous êtes comme un ressort qui se tend à mon contact, dit Reno d'une voix basse.

Son doigt la caressa de nouveau en faisant jaillir une autre vague de plaisir.

– J'aime ça, *gata.* J'aime ça de la même façon que j'aime respirer.

Ses doigts bougèrent, frôlant à peine sa chair brûlante et lisse.

Eve pleura et se tordit sous les tendres caresses qui provoquèrent des élans incandescents à travers tout son corps. Elle ne s'aperçut pas du moment où Reno remplaça ses doigts par sa chair rigide et satinée. Elle sut seulement qu'il ne la touchait pas au seul endroit où elle voulait être touchée. Ses ongles lacérèrent son dos en une exigence qu'elle ne pouvait s'empêcher de faire.

Reno regretta que sa chemise l'empêche de sentir les rebords acérés des griffes de sa chatte passionnée. Il sourit et titilla Eve encore davantage, tournant autour du tendre bourgeon sans tout à fait le toucher. Elle griffa son dos de nouveau, et il émit un grand rire malgré son propre besoin inassouvi.

Le mouvement de torsion des hanches d'Eve sous Reno fit surgir une fine pellicule de sueur sur tout son corps. Il ne lui était jamais arrivé qu'une femme le désire si complètement, son corps tout entier exprimant son besoin. Le plus léger frôlement de ses doigts provoqua encore une fois chez elle une réaction liquide. Il s'en réjouit avec une intensité sauvage, se laissant baigner dans la chaleur passionnée d'Eve, désirant tellement la prendre que son corps en frémissait.

Et pourtant, peu importe à quel point elle se tordait et luttait pour lui faire toucher le bourgeon affamé qu'il avait fait jaillir d'elle, il l'éludait.

— Pourquoi ? demanda-t-elle finalement.

— Je veux vous entendre en demander davantage.

Elle laissa échapper un gémissement de frustration et se tordit encore. Et à nouveau, Reno ne la toucha pas, laissant tout son corps douloureux à force de désir.

— Plus, dit-elle d'une voix tremblante.

Reno frôla sa chair gonflée, sensuelle.

— Plus fort, gémit-elle.

Elle lui frappa l'épaule du poing tandis qu'elle se tendait vers le feu inatteignable qui s'écartait chaque fois qu'elle tentait de l'atteindre.

— Ce n'est pas assez, dit-elle impatiemment.

— Et si je disais que c'est allé assez loin ?

— Non ! Il faut qu'il y en ait plus !

Reno la caressa de nouveau, faisant glisser ses ongles avec une lenteur exquise sur le bourgeon gonflé. Elle retint son souffle, et le feu liquide déborda.

Les dents serrées contre le désir qui le faisait frémir, Reno prit une profonde respiration pour tenter de se maîtriser. L'odeur primitive de la passion d'Eve l'envahit. C'était comme respirer du feu.

— Reno, murmura-t-elle, je…

Sa voix se brisa pendant qu'elle se tordait.

— Ça ? demanda-t-il.

Une chair à la fois lisse et dure se pressa sensuellement contre elle, écartant son sexe alors même qu'elle se dissolvait sur lui.

— Oui, hoqueta-t-elle. *Oui.*

D'un geste à la fois puissant et doux, Reno s'enfouit en elle, s'attendant à la pénétrer facilement parce qu'il n'avait aucun doute quant à son degré d'excitation.

Ce qu'il découvrit fut un obstacle qu'il franchit presque aussitôt découvert. Presque, mais pas tout à fait. La différence se révéla être un déchirement de chair et une humidité qui ne devait rien à la passion.

Eve ouvrit brusquement les yeux quand la douleur remplaça le plaisir dans tout son corps.

— Vous me faites mal, dit-elle d'une voix rauque.

Les mouvements de son corps alors qu'elle essayait de se défaire de Reno lui firent perdre toute maîtrise. Il essaya de la garder immobile, mais il était trop tard, car il était beaucoup trop excité pour s'extirper du paradis satiné dans lequel il était entré. Il sentit sa libération jaillir de lui, le brûlant avec des pulsations qui étaient comme des flammes pures.

Le frémissement sauvage du corps de Reno le fit bouger en elle, mais elle n'éprouva pas de douleur cette fois. Elle sentit plutôt des langues de feu surgir de l'endroit où leurs corps se joignaient.

Les vives ondulations de la passion la surprirent, tout comme les geignements rauques de Reno et les pulsations rythmées de sa chair au plus profond d'elle. Elle ferma les yeux, laissa échapper un soupir et attendit qu'il la libère.

Mais Reno ne fit aucun mouvement en ce sens, même quand sa respiration ralentit. Sa poitrine qui s'élevait et descendait suffisait à le faire bouger en elle. Chaque petit mouvement provoquait des courants de feu non désirés à travers son corps. Elle n'appréciait plus la sensation, car elle savait maintenant où elle menait : à une douleur et à un sentiment de désespoir.

Elle s'était comportée comme une de ces femmes idiotes dont Donna parlait, du genre qui écartait les jambes au nom de l'amour. Mais Reno ne voulait pas de l'amour d'une fille de saloon. Il désirait seulement son corps.

Et il l'avait pris.

— Écartez-vous de moi, dit-elle finalement.

Sa voix dépourvue de passion fâcha Reno. Elle avait été si passionnée, si consentante, et maintenant, elle ne songeait plus qu'à se débarrasser de lui. Elle n'aurait pu lui faire savoir plus clairement à quel point elle avait peu aimé s'accoupler avec lui.

Pourtant, il avait tellement aimé ça qu'il avait trop rapidement perdu sa maîtrise. Ça ne lui était jamais arrivé auparavant. Le fait de savoir qu'il l'avait désirée tellement plus qu'elle l'avait désiré le rendit furieux.

Puis il se souvint de la fragile barrière, du déchirement survenu un instant avant qu'il la prenne complètement. Il s'en souvint, mais il n'arrivait pas à y croire. Il ne pouvait croire qu'une fille de saloon ait été vierge.

Ça doit faire très longtemps qu'elle n'a pas connu un homme, se dit-il.

Cela aurait expliqué le resserrement de son corps, la pression sensuelle qui le caressait encore chaque fois que l'un ou l'autre respirait.

Il constata de nouveau à quel point Eve était petite, à quel point elle était délicate. Il n'était ni mince ni petit. C'était un homme puissant, d'une taille hors du commun. Il n'avait pas voulu lui faire de mal, mais c'était ce qui avait dû arriver. Il se sentit à la fois honteux et furieux parce que ce fait soulignait la différence dans leur degré de désir mutuel.

– Ne me dites pas que vous ne le vouliez pas, fit-il d'une voix dure. C'était sacrément évident.

Eve se sentit rougir en se souvenant de son comportement dévergondé. Il avait tout à fait raison. Elle l'avait voulu.

– Je ne le demande plus maintenant, répondit-elle d'une voix tendue.

Reno poussa un juron et se laissa rouler de côté.

Eve retint son souffle, et un frémissement la traversa quand il caressa sa chair terriblement sensible en s'extirpant d'elle.

Le sang brilla sous la lumière du soleil, un témoignage écarlate d'une vérité que Reno avait du mal à croire. Elle avait semblé si sauvage et si douce. Il avait été si impatient de la posséder qu'aucun des deux ne s'était dévêtu. Il l'avait prise en ayant gardé ses bottes et ses pantalons, comme si elle n'était rien de plus qu'une putain qu'il avait payée pour quelques minutes de plaisir.

Et elle l'avait laissé faire. Elle l'avait supplié de continuer.

Il la regarda comme s'il ne l'avait jamais vue auparavant. Et c'était vrai. Il ne l'avait jamais vue comme il la voyait maintenant. Il ne s'était pas permis de voir la fille innocente sous la robe rouge parce qu'il l'avait trop désirée pour s'écarter d'elle, malgré la réalité de son innocence.

– *Vierge.*

– Vous avez raison, pistolero, répliqua Eve. Je suis vierge.

Soudain, sa bouche s'incurva en une moue de tristesse.

– Eh bien, j'étais vierge, dit-elle. Maintenant, je ne suis plus qu'une autre fille pervertie qui aurait dû se montrer plus intelligente.

Le mot résonna dans l'esprit de Reno : « Pervertie. »

Comme l'avait été Savannah Marie. Comme l'avait été Willow.

Un honnête homme épouse une fille innocente s'il prend sa virginité.

Reno se sentit tout à coup coincé, et comme tout animal coincé, il lutta pour se libérer. Il agrippa Eve par les épaules.

– Si vous pensez avoir troqué votre virginité contre un mari, dit-il, vous vous trompez. Je vous ai gagnée dans une partie de cartes. J'ai pris ce qui m'appartenait. C'est le seul paiement qui était nécessaire.

– Dieu merci, répondit Eve, les dents serrées.

Pour la deuxième fois, elle surprit Reno. Il s'était attendu à une discussion, à un torrent de paroles lui affirmant qu'il était du devoir d'un honnête homme de marier la fille que sa lubricité avait brisée. C'était un vieux truc, le plus vieux et le plus efficace dans l'arsenal de la guerre entre les filles qui songeaient au mariage et les hommes qui songeaient à la liberté.

Et pourtant, Eve ne s'en servait pas.

— « Dieu merci » ? répéta Reno, hébété.

— Absolument, rétorqua Eve. Dieu merci, j'ai complètement remboursé ma dette, et vous ne voudrez plus refaire ça, parce que…

— De quoi parlez-vous donc ? lança-t-il, l'interrompant.

— Maintenant, je sais pourquoi les femmes se font payer pour ça !

Les paroles d'Eve restèrent suspendues dans l'air pendant un long moment tendu avant que Reno se fasse assez confiance pour répondre.

— Vous avez aimé ça, et vous le savez, dit-il d'une voix basse, furieuse. Je ne vous ai pas violée.

— Vous ne m'avez pas violée, et je n'ai pas aimé ça !

— Alors, pourquoi m'avez-vous supplié ? répliqua-t-il.

Eve se sentit à la fois humiliée et furieuse tandis que le rouge lui montait aux joues. Ses lèvres tremblaient, mais sa voix était aussi assurée que son regard.

— Je parierais que si vous demandiez à un oisillon comment il aime voler, il chanterait joyeusement jusqu'à ce qu'il frappe le sol et se brise le cou !

Reno demeura silencieux pendant un instant, puis il éclata de rire malgré la colère qu'il ressentait après avoir pris une fille de saloon et découvert qu'il avait fait saigner une vierge passionnée.

— Voler, hein ? demanda-t-il d'une voix profonde.

Eve le regarda d'un air inquiet, ne faisant pas du tout confiance à sa voix soudain sombre et veloutée. Avec de petits gestes, elle essaya de se libérer de sa poigne. Les longs doigts de Reno se serrèrent juste assez pour lui faire savoir qu'il la tenait bien.

— Pas voler, dit-elle d'une voix saccadée. Tomber. C'est très différent, pistolero.

— Seulement à l'atterrissage. La prochaine fois, vous retomberez sur vos pattes comme la petite chatte agile que vous êtes.

— Il n'y aura pas de prochaine fois.

— Trahissez-vous votre parole ? demanda Reno d'un air de défi.

Le sourire d'Eve était glacial.

— Je n'ai pas à le faire, répondit-elle. Vous pouvez vous servir de moi jusqu'à ce que l'enfer gèle. Je ne demanderai plus à me faire blesser jusqu'à ce que je saigne.

— Ça n'arrive que la première fois. Et si j'avais su que vous étiez vierge, je…

— Je vous avais dit que je n'avais jamais laissé un homme entrer sous mes jupes, l'interrompit-elle. Mais vous ne m'avez pas crue. Vous pensiez que j'étais une pute. Maintenant, vous savez que non.

Puis elle comprit, et sa bouche se tordit en une courbe amère.

— Je n'étais pas une pute, continua-t-elle. Mais maintenant, je le suis.

Reno sentit de nouveau la colère monter en lui.

— Je n'ai pas fait de vous une putain, dit-il en soulignant chaque mot.

— Vraiment ? Comment ça se produit, alors ? Une fois, c'est une erreur, et deux fois, elle devient une pute ? Ou est-ce trois ? Peut-être quatre ?

— *Damnation.*

— Précisément, siffla-t-elle. Combien de fois faut-il avant qu'une fille devienne une pute comme par magie ? S'il vous plaît, dites-le-moi, pistolero. Je détesterais dépenser plus que ma part de *plaisir* béni.

– Qu'est-ce que je suis censé faire ? demanda-t-il d'une voix furieuse. Vous épouser ? Est-ce que ça arrangerait les choses ?

– Non !

– Quoi ? demanda Reno en se demandant s'il avait bien entendu.

– Rien d'autre que l'amour ne corrigerait ça, dit-elle amèrement. Et obtenir de l'amour d'un homme comme vous équivaut pratiquement à trouver un navire en pierre, une pluie sèche et une lumière qui ne projette pas d'ombre.

En entendant ses propres mots prononcés d'une manière aussi brutale, Reno comprit qu'il l'avait blessée davantage qu'en lui prenant sa virginité.

– Vous pensiez être en amour avec moi, dit-il, hébété.

Eve pâlit.

– Est-ce que ça a de l'importance ?

– Merde, oui, ça en a ! Vous avez réagi à moi parce que vous êtes une vraie femme, et non à cause de sottises de fillettes à propos de l'amour.

Eve se dégagea brutalement de la poigne de Reno. Elle ramena sa chemise contre son corps et lui jeta un regard sauvage.

Reno songea soudain qu'il aurait pu faire preuve de beaucoup plus de délicatesse à propos de l'amour.

Elle avait été innocente, et l'innocence croit en l'amour.

– Eve…

– Rattachez vos pantalons, pistolero. Je suis fatiguée de voir mon sang sur vous et de savoir à quel point j'ai été stupide.

15

Eve sut sans même se retourner que Reno l'avait suivie jusqu'au bassin où l'eau dansait et murmurait. Elle l'avait senti derrière elle à chaque pas à partir du campement.

Ses mains hésitèrent quand elle commença à retirer sa chemise. Dessous, elle ne portait qu'une camisole dont le mince coton ne fournissait qu'une maigre protection contre le regard de Reno.

Il est un peu tard pour avoir la pudeur d'une vierge, se dit-elle avec ironie. *C'est comme verrouiller la grange après que le cheval en soit sorti depuis longtemps.*

Avec des gestes rapides et secs, Eve retira la grande chemise et la jeta par terre.

Elle entendit Reno retenir son souffle lorsqu'il vit la brillante tache écarlate sur le sous-vêtement d'Eve que les longs pans de sa chemise avaient jusque-là dissimulée.

— Eve, dit-il d'une voix grave. Je ne voulais pas vous faire de mal.

Elle ne dit rien et ne regarda pas non plus Reno par-dessus son épaule.

Silencieusement, il vint se placer derrière elle et posa ses mains sur ses épaules.

— Me prenez-vous pour un animal au point de me croire capable de prendre mon plaisir en faisant mal à des femmes ? demanda-t-il d'un ton sec.

Eve aurait voulu mentir, mais elle n'y vit rien d'autre que davantage de douleur pour elle. Reno était implacable quand il s'agissait de la vérité et des filles de saloon.

— Non, répondit-elle sur un ton neutre.

La force de son soupir fit bouger les cheveux sur la nuque d'Eve. La chair de poule se répandit sur ses bras.

La réaction de trahison de son corps la rendit furieuse.

— Je remercie Dieu au moins pour ça, marmonna Reno.

— Dieu n'avait rien à voir avec ça, pistolero. C'était plutôt le diable.

— *Vous m'avez supplié.*

— Comme c'est gentil de votre part de me le rappeler ! dit Eve. Ça n'arrivera plus.

Son corps tout entier était tendu sous les mains de Reno. Il maudit sa répartie facile de même que la colère sauvage qui l'envahit quand Eve lui rappela à quel point elle avait peu aimé être son amante.

Pourtant, ça avait été pour lui un plaisir à la fois doux et violemment intense jusqu'au moment où il s'était rendu compte qu'il avait pris sa virginité. À ce moment, sa fureur avait été aussi profonde que sa passion.

— Ça arrivera *encore*, dit-il. Mais ce ne sera pas une erreur. Vous aimerez ça, cette fois. Je vais m'en assurer.

— Un misérable pistolero m'a dit un jour que j'aimerais ça au point de hurler de plaisir, dit Eve en secouant les épaules d'un air ironique. Il avait à moitié raison. J'ai hurlé.

Reno prononça un juron à voix basse avant de réussir à retenir sa colère. Il n'avait jamais eu tant de difficulté à le faire. Eve avait une façon de miner sa maîtrise de soi qui l'aurait effrayé si elle avait été une froide manipulatrice. Mais elle ne l'était pas. C'était la femme la plus passionnée qu'il ait eu le plaisir de toucher.

Malheureusement, l'indignation et… la frustration lui sortaient par tous les pores de la peau.

Reno prit une longue inspiration et soupira silencieusement tandis qu'il commençait à comprendre. Il n'avait pas voulu la titiller pour ensuite la laisser furieuse, mais c'était exactement ce qu'il avait fait. Il aurait difficilement pu le lui reprocher si elle avait voulu le clouer à l'arbre le plus proche.

Reno la fit pivoter pour lui faire face. Il glissa sa main sous la camisole en se préparant à la passer par-dessus sa tête.

– Qu'est-ce que vous croyez être en train de faire ? demanda-t-elle brusquement.

– Vous déshabiller.

Eve dit une chose qui ne lui aurait normalement jamais traversé l'esprit et encore moins les lèvres.

Reno réussit à peine cacher son sourire sous sa moustache.

Ses mains s'arrêtèrent sous la camisole de chaque côté de ses seins. Il pouvait voir le changement sur ses mamelons tandis qu'ils se raidissaient en un réflexe passionné devant lui.

– Nous sommes tous deux tombés d'accord sur le fait que vous êtes le genre de fille qui tient parole, dit-il, et nous étions tous deux d'accord sur le fait que vous m'avez donné votre parole quant au fait que je pourrais vous toucher.

Une défiance à peine voilée brilla dans les yeux d'Eve. Elle n'avait jamais autant ressemblé à une chatte que maintenant, pendant qu'elle le regardait sans cligner des yeux, les lèvres serrées comme si elle était prête à l'attaquer à grands coups de griffes.

— Vous allez tenir parole, n'est-ce pas ? demanda Reno.

Eve ne répondit pas.

— C'est ce que je pensais, dit-il.

Il fit glisser lentement ses mains de sous la camisole.

— Mais le déshabillage peut attendre, poursuivit-il. Passez-moi le savon et le linge.

Elle avait oublié le pain de savon à odeur de lilas et le linge qu'elle avait apportés au bassin. Avec difficulté, elle se força à desserrer ses poings.

Reno lui prit le carré de sac de farine usé et le pâle morceau de savon.

Les marques profondes laissées par les ongles d'Eve sur le savon et sur son autre paume illustraient l'effort qu'elle avait dû faire pour éviter de perdre le peu de maîtrise qu'elle avait sur elle-même. Le signe de son propre tempérament incertain l'étonna. Elle ne s'était jamais considérée comme une personne particulièrement passionnée ou violente. L'orphelinat lui avait appris à ne jamais perdre son sang-froid, car si elle le faisait, elle se retrouvait à la merci des autres.

Tout comme elle avait été à la merci de Reno, souhaitant son amour et n'obtenant en retour que de la douleur.

C'est dommage que j'aie dû réapprendre cette leçon.

Reno regarda les croissants que les ongles d'Eve avaient imprimés dans le savon et dans sa propre peau, puis il regarda ses yeux. Il n'y avait en eux ni rire, ni passion, ni curiosité. Ils étaient aussi mornes qu'un crépuscule d'hiver.

— Eve, murmura-t-il.

Elle se contenta de l'observer de ses yeux félins.

— Je suis désolé de vous avoir fait du mal, dit-il, mais je ne suis pas désolé de vous avoir prise. Vous étiez la soie et le feu...

Il s'interrompit. La passion innocente d'Eve avait représenté une surprise que son esprit avait encore de la peine à accepter.

Son corps n'éprouvait pas un tel problème. Même s'il venait tout juste de la posséder, il la voulait encore. Elle le désirait aussi. Il en était certain. Son corps hurlait son désir et sa frustration.

Mais Eve était trop innocente pour comprendre la source de sa colère. Reno savait bien qu'il était inutile d'essayer de la convaincre avec des paroles. Elle n'était pas d'humeur à l'écouter parler de quoi que ce soit et encore moins de ses propres besoins en tant que femme.

De plus, il y avait de meilleures façons que les mots pour enseigner à une fille innocente comme Eve des coutumes plus agréables. Pour tous les deux. Tout ce qu'il avait à faire, c'était la convaincre de lui confier de nouveau sa passion.

Une tâche difficile, mais non impossible. Le corps d'Eve était déjà son allié.

— Comme vous vous sentez timide, je ne vais pas vous déshabiller, dit-il calmement.

Eve écarquilla les yeux de surprise. Elle ne s'était attendue à aucun compromis de la part de Reno.

Son sourire lui apprit qu'il savait fort bien pourquoi elle était surprise. Il mit le linge dans la ceinture de ses pantalons et enfouit le savon dans une poche.

— Dans le bassin, dit-il.

— Quoi ?

— Allez, vous vous sentirez mieux après un bain.

Eve ne dit rien. Elle se contenta d'avancer jusqu'à ce que les tresses d'argent de la chute tombent tout près d'elle. L'eau lui montait jusqu'à la moitié des cuisses et tourbillonnait autour de ses jambes en créant des bulles aux couleurs de l'arc-en-ciel.

À son grand étonnement, Reno la suivit dans le bassin. Il ne se dévêtit pas comme elle l'avait craint. Il était exactement comme il avait été quand il s'était écarté d'elle : chemise à moitié boutonnée, pieds nus et pantalons noirs.

Au moins, ses pantalons étaient attachés maintenant.

Elle rougit en se souvenant de ce à quoi Reno avait ressemblé, ses pantalons détachés, la preuve de sa stupidité virginale brillant d'un rouge écarlate dans la lumière du jour.

— Vos cheveux sont aussi propres qu'une écuelle de chat, dit Reno, mais je vais les laver si vous le voulez.

Eve secoua brusquement la tête.

— Alors, je vais les attacher.

— Non, répondit-elle immédiatement, parce qu'elle ne voulait pas qu'il la touche. Je vais le faire.

Elle s'empressa de ramasser sa longue chevelure et de la nouer au sommet de sa tête. Quelques mèches lui échappèrent, mais elle les ignora. Elle comprit en suivant le regard de Reno au moment où elle levait les bras et attachait ses cheveux qu'il aimait observer ses seins bouger à chaque mouvement de son corps.

Et si son regard ne suffisait pas, le gonflement évident dans ses pantalons trahissait ses pensées. Elle détourna vivement les yeux.

— Prête ? demanda Reno.

— Prête à quoi ?

Il se pencha et prit de l'eau dans ses mains jointes.

— À vous faire mouiller, dit-il simplement. Vous pouvez difficilement prendre un bain en restant sèche, n'est-ce pas ?

Le ton raisonnable de Reno contrastait avec la sensualité provocante de ses yeux.

— Je n'ai pas besoin d'aide pour me tremper, marmonna Eve.

Il rit doucement et laissa l'eau dans ses mains se déverser sur le devant de la camisole d'Eve.

— Certaines choses sont meilleures quand elles sont partagées, dit-il d'une voix rauque.

— Les bains ? demanda-t-elle sur un ton sarcastique.

— Je l'ignore. Je n'en ai jamais partagé un.

Eve parut surprise.

— C'est vrai, dit-il.

— Je vous crois.

— Vraiment ?

— Oui.

Elle frissonna tandis que l'eau tiède descendait entre ses seins.

— Pourquoi ? demanda-t-il, curieux.

— Pourquoi vous donner la peine de mentir à une pute ?

Reno ferma les yeux et tenta de retenir la colère qui l'envahissait et menaçait d'éclater.

— Je vous propose, fit-il d'une voix claire, de ne plus jamais employer ce mot devant moi.

— Pourquoi pas ? Vous aimez tant la vérité.

Il ouvrit les yeux.

— Je vous assure que vous ne vous sentirez pas mieux en me tourmentant.

Eve laissa échapper un hoquet involontaire et détourna les yeux. Les ombres sévères et la rage pure qu'elle voyait dans son regard lui rappelaient trop ses propres émotions. De toute façon, Reno avait raison. Elle ne s'était pas sentie mieux en le tourmentant. Elle s'était sentie plus mal, sur le point de perdre sa propre maîtrise. Elle avait envie de mordre et de griffer et de hurler. La profondeur de sa propre rage l'effrayait.

— Et c'est tout ce que vous faites, ajouta Reno. Me tourmenter. Nous savons tous les deux que vous n'êtes pas une pute.

Eve ne dit rien. La tentation d'insister auprès d'Eve jusqu'à ce qu'elle soit d'accord avec lui faillit l'emporter, mais il réussit à garder le silence. À peine. Il prit encore de l'eau entre ses mains et la laissa tomber en des colliers de liquide étincelant sur Eve jusqu'à ce que sa camisole et sa culotte soient complètement trempées.

Elle ferma les yeux et prétendit qu'elle se lavait sous un des barils de douche que Don Lyon avait installés avant que ses mains deviennent trop handicapées pour de telles choses.

L'écoulement frais de l'eau le long de son corps la fit frissonner, mais non de froid. La journée était trop chaude pour ça, et les hauts murs de pierre absorbaient et réfléchissaient la chaleur du soleil.

Elle tressaillit au premier contact des mains de Reno sur ses épaules. Il prononça tristement son nom. À travers l'écran de ses épais cils blonds, elle vit le rictus douloureux sur la bouche de Reno.

— Je ne vais pas vous faire de mal, dit-il avec une sorte de maîtrise de soi douloureuse. Je ne vous aurais jamais fait mal la première fois si j'avais su…

Eve poussa un long soupir et opina de la tête. Elle le croyait parce que c'était la simple vérité. Elle avait ressenti cela chez lui à l'instant où il s'était assis à leur table à Canyon City ; malgré sa taille, malgré sa force, malgré sa rapidité incroyable, il n'était pas le genre d'homme qui aimait être cruel.

— Je sais, dit-elle d'une voix basse. C'est pour ça que je vous ai distribué les cartes. Vous n'étiez pas comme Slater et Raleigh King.

Reno laissa échapper un soupir qu'il n'avait pas été conscient de retenir. Il frôla de ses lèvres le front d'Eve en une caresse qui se termina avant qu'elle puisse être sûre qu'elle l'avait sentie.

— Laissez-moi vous baigner, dit-il.

Elle hésita puis leva les bras pour retirer sa camisole. Les mains savonneuses de Reno se refermèrent sur ses poignets, les tenant doucement.

— Laissez-moi faire, dit-il.

Elle hésita de nouveau.

— Je ne vais pas vous prendre, dit-il. Pas à moins que vous me le demandiez. Je veux seulement faire en sorte que… vous souffriez moins.

Incapable de supporter l'intensité dans les yeux de Reno, Eve ferma les siens et opina de la tête. Pendant plusieurs moments, elle attendit dans un suspense terrible, mais quand il la toucha, ce ne fut que pour laver son visage aussi délicatement qu'il l'avait fait pour son neveu.

Pourtant, Eve ne se sentait pas comme un bébé. Le contact de Reno lui fit éprouver dans tout le corps un plaisir presque douloureux. Elle n'avait pas su à quel point son visage était sensible. Le rituel du savonnage, du lavage et du rinçage provoqua chez elle des frissons de plaisir.

— Était-ce si déplaisant ? demanda Reno.

Eve secoua la tête, et une longue mèche de cheveux se libéra. Reno l'accrocha derrière une oreille.

— Et ça ? fit-il.

Il se pencha et commença à tracer du doigt les contours de chaque courbe de l'oreille d'Eve avec sa langue, puis avec ses dents, la mordillant avec un soin exquis, se réjouissant quand elle retint son souffle. Lorsque le bout de sa langue l'explora, descendit en spirale, se retira, revint et la caressa, elle émit un bruit bizarre dans sa gorge et se retint à ses bras pour garder son équilibre.

Il leva la tête et regarda les yeux écarquillés de surprise d'Eve.

— Quelque chose ne va pas ? murmura-t-il.

— Je...

Elle déglutit.

— Je ne sais jamais à quoi m'attendre de votre part, dit-elle.

— Vos petits amis doivent avoir été... dépourvus d'imagination.

— Je n'en ai jamais eu — imaginatifs ou non.

— Aucun petit ami ? demanda Reno. Pas même pour quelques baisers volés près d'une grange ?

Eve secoua la tête.

— Je n'ai jamais voulu qu'un homme soit près de moi jusqu'à ce que vous arriviez.

— Mon Dieu.

Reno éprouva une vague de plaisir et de surprise en comprenant à quel point Eve avait été innocente. Pourtant, malgré son innocence, elle avait réagi passionnément à son contact, à ses paroles, à la plus légère de ses caresses.

Si innocente… si passionnée. Les possibilités qu'offrait un plaisir mutuel suffirent à l'étourdir. Il savait à peine où commencer. Ses yeux verts étincelants parcoururent le corps d'Eve, dont le sous-vêtement était presque transparent, collant à chaque courbe et vallée de son corps. Les bouts tendus de ses seins apparaissaient clairement, tout comme le triangle de poils blonds qui protégeaient et mettaient en valeur l'essence de sa féminité.

— Mon Dieu, répéta-t-il avec admiration. Aucun homme ne vous a touchée, n'est-ce pas ?

— Pas tout à fait, murmura-t-elle.

— Qui ? demanda-t-il d'une voix sèche.

— Vous, répondit-elle simplement. Seulement vous.

Dans un élan qui bouillonnait avec les murmures de l'eau, Reno lava Eve jusqu'à la taille. Il essaya de ne pas s'attarder sur ses seins, mais c'était impossible. La dureté veloutée de ses mamelons l'attirait irrésistiblement. Il retourna vers eux encore et encore jusqu'à ce qu'il se presse impatiemment contre la camisole, tendue par autre chose que l'eau froide.

Silencieusement, il tira Eve sous la petite chute pour la rincer. Quand il eut terminé, il lui retira lentement sa camisole et la rentra dans la ceinture de ses pantalons, puis il se pencha et goûta la fraîcheur de sa peau jusqu'à ce qu'elle émette de petits geignements et s'accroche à lui.

— Je ne devrais pas vous laisser faire ça, dit-elle d'une voix rauque.

— Je vous fais mal ?

— Non. Pas… encore.

— Jamais, dit Reno en frottant son nez sur son sein. Plus jamais.

Eve ne put répondre. La vue de la bouche de Reno si proche du bout rose de son sein l'empêchait de parler. Il fit courir sa langue tout autour et la mordit tout doucement.

Le son étouffé qu'elle laissa échapper n'avait rien à voir avec la douleur et tout avec un plaisir soudain, éclatant. Avant qu'elle puisse commencer à s'y habituer, la caresse se modifia. La chaleur l'envahit, la forçant à oublier sa colère, car son corps sentait la possibilité d'un autre exutoire pour les émotions qui s'agitaient en elle.

Elle ne savait pas si elle devait être soulagée ou malheureuse quand Reno leva finalement la tête, lentement, et qu'il recommença à la laver.

— J'aurais dû prendre le temps de vous dire à quel point vous êtes belle, dit-il. Vous avez un genre de peau que les poètes célèbrent avec des sonnets. Mais je ne suis pas un poète. Je n'ai jamais voulu en être un jusqu'à maintenant.

Il se pencha et frôla de ses lèvres un sein puis l'autre.

— Je ne connais pas les mots pour vous décrire.

Ses longs doigts savonnèrent doucement la culotte d'Eve, puis sa taille et ses hanches et ses cuisses. Quand sa paume se frotta contre son sexe luxuriant, elle émit un son effrayé.

— Du calme, murmura-t-il. Ça ne vous fait pas mal, n'est-ce pas ?

Les lèvres tremblantes, elle secoua la tête.

— Écartez vos jambes un peu, dit Reno en exerçant une douce pression. Laissez-moi vous laver en entier, surtout là où je vous ai fait mal.

Il attendit, observant son visage, souhaitant qu'elle donne pour qu'il n'ait pas à prendre.

Lentement, Eve changea de position et accorda à Reno la liberté qu'il voulait. Dans un silence grouillant de souvenirs et de possibilités, il nettoya les dernières traces de la vierge qu'elle avait été et ne serait plus jamais.

— Si je pouvais remonter le temps et éviter de vous faire mal, je le ferais, murmura-t-il. Mais je ne retirerais pas le reste. J'ai rêvé toute ma vie de trouver une passion comme la vôtre.

Eve frissonna et ravala un son de gorge tandis que les doigts de Reno délaçaient sa culotte et la faisait descendre le long de ses jambes jusqu'à ce qu'il soit agenouillé dans le bassin à ses pieds.

— Tenez-vous contre mes épaules, dit-il d'une voix rauque.

Il sentit le tremblement de ses mains quand elles se posèrent sur ses épaules nues et se demanda s'il était provoqué par la passion ou par la peur.

— Levez votre pied droit, dit-il.

La pression de ses mains sur ses épaules s'accrut. Il libéra une jambe de la culotte.

— Maintenant, l'autre.

Elle bougea, mais s'arrêta immédiatement, figée par le contact de ses doigts. Quand il les fit courir sur la peau délicate, un doux éclair la traversa. Elle ferma les yeux et agrippa si fermement ses épaules que ses doigts s'enfoncèrent dans ses muscles.

— Est-ce que ça fait mal ? demanda Reno en levant les yeux.

— Non, murmura-t-elle à travers ses lèvres tremblantes.

— C'est agréable ?

— Ça ne… devrait pas l'être.

— Mais ça l'est ?

— Oui, murmura-t-elle vivement. Mon Dieu, oui.

Reno posa son front contre Eve et laissa échapper un long soupir de soulagement. Ce n'est qu'à ce moment qu'il s'avoua à quel point il avait eu peur de l'avoir irrémédiablement éloignée. C'était pour cette raison qu'il l'avait suivie jusqu'au bassin. Par peur, et non par désir.

— De si fins pétales sont pourtant si épanouis, murmura-t-il en la caressant délicatement. Comme un bourgeon au printemps. Et moi qui m'attendais à une fleur complètement éclose sous le regard d'une centaine de soleils.

Eve ne répondit pas parce que ça lui était impossible. La chaleur traversait son corps en tous sens, lui faisant tout oublier sauf l'instant présent et l'homme qui la cajolait si tendrement.

Tournant la tête d'un côté et de l'autre, Reno caressa son ventre et ses cuisses avec ses joues et l'épaisseur soyeuse de sa moustache.

— Tellement douce, murmura-t-il. Tellement chaude. Ouvrez-vous à moi, douce Eve. Laissez-moi vous montrer ce que ça aurait dû être pour vous. Aucun mal, aucun saignement, seulement le genre de plaisir dont vous vous souviendrez jusqu'à votre mort.

Les yeux fermés, Eve réagit à la douce pression entre ses jambes et accorda à Reno une plus grande liberté de mouvement. Elle se trouva récompensée par une légère caresse exploratoire. Sa chaleur soyeuse la renversa, et elle sentit ses jambes s'amollir. Elle émit un son de plaisir et essaya de retrouver son équilibre.

— C'est ça, dit Reno en souriant et en l'exhortant à écarter un peu plus les jambes tandis qu'il se penchait vers elle. Tenez-vous à moi.

Eve comprit pourquoi la caresse avait été si douce et chaude au moment où elle sentit le souffle de Reno.

— *Arrêtez.*

Il ne répondit que par un tendre mouvement de sa langue qui lui arracha un autre geignement rauque.

— Ne me combattez pas, souffla-t-il. Vous m'avez accordé ce que vous n'avez donné à aucun autre homme. Laissez-moi vous donner ce que je n'ai jamais donné à une autre femme.

— Dieu du ciel, murmura Eve pendant que ses caresses la chamboulaient.

Reno émit un son rauque de découverte et de plaisir quand il trouva le bourgeon satiné se dressant devant ses lèvres.

— Le bourgeon enfle, murmura-t-il. Cette fois, vous allez fleurir aussi.

Eve ne pouvait répondre. Elle n'avait ni voix ni pensée; elle n'éprouvait que cet éclair sensuel qui traversait son corps en lui en ravissant le contrôle et en le donnant à l'homme qui la chérissait et la consumait dans un silence féroce.

Reno sentit la tempête qui rageait en elle, qui la convulsait secrètement. Son odeur était un parfum primal qui sentait les feux sombres et le relâchement sauvage, et elle l'attirait insupportablement.

Quand l'orage sensuel s'abattit, son goût était celui d'une pluie dans le désert, sensuelle et mystérieuse, donnant vie à tout ce qu'elle touchait. Et après que l'orage fut passé, elle était la terre elle-même lavée par le miracle de la pluie, tous les contrastes accrus, radieuse dans son épanouissement.

À contrecœur, Reno relâcha la douce chair captive et se leva en pressant Eve contre lui, car elle était à peine capable de tenir sur ses jambes. Il posa sa tête contre sa poitrine et la berça lentement pendant qu'elle reprenait ses sens.

Après un long moment, elle poussa un soupir tremblant et leva vers Reno des yeux hébétés.

— C'est ça qui se passe entre les hommes et les femmes, dit-il en l'embrassant doucement. Le genre de plaisir pour lequel vous pourriez tuer ou mourir, et non une notion enfantine de l'amour.

Eve éprouva un frémissement douloureux.

— Vous dites que je ressentirais ça avec n'importe quel homme ? demanda-t-elle d'une voix tendue.

Le violent refus qui lui vint aux lèvres le rendit mal à l'aise. Il n'avait jamais été un homme possessif, et pourtant, la pensée qu'Eve puisse accorder son corps soyeux à un autre homme l'enrageait.

— Reno ? demanda Eve, les lèvres tremblantes et les yeux calmes.

— Certaines personnes sont meilleures ensemble qu'avec d'autres, dit-il finalement. Je n'ai jamais été aussi excité par une autre femme. Et aucun homme ne vous a excitée autant que moi.

Il se pencha sur les yeux clairs et dorés d'Eve.

— C'est pour ça que vous vous êtes donnée à moi. Pas à cause du pari au poker. Pas par amour. Seulement à cause d'une pure et simple passion aussi chaude que l'enfer.

— C'est pour ça que les hommes et les femmes se marient ? insista Eve. À cause d'une pure et simple passion ?

Reno hésita encore une fois.

— C'est pourquoi les hommes se marient, dit-il après un moment. Très peu de femmes éprouvent à ce point de la passion.

— Mais…

— Autrement, elles ne pourraient pas tenir assez longtemps pour conduire un homme devant un pasteur, poursuivit Reno en ignorant l'interruption d'Eve. Mais ces chères petites y parviennent, d'une manière ou d'une autre, n'est-ce pas ?

Reno vit la douleur dans l'expression d'Eve, et il grimaça. Il n'avait pas eu l'intention de la blesser avec ses déclarations brutales à propos de la nature des hommes et des femmes et de l'illusion qu'on appelait amour, mais il l'avait blessée.

Encore.

— Ma petite, dit-il en lui embrassant tendrement la tempe. Vous sentiriez-vous mieux si je vous racontais de doux mensonges à propos de l'amour ?

— Oui.

Puis elle rit tristement et secoua la tête.

— Non, se reprit-elle. Parce que je voudrais tellement vous croire que je le ferais et qu'un jour je me réveillerais et vous trouverais en selle, prêt à partir, et que je reconnaîtrais ces paroles comme les mensonges qu'ils étaient.

— Je ne me prépare pas à partir.

— Nous n'avons pas encore trouvé la mine, n'est-ce pas ?

Eve s'écarta doucement et leva ses yeux calmes vers Reno avec un sourire qui menaçait de se transformer en grimace. Elle se leva sur le bout des pieds pour déposer un baiser sur ses lèvres.

— Merci pour la leçon, mon cher. Maintenant, vous feriez peut-être mieux d'essayer de trouver cette mine. J'ai reçu à peu près tout l'enseignement que je peux supporter en une journée.

16

Le lendemain, Eve et Reno suivirent les directives du chamane vers un ancien sentier pratiquement oublié pour descendre du plateau. Vers la fin de l'après-midi, il se tourna vers elle, brisant le silence agréable qui s'était installé entre eux pendant qu'ils parcouraient la terre sauvage.

— Le chamane m'a dit de m'assurer de vous mener à un endroit très particulier un peu plus loin, dit-il.

— Où ? demanda Eve, surprise.

— À environ un kilomètre d'ici. Restez là pendant que je vais vérifier. Je ne veux pas être pris dans quelque vengeance d'un vieux chamane.

Il ne lui fallut pas longtemps pour aller voir. À peine une dizaine de minutes s'étaient écoulées quand il revint. Il arrêta sa jument près d'Eve, vit les questions dans ses yeux et tendit la main vers elle. Il se pencha et la posa sur sa nuque puis l'attira vers lui pour un baiser farouche. Quand il la relâcha, Eve lui adressa un regard à la fois étonné et… débordant de désir.

Il sourit.

— Pensiez-vous qu'une fois satisfait, ce désir allait disparaître ?

Eve rougit.

— Je ne crois pas que la raison avait beaucoup à voir avec ça, dit-elle en se souvenant de son total abandon la veille, quand Reno l'avait baignée dans le bassin secret.

Reno éclata de rire et mâchouilla délicatement ses lèvres.

— Il est si doux de vous allumer, dit-il. C'est une merveille que je ne vous aie pas réveillée ce matin de la manière dont je l'aurais voulu.

— De quelle manière ?

— En vous mettant sens dessus dessous.

Les joues d'Eve s'empourprèrent davantage, mais elle ne put s'empêcher de rire.

Reno s'était montré tellement différent avec elle aujourd'hui, presque comme s'il la courtisait. Puis elle se souvint de ce qu'il avait déjà dit à propos de la cour, et son rire s'évanouit :

« La cour, c'est pour une femme que vous voulez épouser. Ça, c'était un peu de batifolage avant le petit-déjeuner avec une fille de saloon. »

— Mais j'ai décidé qu'il était trop tôt, poursuivit-il. Vous êtes si fragile. Je ne veux pas vous blesser.

Même si les paroles de Reno visaient à la taquiner, ce n'était pas le cas de ses yeux. Eve savait qu'il se reprochait encore de lui avoir fait du mal la fois où il l'avait prise.

— Je vais bien, dit-elle.

Et c'était vrai. Elle s'était réveillée ce matin résolue à apprécier ce qu'elle avait plutôt qu'à pleurer à propos de ce qu'elle n'avait pas. La vie lui avait appris que le lendemain viendrait assez tôt, portant tous les regrets du passé à jamais hors d'atteinte — sa mère décédée, son père doux et sans défense, la cruauté désinvolte envers les enfants mêmes qui étaient les moins en mesure de se défendre.

Quoi qu'il arrive avec Reno, je ne le regretterai pas. Qu'il le croie ou non, l'amour existe. Je le sais. Je le ressens.

Pour lui.

Et peut-être – seulement peut-être – qu'il peut le ressentir pour moi. Il a déjà aimé, stupidement. Il peut encore aimer, sagement. Il peut m'aimer.

Peut-être…

– Vous en êtes certaine ? demande Reno.

Eve parut surprise puis comprit qu'il n'avait pas deviné ses pensées. Il s'attardait simplement sur la façon dont elle se sentait aujourd'hui.

– Oui, répondit-elle, je vais bien.

– Même après toutes ces heures en selle ? insista-t-il.

Elle détourna la tête de la clarté cristalline des yeux de Reno en essayant de lui cacher la profondeur de ses sentiments quant à son inquiétude. Il ne l'aimait pas, mais il se préoccupait de lui avoir fait du mal. C'était quelque chose.

C'était énorme. Aucune personne plus forte qu'Eve ne s'était souciée d'elle ainsi.

Après un moment, elle caressa la joue de Reno du bout des doigts et essaya de le rassurer sur le fait qu'il ne lui avait pas fait mal la veille, quand il avait déchiré le voile de son innocence et l'avait remplacé par une connaissance sensuelle qui avait filtré à travers son sang comme du champagne.

– La seule chose qui ne va pas chez moi, dit-elle, c'est que je deviens toute tremblante et que j'ai du mal à respirer quand je pense à ce que nous… à ce que vous… à ce que je…

Eve poussa un soupir d'exaspération et souhaita que son chapeau ait été assez large pour cacher la rougeur sur son visage. Le fait qu'elle sente l'amusement silencieux de Reno aussi clairement que s'il avait rejeté la tête en arrière et éclaté de rire n'arrangeait en rien sa situation.

— Vous vous moquez de moi, marmonna-t-elle.

Reno caressa doucement la joue d'Eve du dos de sa main.

— Non, ma belle. Je ris parce que vous me montez à la tête comme du whisky sec, dit-il. J'aime savoir que vous êtes aussi consciente de moi que je le suis de vous. Ça me donne envie de vous tirer de votre jument et de vous prendre ici même, maintenant, en restant assis et en vous observant.

— Assis sur un cheval, demanda Eve, trop étonnée pour être embarrassée. Est-ce possible ?

— Je n'en ai aucune idée, mais je suis vraiment tenté de le découvrir. Je vous ai désirée comme un fou depuis environ 10 minutes après vous avoir prise pour la première fois.

Reno tira légèrement sur les rênes. Darling recula rapidement, éloignant son cavalier de la tentation.

— Venez, dit-il à Eve. Le chamane et moi avons une surprise pour vous.

— Quoi donc ?

— Si je vous le disais, ce ne sera plus une surprise, n'est-ce pas ?

Eve sourit puis éperonna sa jument pour suivre Reno. Sa nouvelle aisance avec elle l'avait rendue heureuse. Il n'avait pas été aussi enclin à sourire depuis qu'ils avaient quitté le ranch de sa sœur, où il avait pu abaisser sa garde parmi ses amis et sa famille.

C'était ainsi qu'il traitait Eve maintenant. Comme s'il lui faisait confiance. La combinaison grisante de taquinerie et de franche sensualité gardait ses sens complètement en alerte, son sang s'accélérant dans l'attente de la prochaine caresse, du prochain éclat de rire. Elle ne pouvait se souvenir d'avoir tant souri dans sa vie.

Elle souriait toujours quand sa jument rejoignit celle de Reno. Il lui sourit en retour, s'interrogeant sur la résilience de cette fille qui était culottée et impatiente de s'aventurer dans une nouvelle contrée après avoir échappé de justesse à la mort, au danger que représentaient les hors-la-loi et à l'exploration forcée d'une terre qui ne figurait sur aucune carte.

Et c'était sans parler des dangers de l'innocence et d'un pistolero qui la désirait depuis si longtemps qu'il avait maintenant un mal fou à se retenir de lui sauter dessus.

— Fermez les yeux, dit Reno d'une voix rauque.

Eve lui jeta un regard oblique.

— Oh, oh. Vous avez pris votre voix sombre et veloutée encore, le taquina-t-elle. Est-ce que c'est là que vous m'enlevez de ma selle et essayez des choses douteuses en chevauchant une jument mustang qui a mauvais caractère ?

Reno rejeta la tête en arrière et éclata de rire avec ravissement.

— Ma belle, vous êtes vraiment une tentation pour un homme. Mais vous avez raison à propos du caractère de Darling. Elle nous balancerait immédiatement sur la première pile de rochers. Alors, fermez les yeux et ne les ouvrez pas jusqu'à ce que je vous dise de le faire. Vous êtes en sécurité… pour l'instant.

Eve rit doucement et ferma les yeux en sachant que sa jument suivrait Darling sans être guidée.

Pendant quelques minutes, elle ne perçut que le crissement subtil du cuir, la cadence paresseuse de la jument louvette, la chaleur du soleil et l'odeur particulière de la sauge et des conifères qui imprégnait l'air sec.

– Je peux jeter un coup d'œil, maintenant?

– Non.

– Vous en êtes sûr? dit-elle pour le taquiner.

– Bien sûr que je suis sûr.

Eve entendit le sourire dans la voix de Reno et eut envie de rire à voix haute tellement elle était heureuse. Elle aimait les taquineries nonchalantes qui s'étaient installées entre eux depuis la veille. Elle aimait pouvoir se retourner et découvrir Reno qui l'observait avec de la chaleur dans les yeux plutôt que de la colère ou du désir brut. Elle aimait entendre le plaisir dans sa voix en sachant qu'il appréciait le simple fait d'être avec elle. Elle aimait...

Reno.

– N'ouvrez pas les yeux, la prévint-il.

Il abaissa le rebord du chapeau d'Eve sur ses yeux et fit courir ses doigts le long de sa mâchoire.

– Je n'allais pas tricher, dit-elle tranquillement. Peu importe ce que vous croyez, je ne suis pas une tricheuse par nature.

Reno sentit sa souffrance comme si c'était la sienne. Il se pencha, prit Eve sur sa jument et l'installa de travers sur ses genoux, la tenant comme une enfant.

– Chut! Quand j'ai abaissé votre chapeau, je ne pensais à rien. C'était un prétexte pour vous toucher.

Eve tourna son visage contre la poitrine de Reno en faisant tomber son chapeau. Il pendit au bout des cordes qui le retenaient sous son menton jusqu'à ce qu'il le pousse pardessus son épaule et caresse ses cheveux.

– Je ne voulais pas vous faire de mal, dit-il après un moment.

Les yeux toujours fermés, elle opina de la tête.

– Eve ?

– Je suis désolée, murmura-t-elle. Je sais que je ne devrais pas être si susceptible. Mais… je le suis.

Il lui releva la tête et lui appliqua le plus léger des baisers. Puis ses bras se serrèrent autour d'elle quand Darling s'écarta devant l'ombre d'un faucon planant au-dessus d'eux.

– Du calme, tête de nœud, dit Reno.

– Faites attention à qui vous vous adressez de cette façon, marmonna-t-elle.

Pendant un instant, il y eut un silence étonné, puis Reno éclata de rire et embrassa fermement Eve avant d'éperonner Darling.

Quelques minutes plus tard, il arrêta sa jument et embrassa doucement les paupières d'Eve.

– Ouvrez les yeux.

Quand la chaude sensation de ses lèvres s'évanouit, Eve ouvrit les yeux et regarda Reno. En souriant doucement, il montra du doigt le paysage. Elle tourna la tête.

Elle laissa échapper un petit son d'émerveillement et d'incrédulité. À quelques mètres devant les chevaux, la terre s'abaissait abruptement. Au loin, des dizaines de petits plateaux et de mesas s'élevaient en une série de marches irrégulières qui, à leur tour, se transformaient en un immense labyrinthe de pierres teintées de rouge, d'or, de rose et de mauve.

À la place de la danse des cours d'eau, il y avait des colonnes de pierre, des falaises de pierre, des tables de pierre, des châteaux de pierre, des cathédrales et des arches de pierre. Il y avait également de vastes murs, des couches de pierre, des crêtes, des vallées, des collines, des plaines de roches et un labyrinthe de pierres aux couleurs de l'arc-en-ciel. Elles étaient empilées les unes sur les autres jusqu'à ce que la terre et le ciel fusionnent en un tout pourpre si éloigné qu'on pouvait sentir la courbe de la terre comme la lointaine approche de la nuit.

Des amas de nuages flottaient dans des couleurs variant du blanc aveuglant à l'indigo foncé. Des orages solitaires traversaient la terre sur des échasses d'éclairs en traînant derrière eux des rideaux de pluie, et pourtant, le vent ne charriait aucune odeur de pluie. Le labyrinthe était si vaste que les orages le traversaient comme des lignes de grains traversant un océan inimaginable.

— C'est là que nous allons ? murmura Eve.

Reno regarda le paysage où le squelette de la terre elle-même se pressait à travers la peau mince de la vie. Il n'y avait aucun indice de cours d'eau. Il n'y avait pas non plus de grande vallée verte exposée à la vue du voyageur fatigué, de piste ou d'empreinte de chariot ni de feu de cheminée indiquant des hameaux plus loin.

La terre était sauvage. C'était un feu de brousse transformé en pierre, des flammes gelées s'étendant vers le ciel pendant que soufflait un vent sec qui transportait des nuages dont la pluie n'atteignait jamais le sol, laissant le feu rageur inassouvi, immobile, éternel.

— Je n'irai pas là si je peux l'éviter, dit finalement Reno. Je vais laisser ce genre d'idiotie à mon frère Rafe.

Eve opina de la tête pour signifier qu'elle comprenait alors même qu'elle disait :

– C'est magnifique d'une manière sauvage.

– Comme le soleil. Mais vous deviendrez aveugle en le regardant.

Reno embrassa la nuque d'Eve. Son cœur s'accéléra quand il la sentit frissonner en réaction à sa légère caresse.

– Je suis surpris que vous trouviez ça joli, dit-il contre la peau d'Eve. Vous n'aimiez pas du tout la vue à partir du calcaire.

– Pas au départ. Mais vers la fin, ce n'était pas si effrayant. Surtout après que les hommes de Slater aient commencé à tirer, ajouta-t-elle. Quelque chose à propos de ces balles qui sifflaient autour de nous m'a détourné l'esprit du paysage.

Reno éclata de rire, serra Eve contre lui et se rappela toutes les raisons pour lesquelles il ne devait pas déplacer ses mains quelques centimètres plus loin et sentir la chaude lourdeur de ses seins les remplir.

– Nous nous sommes épargné environ 80 kilomètres, peut-être plus, en traversant cet endroit, dit Reno. Et malgré ça, la piste devant nous sera très difficile.

– Est-ce qu'il y a de l'eau ? demanda-t-elle.

– Des suintements, des ruisseaux, des flaques et des cours d'eau saisonniers, fit-il avant de secouer les épaules. Ça devrait suffire si nous faisons attention.

– Et si ça ne vous fait rien que votre jument boive dans votre chapeau ? suggéra Eve.

Elle sourit pendant qu'elle parlait en se souvenant de la façon dont ils avaient vidé de nombreuses gourdes dans leurs chapeaux parce que le chemin jusqu'au bassin secret était trop étroit pour y faire passer un cheval.

Reno embrassa le coin du sourire d'Eve et dit :

— Soyez heureuse que nous chevauchions des mustangs. Ils boivent moins que n'importe quel animal sauf le coyote.

Eve l'observa avec des souvenirs sensuels dans les yeux et un désir épanoui sur sa bouche. N'osant pas accepter l'invitation inconsciente de ses lèvres écartées, Reno la retourna jusqu'à ce qu'elle lui fasse dos.

L'étroitesse de la selle faisait en sorte que ses hanches se pressaient intimement à l'intérieur des cuisses de Reno. Il eut une érection à une vitesse qui lui fit mal. Ses longs doigts enveloppèrent les cuisses d'Eve, savourant la souplesse de sa chair. Il la tira contre lui puis la relâcha en laissant échapper un juron en espérant qu'elle ne l'avait pas entendu.

Reno s'empressa de descendre de Darling. Il se tint si près d'Eve qu'elle sentit la chaleur de sa poitrine contre sa jambe autant qu'elle avait senti celle de ses cuisses contre les siennes. Elle avait également éprouvé autre chose, mais elle doutait de ses sens. Sûrement, un homme ne pouvait pas devenir excité aussi rapidement.

Un bref coup d'œil lui apprit qu'elle ne s'était pas trompée. Auparavant, l'érection de Reno l'aurait embarrassée ou agacée. Maintenant, elle ne faisait que l'exciter. Elle se souvint de ce qu'elle avait ressenti en s'abandonnant à la chaleur, à la force et à la sensualité enivrante de Reno.

— Ma belle, vous êtes une vraie tentation pour un homme, dit-il d'une voix profonde.

— Vraiment ?

— Assurément.

— Je suis simplement assise ici, souligna-t-elle.

— Et vous me regardez comme si vous vous demandiez ce que je goûterais avec du beurre et du sirop d'érable, répondit Reno d'une voix traînante.

Eve rougit, mais ne put s'empêcher de rire. Elle riait encore quand Reno la souleva de la selle et lui appliqua un baiser qui l'étourdit.

— J'aime que vous me regardiez de cette façon, dit-il contre sa bouche. J'aime beaucoup trop ça.

Il porta Eve jusqu'à sa jument

— Montez, *gata*. Vous aurez déjà assez de mal à chevaucher comme ça.

Tout en parlant, il la déposa sur sa selle. Puis il la relâcha et se retourna vivement pour se diriger vers sa propre jument.

— Je ne voulais pas vous allumer, dit-elle.

Pour seule réponse, Reno opina brièvement de la tête en montant à cheval.

— Pourrions-nous… ?

Elle s'interrompit puis se reprit tandis que le rouge lui montait aux joues.

— Vous souffrez, et je vais bien. Et il n'y a aucune raison pour que nous ne puissions pas… N'est-ce pas ?

Reno approcha sa jument de celle d'Eve et la regarda l'espace de plusieurs battements de cœur.

— Il y a une raison pour laquelle nous ne pouvons pas, dit-il.

Les yeux verts chargés de désir de Reno démentaient le calme de sa voix.

— Slater ? dit Eve d'une voix contrariée.

Reno secoua la tête.

— Je pense que Crooked Bear ne retrouvera pas notre piste avant deux jours. Le chamane s'est dit la même chose, et il connaît mieux la terre que les Espagnols et le père de Cal ensemble.

— Alors, pourquoi ne pouvons-nous pas… ?

Malgré le désir qui nouait ses entrailles, Reno sourit en voyant les joues écarlates d'Eve.

– Parce que, ma belle, la prochaine fois que je vais poser mes mains sur vous, je ne vais pas vous lâcher jusqu'à ce qu'il ne nous reste plus assez de force pour nous lécher les lèvres.

Eve était assise, le menton sur les genoux et les bras autour des jambes. À quelques mètres au-delà de ses bottes, la terre changeait de direction.

En ce moment, Reno explorait le fond du ravin qui, d'après ce que le chamane leur avait dit, les mènerait à travers un canyon de pierres qui rejoindrait une des anciennes pistes espagnoles. Si la piste était suffisamment visible, ils chevaucheraient sous la clarté fantomatique de la lune. Sinon, ils dresseraient un campement ici au bord du plateau.

À l'ouest, le soleil était suspendu à quelques degrés au-dessus de l'horizon. En bas et au loin, de longues ombres épaisses émergeaient d'innombrables formations rocheuses. Comme le soleil, les ombres bougeaient, modifiant tout ce qu'elles touchaient, façonnant et refaçonnant le paysage en un kaléidoscope de couleurs changeantes et de panoramas à couper le souffle.

Quand elle entendit des pas, Eve n'eut pas besoin de se retourner pour savoir qu'il s'agissait de Reno plutôt que d'un étranger s'approchant derrière elle. La cadence unique des pas de Reno faisait maintenant partie d'elle, tout comme les tendres souvenirs d'un bassin secret et de l'eau tombant comme des tresses de falaises rocheuses.

– À quoi pensez-vous ? demanda-t-il.

Eve sourit et détourna les yeux des lentes transformations des pierres et des ombres et du crépuscule.

— Je n'arrête pas de me demander comment ce labyrinthe s'est formé et pourquoi il est si différent de tout ce que j'ai connu.

— J'ai éprouvé la même chose la première fois que je l'ai vu. Il y a à peu près huit ans, j'ai croisé un paléontologue du gouvernement. Et il…

— Quoi ? demanda Eve en l'interrompant.

— Un paléontologue ?

Elle opina de la tête.

— C'est un grand mot pour désigner un homme qui cherche des os si vieux qui se sont transformés en pierre.

Eve émit un son d'incrédulité.

— Un os de pierre ?

— Ça s'appelle un fossile.

— D'où viennent-ils ?

— D'animaux qui ont vécu il y a très, très longtemps.

Eve eut un vague souvenir du temps où elle fréquentait l'école de l'orphelinat.

— Comme les « terribles lézards » ? demanda-t-elle.

Reno parut surpris.

— Oui.

Eve reposa son menton sur ses genoux.

— Je pensais que les enfants plus âgés me taquinaient, mais l'un d'eux m'a montré une photographie dans un livre, fit-elle d'un air rêveur. C'était le squelette d'un lézard debout sur ses pattes arrière. Il était plus haut que le clocher d'une église. Je voulais lire le livre, mais quelqu'un me l'a volé avant que j'en aie l'occasion.

— J'ai le même livre au ranch de Willy et Cal, dit Reno. Et à peu près une cinquantaine d'autres.

— Est-ce que l'un d'eux raconte comment ça s'est produit ? demanda Eve en indiquant du doigt le labyrinthe de pierre loin dessous.

— Vous avez déjà vu une rivière qui ronge ses berges jusqu'à ce qu'elles s'effondrent et façonnent autrement la rivière ?

— Bien sûr. Les inondations le font même encore plus vite.

— Songez à ce qui se passerait si la rivière coulait à travers la pierre plutôt que le sable, si chaque cours d'eau tributaire coulait à travers la roche et si les berges de pierre s'érodaient lentement en élargissant de plus en plus tous les ravins…

— C'est ce qui est arrivé ici ?

Reno acquiesça.

— Ça doit avoir pris vraiment beaucoup de temps, dit Eve.

— Plus longtemps que quiconque peut l'imaginer à part Dieu, dit-il simplement.

Dans le silence vint l'exhalation lente d'un vent qui n'avait touché que le temps, la distance et la pierre.

— Quelque part là-bas gisent les os d'animaux si étranges qu'on peut à peine y croire, dit Reno. Là-bas, il y a des dunes de sable transformées en pierre, et sur elles, on peut retrouver les pistes d'animaux morts des millions d'années avant même la naissance de l'homme.

— Le paradis, murmura Eve. Ou l'enfer.

— Quoi ?

— Je n'arrive pas à décider si c'est un genre de paradis exigeant ou un genre d'enfer séduisant, dit-elle.

Reno lui adressa un étrange sourire.

— Dites-le-moi quand vous aurez décidé. Je me suis moi-même souvent posé cette question.

En silence, ils observèrent les motifs de lumière et d'obscurité changer et se reformer jusqu'à ce que les lointaines mesas ressemblent à des navires de pierre ancrés dans une mer d'ombre.

— C'est tellement incroyable… commença Eve, dont la voix s'éteignit dans le silence.

— Ce n'est pas plus étrange que des hommes qui construisent un bateau pouvant transporter quatre personnes et naviguer *sous* l'eau.

Eve adressa à Reno un regard surpris, mais avant qu'elle puisse dire quoi que ce soit, il parlait de nouveau.

— Ce n'est pas plus étrange que le tremblement de terre de la Nouvelle-Madrid qui a changé le cours du Mississippi. Et ce n'est pas plus étrange que le sommet du mont Tambora qui a explosé ou encore l'Année sans été[6] qu'a connue l'Angleterre.

— Quoi ? demanda-t-elle.

— C'est vrai. Byron a même écrit un poème à ce propos, dit Reno.

— Dieu du ciel. Si un petit volcan était digne d'un poème, qu'aurait-il écrit à propos de ça ? fit-elle en indiquant d'un geste le paysage devant elle.

Reno eut un sourire ironique.

— Je ne sais pas, mais j'aurais bien aimé le lire.

6. N.d.T.: Il s'agit de l'année 1816, qui connut en Europe occidentale un été particulièrement froid attribué à l'éruption du mont Tambora, dont les cendres projetées dans la haute atmosphère avaient provoqué un hiver volcanique.

Le sourire disparut de son visage quand il ajouta :

— Le monde est un ensemble dans lequel tout est relié. Il est immense, mais ça ne reste qu'un seul endroit. Un jour, Rafe s'en rendra compte et arrêtera de le parcourir.

— Et d'ici là ?

— Rafe sera comme le vent, vivant seulement quand il bouge.

— Et vous ? demanda doucement Eve.

— Je serai comme j'ai toujours été, un homme qui met sa foi dans la seule chose aussi précieuse qu'elle est incorruptible... Les pleurs du dieu Soleil, la transcendance amenée sur terre, la seule chose sur laquelle un homme puisse compter dans la vie : l'or.

Il y eut un long silence pendant qu'Eve contemplait le paysage avec des yeux qui auraient préféré verser des larmes. Elle n'aurait dû s'attendre à rien d'autre de la part de Reno, mais l'intensité de sa douleur lui apprit que c'était ce qu'elle avait fait.

Elle avait été séduite par la passion et l'amour. La passion lui était revenue, redoublée, mais pas l'amour.

Le fait de devenir la femme de Reno avait changé le monde pour Eve, mais pas pour lui. Il n'avait encore qu'une seule règle d'or :

« On ne peut pas compter sur les femmes, mais on peut compter sur l'or. »

Reno se leva et lui tendit la main. Il la remit sur pied avec une facilité qui lui fit se demander s'il n'était jamais fatigué, s'il lui arrivait d'avoir l'impression de ne plus pouvoir faire un pas, s'il avait déjà connu la faim, le froid ou l'insomnie.

— Il est temps de partir, ma belle.

— Nous ne campons pas ici ?

– Non. Le chamane avait raison à propos de la piste. Elle est tellement facile à voir que nous pourrons y cheminer à la clarté de la lune.

Pendant que Reno marchait jusqu'aux chevaux, Eve regarda une dernière fois le magnifique et énigmatique labyrinthe.

– Navires de pierre, murmura-t-elle. Pourquoi Reno ne peut-il pas vous voir ?

Chapitre 17

Même après que la lune se soit couchée, les étoiles étaient si nombreuses et si brillantes qu'elles projetaient des ombres fantomatiques. Elles étaient aussi minces qu'un voile, mais elles n'en étaient pas moins réelles.

Eve conclut tristement que peu importe à quel point elle était vague, la lumière des étoiles n'était pas à la hauteur des exigences impossibles de Reno :

« Un navire de pierre, une pluie sèche et une lumière qui ne projette pas d'ombre. »

Elle aurait pu trouver une armada entière de navires de pierre, mais la pluie sèche demeurait toujours inatteignable, comme l'était la lumière qui ne projetait pas d'ombre.

Un des chevaux entravés hennit, perturbant les pensées sombres d'Eve. Elle se tourna sur son tapis de couchage en attribuant son manque de sommeil au sol dur plutôt qu'à ses réflexions déprimantes.

Mais le sol n'était pas plus dur qu'il l'avait toujours été. Elle ne se sentit pas plus à l'aise en se retournant. Elle eut simplement un meilleur point de vue sur les cendres du feu de camp.

La silhouette puissante de Reno se dressait clairement contre les étoiles. Sa poitrine nue et ses pieds étaient d'une teinte plus pâle d'obscurité. De toute évidence, il était prêt à se coucher, mais non à dormir.

Il se tenait calmement debout et observait Eve plutôt que la marche lente des étoiles au-dessus de leurs têtes. Elle se demanda où il était allé, pourquoi il lui avait dit de se coucher quand il avait quitté le campement seul et s'il savait qu'elle était éveillée en ce moment.

Puis il lui parla en répondant à sa question : il savait qu'elle était éveillée.

— Vous n'arrivez pas à dormir ? demanda-t-il d'une voix basse.

— Non, avoua Eve.

Il alla s'accroupir près d'elle.

— Vous savez pourquoi ? demanda-t-il.

Elle secoua la tête et demanda :

— Vous ne pouvez pas dormir ?

— Non.

— Vous savez pourquoi ? demanda-t-elle en répétant sa question.

Le sourire de Reno brilla légèrement sous la clarté des étoiles.

— Oui, dit-il.

— Vous vous inquiétez à propos de Slater ?

— Je le devrais.

— Mais ce n'est pas le cas ? insista-t-elle.

— Pas assez pour m'empêcher de dormir.

— Alors, pourquoi ne dormez-vous pas ?

— À cause de vous.

Eve se dressa sur un coude et fixa l'obscurité, ainsi que la faible lueur des étoiles qui cachait autant qu'elle révélait l'expression de Reno.

— Est-ce que je fais tant de bruit quand je me tourne ? demanda-t-elle ironiquement.

Il éclata de rire.

— Non. Vous êtes aussi gracieuse et tranquille qu'une chatte.

Eve attendit en le regardant avec des yeux qui brillaient dans la lumière diffuse.

— Mais chaque fois que vous bougez, poursuivit Reno, je me mets à penser au fait que vous êtes chaude sous les couvertures et au fait que j'aimerais m'étendre près de vous, caresser toute cette douce chaleur.

— Je pensais que vous ne vouliez pas… commença Eve.

— Vous ? demanda Reno.

— Oui, murmura-t-elle. Vous m'avez à peine regardée pendant que nous dressions le campement.

— Je n'osais pas. Je vous désirais trop.

— Pourquoi ça vous met en colère ? Pensez-vous que je me serais refusée à vous ?

Reno laissa échapper un juron silencieux.

— Je ne me suis pas senti comme ça depuis mon adolescence, dit-il d'une voix dure. Et je n'aime pas ça du tout.

— Je ne vous allume pas. Je vous ai…

Elle se corrigea immédiatement et dit :

— Je vous *désire* trop pour être une bonne allumeuse.

Elle écarta les couvertures en une invitation silencieuse.

— Vous êtes fatiguée, et moi aussi, dit Reno d'une voix brusque. Nous aurons une autre longue journée demain. Je devrais avoir assez de maîtrise sur moi-même pour ne pas vous déranger.

— Je vous désire, répéta-t-elle.

— Eve… murmura Reno en essayant en vain de contrôler l'élan de chaleur qu'il avait éprouvé en entendant ses paroles.

Avec un grognement de plaisir, il s'agenouilla puis s'étendit près d'Eve, sous les couvertures. Elle sentit le doux tremblement de ses mains sur son visage et s'étonna d'avoir une telle influence sur sa force de caractère.

— Je ne veux pas vous faire mal, dit-il d'une voix rauque. Je vous désire tellement, et vous étiez si étroite…

— Ça va.

Eve bougea la tête et embrassa tour à tour les mains de Reno pendant qu'il soufflait son nom dans la chaleur odorante de sa chevelure.

— Ça va, répétait-elle à chaque baiser qu'elle appliquait sur sa peau. Je veux faire partie de vous encore une fois.

— Chère Eve, murmura-t-il. Douce et brûlante.

Il découvrit dans l'abandon de sa bouche une exigence et un désir féminins qui lui montèrent à la tête comme une grande gorgée de whisky. Le baiser débuta doucement, mais changea rapidement pour devenir un prélude exploratoire à l'union plus profonde qui viendrait bientôt.

Reno essaya de refréner le besoin sauvage qui le rongeait depuis qu'il avait goûté Eve pour la première fois dans l'étreinte liquide du bassin, mais sa maîtrise de soi lui échappait sans cesse. Il prit la chaleur veloutée de sa bouche avec des mouvements profonds et répétitifs de sa langue, la désirant avec une violence qui ne ressemblait à rien de ce qu'il avait connu auparavant.

Quand il s'obligea finalement à mettre fin au baiser, il était pleinement et douloureusement excité. Il se dressa sur un coude et ferma les yeux en luttant pour garder son sang-froid.

C'était impossible. Chaque inspiration qu'il prenait était imprégnée de la délicieuse odeur de lilas et de la chaleur secrète d'une femme.

– Reno ?

La voix rauque d'Eve était une autre caresse qui lui donna envie de grogner. Il lui effleura la joue avec des doigts légèrement tremblants.

– J'espère que vous me désirez au moins à moitié autant que ce baiser le laissait croire, dit-il d'une voix basse.

Eve prit sa main et la fit descendre lentement jusqu'à ses seins. Reno retint son souffle quand il sentit le mamelon changer à son contact et durcir en une fraction de seconde.

– J'aimerais que nous soyons en plein jour, dit-il.

– Pourquoi ?

Plutôt que de répondre, Reno se pencha et attrapa l'extrémité d'un sein d'Eve entre ses lèvres, puis il la prit entièrement dans sa bouche, la tirant avec de chaleureuses pressions.

Elle émit un son de gorge tandis que son corps s'arquait en un réflexe passionné. Il glissa ses mains sous elle et la tint pendant qu'il se nourrissait de la chair douce qu'elle lui avait offerte. Ses seins étaient séduits et façonnés par sa bouche jusqu'à ce qu'ils soient épanouis, rougis et couronnés par des mamelons qui se tendaient, affamés, contre le mince tissu de sa camisole.

Reno leva la tête et contempla la preuve du désir d'Eve, ce qui ne fit rien pour atténuer l'appétit sauvage de son corps.

— C'est pour ça que j'aimerais que nous soyons en plein jour, dit-il d'une voix rauque. Je veux voir les bourgeons roses s'enfler sur vos seins.

Il sourit doucement quand il sentit la vague de chaleur monter de manière palpable dans le corps d'Eve lorsqu'elle entendit ses paroles.

— Et cette jolie rougeur qui vous monte aux joues quand je parle de ce que je suis en train de vous faire, dit Reno. J'aimerais voir ça aussi.

Eve émit un son à mi-chemin entre le rire et l'embarras. En souriant, il se pencha et prit entre ses dents une des lanières qui attachaient sa camisole. Avec de petits mouvements de sa tête, il tira jusqu'à ce que la boucle se détache.

— Enlevez vos vêtements, ma belle.

Reno sentit le frémissement qui traversa Eve aussi clairement qu'il le sentit en lui.

— Je pourrais le faire, dit-il en la cajolant doucement, mais alors, je devrais vous lâcher. Je ne vais pas faire ça. Vous êtes sacrément adorable ainsi.

Il plia ses mains et raidit ses bras, soulevant le dos d'Eve jusqu'à ce que ses mamelons frôlent à peine sa moustache. Son sourire était une teinte plus pâle de la nuit pendant qu'il la regardait frissonner et se tordre sans arrêt, cherchant une caresse plus approfondie.

— *Gata*, dit Reno d'une voix épaisse. Toute souple et gracieuse. Déshabillez-vous pour moi. Désirez-moi autant que je vous désire.

Les doigts d'Eve étaient maladroits tandis qu'elle délaçait la camisole. Mais même complètement détaché, le vêtement ne glissa pas sur son corps. Le coton collait aux mamelons durcis que Reno avait fait naître sur ses seins ; il était humide sous l'effet de ses baisers.

Eve hésita puis écarta le mince tissu de son corps. En même temps, Reno embrassait ses seins, sa gorge, ses lèvres, lui appliquant de petites morsures entre chaque caresse. Il bougea juste assez pour lui permettre de se libérer de la camisole, mais sans jamais la relâcher complètement.

Bientôt, la camisole se retrouva près du tapis de couchage comme un pâle reflet de la clarté des étoiles.

– N'arrêtez pas, murmura Reno. Cette fois, je veux que vous soyez complètement nue.

Les doigts tremblants, Eve détacha sa culotte et la fit glisser lentement le long de ses jambes jusqu'à ce qu'elle soit telle que Reno la désirait, complètement nue. Sa peau brillait comme les pétales pâles d'une fleur qui s'épanouissait dans la nuit.

– Oui, murmura Reno. Comme ça. Vous êtes magnifique. Vous devriez toujours être comme Dieu vous a faite.

Il fit glisser sa moustache sur les seins d'Eve pendant qu'il laissait descendre son dos sur les chaudes couvertures. Elle frissonna et ravala un cri de plaisir tandis que la chaleur ondulait en elle dans le sillage de sa caresse. Quand le bout de sa langue tira sur ses mamelons durcis, elle se tordit encore davantage, désirant plus que ses caresses.

Reno lui donna ce qu'elle demandait, sa bouche à la fois caressante et exigeante, ses mains glissant le long de son corps, cherchant la chair sensuelle et délicate dissimulée entre ses jambes. Quand il la trouva et la toucha de nouveau, très légèrement, Eve poussa un cri.

Reno retira immédiatement sa main, car il était hanté par le souvenir d'avoir fait saigner Eve. Il serra les dents en une tentative d'atténuer le mal qu'il éprouvait à la désirer sans l'obtenir.

— Je suis désolé, fit-il en s'assoyant. Je ne voulais pas vous faire mal.

— Vous ne m'avez pas fait mal.

— Vous avez crié.

Eve posa sur sa poitrine des mains tremblantes.

— Vraiment ? demanda-t-elle d'une voix rauque.

— Oui. Je vous ai fait mal ?

Elle frissonna.

— Non.

La texture masculine de ses muscles et de ses poils l'attirait. Elle caressa Reno et se réjouit des sensations sous sa main.

— Étendez-vous près de moi encore, murmura-t-elle. Vous m'étourdissez trop pour que je puisse m'assoir. Surtout quand vous me touchez comme vous venez de le faire. Si j'ai crié, c'est parce que votre caresse a fait disparaître le monde.

Reno ferma les yeux à cause de la soudaine poigne du désir au creux de son ventre, semblable à un couteau se retournant dans une plaie.

— Vous n'êtes pas sensible ? demanda-t-il.

Tout en parlant, il toucha la toison qui protégeait la chaleur cachée d'Eve. Son souffle devint saccadé, un doux écho des langues de feu qui jaillissaient à son toucher.

— Parlez-moi, ma belle. Êtes-vous irritée ?

— Non, j'ai mal, mais ce n'est pas… Je veux dire que ce n'est pas…

— Ce n'est pas quoi ?

— Je…

Elle prit une profonde inspiration.

— Je ne peux pas… Je ne sais pas comment… le dire.

— Vous êtes embarrassée ? demanda doucement Reno.

Elle opina de la tête.

— Essayez de me le dire, l'encouragea-t-il. Je veux savoir si je vous fais quoi que ce soit de douloureux.

— Comment le pourriez-vous ? marmonna-t-elle. Vous ne faites rien du tout en ce moment.

Le rire de Reno était une bouffée de chaleur sur les seins d'Eve quand il se pencha vers elle. Lorsqu'il embrassa les extrémités durcies, elles se serrèrent encore plus.

Un éclair sensuel traversa Eve de ses mamelons jusqu'à son ventre et au-delà et provoqua un désir frémissant proche de la douleur.

— J'ai mal, mais pas à cause de ce que vous avez fait, dit-elle en ravalant un gémissement. Je souffre à cause de ce que vous *n'avez pas* fait.

— Vous en êtes sûre ?

— Oui !

Reno hésitait quand même en se souvenant du sang et du terrible constat du fait qu'il avait pris une vierge trop durement, trop vite, en déchirant la chair même qui lui procurait tant de plaisir. Avec une grande délicatesse, il la caressa, lissant la toison fauve qui paraissait sombre à la lueur des étoiles. Il entendit l'hésitation dans son souffle, la brisure, le soupir inégal au moment où ses doigts cherchaient et trouvaient les doux et chauds pétales.

— Vous aimez ça ? murmura Reno.

Il obtint pour toute réponse un petit cri de gorge.

Il fit glisser le bout de ses doigts sur les cuisses d'Eve, les pressant légèrement. Ses jambes s'écartèrent jusqu'à ce qu'elles ne la protègent plus de caresses plus intimes. Quand il posa la main sur le creux ombragé entre ses jambes, il sentit son plaisir comme un chaud baiser sur ses doigts.

L'odeur enivrante de sa réaction s'enfonça en lui comme de douces griffes, le portant à un niveau d'excitation qui était constitué de douleur et de plaisir sauvagement entrelacés.

Avant de se rendre compte de ce qu'il faisait, il avait détaché ses pantalons. Quand il comprit à quel point il était prêt de prendre Eve, il roula sur le côté et bondit sur ses pieds en un seul mouvement.

Il serra les poings et respira profondément et rapidement, comme s'il avait couru pendant des kilomètres pour arriver où il était. Il regarda la fille gisant à ses pieds, qui le fixait de ses yeux assombris par la nuit. Le va-et-vient de ses seins au rythme de sa respiration lui donna envie de déchirer ses pantalons et de s'enfouir en elle.

Son désir était plus violent maintenant qu'il avait été la première fois où il l'avait prise. Il s'en étonna. Il n'aurait pas dû tant la désirer. Il avait juré de ne jamais plus vouloir une femme à ce point.

— Reno ? murmura Eve.

— J'ai peur de vous faire mal, fit-il brusquement. Je vous désire beaucoup trop.

Elle lui tendit les bras.

— Eve… bon sang… vous ne savez pas ce que vous faites !

Pourtant, Reno se débarrassait de ses vêtements en même temps que son esprit lui disait de laisser Eve tranquille jusqu'à ce qu'il soit moins excité, plus certain de sa maîtrise.

À travers ses paupières mi-closes, Eve regarda Reno se dévêtir. Son corps luisait de chaleur. Ses muscles ondulaient sous sa peau chaque fois qu'il bougeait. Quand il se fut défait de ce qu'il restait de ses vêtements, la preuve de son excitation se dressait fièrement.

— Vous avez enfin peur ? demanda-t-il d'une voix dure.

Elle secoua la tête.

— Vous le devriez, dit-il platement. Je n'ai jamais autant désiré une femme.

Les lèvres écartées en un plaidoyer silencieux, Eve ne répondit que par un mouvement sinueux de son corps.

Lentement, Reno s'agenouilla entre ses jambes.

— Vous ignorez ce que... commença-t-il, incapable de terminer sa phrase.

— Dans ce cas, enseignez-moi, murmura-t-elle.

En laissant échapper un mot à la fois profane et sacré, il s'étendit à côté d'elle et se força à bouger lentement malgré les battements accélérés de son cœur. Du dos de ses mains, il la caressa des chevilles au haut des cuisses, sensibilisant sa peau et écartant ses jambes davantage. Il essaya de résister à la tentation odorante qui s'ouvrait à lui, mais il ne put s'empêcher de la caresser une fois.

Elle était plus douce que la soie, plus chaude, et elle trembla à son contact. Reno laissa glisser le bout de son doigt entre les pétales lisses. Une moiteur parfumée se répandit sur son doigt tandis qu'il le glissait en elle.

Il le retira lentement en sachant qu'il tremblait et qu'il n'y avait absolument rien qu'il puisse y faire. Il ne s'était pas attendu à ce qu'elle soit si prête à l'accueillir, si désireuse d'obtenir l'accouplement qui lui avait fait mal auparavant.

— Je vais essayer d'être délicat, dit Reno à travers ses dents serrées.

— Je sais, murmura Eve. Mais n'essayez pas trop fort. Les chattes ont plus d'une vie.

Il sourit malgré la sueur qui glissait le long de son dos à cause de la terrible tension de son corps.

— Vous allez me tuer, *gata*.

Puis il ajouta d'une voix dure :

— Aidez-moi.

— Comment ?

— Relevez vos genoux.

Elle lui obéit.

— Plus haut. Oui, comme ça. Bon Dieu, dit-il d'une voix épaisse, j'aimerais pouvoir vous voir.

Eve réprima un petit cri quand elle sentit le bout des doigts de Reno courir sur la fleur nocturne qui se révélait complètement à lui. C'était comme s'il voulait mémoriser par le toucher ce qu'il ne pouvait clairement voir.

Reno frôla délicatement le bourgeon satiné qu'il avait trouvé caché entre ses pétales.

Elle émit un son rauque qui aurait pu en être un de plaisir ou de douleur.

— Parlez-moi, dit Reno. Dites-moi si je vous fais mal.

Du bout des doigts, il traça un cercle autour du bourgeon sensible avant de le prendre et de le tirer doucement.

Eve se raidit comme si elle avait reçu un coup de fouet.

— Eve ?

Elle ne pouvait répondre tant le plaisir qui envahissait son corps sous la caresse de Reno l'empêchait de penser ou de parler. La seule réponse qu'elle put lui donner prit la forme d'une respiration saccadée, d'un gémissement retenu et d'une pluie odorante.

C'était suffisant. Reno comprit qu'Eve le désirait aussi intensément qu'il la désirait.

De nouveau, il enfonça lentement son doigt en elle pour le simple plaisir de sentir à quel point elle voulait ce qu'il pouvait lui donner. L'élan chaleureux de sa réaction se collait à lui, frémissant dans la lumière vague, l'étourdissant avec le jaillissement de son propre sang dans ses veines. Il changea de position pour amener sa chair en érection très près d'elle, poussant légèrement, mettant à l'épreuve sa capacité à le prendre.

L'épreuve était aussi une caresse. Eve laissa échapper un son d'émerveillement tandis que le plaisir ondulait en elle. Une chaleur sensuelle se répandit sur la chair violemment excitée de Reno, lui soutirant un grognement saccadé. Ses hanches bougèrent instinctivement puis écartèrent les chauds pétales à la recherche d'une union encore plus profonde.

Eve ouvrit les yeux pendant que la pression s'intensifiait entre ses jambes alors que le corps de Reno écartait ses lèvres d'un mouvement doux et mesuré qui contrastait avec les traits durs de son visage.

— Dites-moi, fit-il d'une voix rauque.

Il aurait voulu exprimer davantage, mais il ne le pouvait pas. Il sentait Eve trop intensément : une chaleur lisse, une pluie sensuelle et un glissement amoureux de la chair contre la chair. Elle le sentait de la même façon, ses yeux lourds l'observant pendant qu'il la prenait et se donnait à elle dans le même mouvement délibéré.

Reno n'avait jamais connu une union aussi sensuelle d'un corps avec un corps, d'une chaleur avec une chaleur, d'un souffle avec un souffle. Il n'y avait aucun obstacle, aucun cri de douleur, aucune tentative soudaine du corps d'Eve pour l'écarter.

Elle céda devant lui comme un orage d'été, l'attirant et l'entourant tandis qu'il se pressait au plus profond d'elle. Peu importe à quel point il l'explorait, il n'y avait qu'une chaleur liquide et un resserrement satiné qui le caressait en secret et lui enseignait ce que cela signifiait d'être complètement et passionnément uni à une femme.

La sensualité de cette lente pénétration était si intense qu'il faillit s'y perdre. Le sang filait dans ses veines, le remplissant jusqu'à ce qu'il croie être sur le point d'exploser ou de mourir.

– Eve… Reno avait du mal à parler.

Elle l'entendit et sut qu'il essayait de lui demander si elle avait mal. Elle aurait répondu si ce n'avait été de cette lente pénétration qui la transformait.

Des anneaux de feu pulsèrent à partir de l'endroit où son corps se joignait au sien. Les minuscules convulsions provoquèrent en elle un plaisir si grand qu'elle ne pouvait que s'y abandonner et s'abandonner à l'homme qui faisait si profondément partie d'elle qu'elle sentait distinctement chaque pulsation soyeuse. Et avec chaque pulsation, il y avait une pluie sensuelle qui lui facilitait la tâche davantage, l'attirant, l'accueillant et le caressant profondément.

Reno sentit sa maîtrise se dissiper devant les douces cadences du plaisir d'Eve. Il s'enfouit en elle deux fois avant que l'incendie se déclenche en lui. Il se cabra dans sa chaleur accueillante et s'abandonna à elle dans un élan frémissant qui les laissa épuisés.

Le poids du corps de Reno contre celui d'Eve provoqua en elle une autre vague de passion. Elle émit un profond son de gorge et se tordit contre lui tandis que son corps se trouvait empalé sur un glaive d'extase. La pression sinueuse et coulante d'Eve sur sa chair enfouie en elle fit jaillir des langues de feu à travers le corps de Reno. Il bougea lentement en elle et savoura sa réaction chatoyante. Il la regarda puis bougea de nouveau en prenant plaisir à entendre ses cris de gorge et en jouissant de son corps qui fondait autour de lui. Il n'avait jamais connu une femme qui apprécie si clairement sa présence en elle. Il n'avait jamais deviné à quel point il pouvait être satisfaisant d'observer ses plus petits mouvements transformés en des pulsations féminines sensuelles et en un plaidoyer silencieux pour obtenir davantage de lui. Il n'avait jamais su non plus de quoi son propre corps était capable — la transformation précipitée et sans cesse renouvelée, les douces aiguilles de feu qui le piquaient délicatement et profondément jusqu'à ce qu'il soit consumé par un désir encore plus doux parce qu'il avait été allumé pendant qu'il se trouvait complètement en elle.

— J'espère que vous avez raison quand vous dites avoir plusieurs vies, *gata*.

Les cils d'Eve se soulevèrent, montrant des yeux encore brillants de plaisir.

— Qu'est-ce que… ? demanda-t-elle d'un ton rauque.

Sa voix se brisa avant qu'elle puisse terminer sa question, car Reno bougeait lentement en elle, la remplissant.

— Aimez-vous ça ? demanda-t-il en se retirant et en revenant de nouveau.

— Dieu du ciel, oui.

— Ça ne vous fait pas mal ?

Eve lui répondit par un petit rire. Ses mains caressèrent le dos de Reno sur toute sa longueur. Elle s'arrêta un instant pour faire courir ses doigts sur les poils soyeux au bas de son dos avant qu'ils descendent jusqu'à ses fesses. Les muscles tendus l'intriguèrent, tout comme l'inspiration rapide et déchirante qu'il prit quand sa main glissa entre ses cuisses. Elle répéta la caresse, provoquant chez lui un autre frisson.

— Arrêtez, dit Reno en ramenant la main d'Eve sur sa hanche.

— Vous n'aimez pas ça ?

— Beaucoup trop, admit-il. Gardons ça pour la prochaine fois.

— La prochaine fois ?

— Oui, *gata*. La prochaine fois. Je pourrais en avoir besoin à ce moment-là, mais certainement pas maintenant.

— Je ne comprends pas.

Reno remua de nouveau en elle, la caressant et l'écartant dans le même geste.

— Si je deviens le moindrement plus dur, ça se terminera trop tôt. Je veux que cette fois se prolonge longtemps, très longtemps.

— Oh !

Il se pencha et posa sa joue contre la sienne. La chaleur de sa peau le surprit.

— Rougissez-vous ? demanda-t-il.

Eve enfouit son visage dans le cou de Reno et lui frappa légèrement l'épaule de son poing.

— Comment une personne peut-elle s'abandonner à ce point tout en étant si timide… ?

La voix de Reno se transforma en un rire tranquille.

— Oubliez ça. Vous allez le surmonter.

Un commentaire étouffé lui apprit qu'elle en doutait.

— Regardez-moi, ma belle.

Quand elle secoua la tête, il souleva doucement son visage de son épaule.

— Petite fleur timide, dit-il en déposant de minuscules baisers sur son visage empourpré. Si vous saviez à quel point il existe peu de femmes comme vous, vous ne rougiriez pas.

Il vit l'éclat des yeux d'Eve quand elle le regarda à travers ses cils.

— Et c'est vrai, souffla-t-il contre ses lèvres.

— Je ne suis qu'une...

Ce qu'elle allait dire se perdit dans la lente pénétration de la langue de Reno jusqu'à ce qu'il remplisse sa bouche comme il avait rempli son corps. Le petit cri de gorge qu'elle émit le toucha à la façon dont une allumette touche la paille sèche. Il s'écarta et revint dans son corps avec une maîtrise exquise, prenant la mesure de chacun d'eux simultanément, intimement, avant de se retirer de nouveau.

En prononçant le nom de Reno, Eve bougea les hanches pour essayer de le retenir.

— Vous me faites me sentir comme l'homme qui a été le premier à découvrir le feu, dit-il d'une voix basse en l'observant.

Il se balança lentement contre elle, la couvrant de tout son corps, bougeant à la cadence délibérée d'un orage qui a l'éternité pour se former et éclater.

— Vous avez mal ? demanda-t-il doucement.

Elle répondit par un long soupir de plaisir.

— Dites-moi si je vous fais mal, insista-t-il.

Il bougea d'un mouvement fluide, fit glisser ses bras sous les genoux d'Eve en pliant et en relevant ses jambes, qu'il ramena doucement contre son corps en un geste lent, les joignant plus étroitement qu'elle l'aurait cru possible.

— Eve ? murmura-t-il.

— Dieu du ciel, fit-elle en frissonnant de plaisir.

Pendant que Reno bougeait, un étau doux et chaleureux se referma autour d'elle, et elle éprouva une brûlure si douce qu'elle ne s'en rendit compte qu'après l'avoir ressentie. Un long frémissement commença à l'envahir, et elle eut envie de rire et de pleurer en même temps.

Reno se retira, emportant avec lui la pression sensuelle.

— Non, dit Eve.

— Je pensais que je vous faisais mal.

— Seulement quand vous êtes sorti.

Elle poussa un petit gémissement quand Reno se retourna lentement, se balança contre elle puis s'écarta aussi délibérément qu'il l'avait prise. Le frémissement fantomatique revint, des vagues de feu délicates qui la brûlaient tendrement.

— Je pense… murmura Eve.

Il bougea de nouveau, et les flammes la léchèrent doucement, lui ravissant sa voix.

— À quoi pensez-vous ? demanda-t-il.

— Je pense… qu'une femme… a découvert le feu, dit Eve. Avec vous…

Le tendre feu jaillit, la consumant.

Reno entendit les échos de l'extase dans la voix d'Eve, la sentit dans le frémissement cadencé de son corps et voulut crier son triomphe aux étoiles.

Mais il n'avait plus de souffle pour crier, car les flammes qu'il avait déclenchées en elle s'étendaient et se répandaient sur lui dans les rythmes soyeux de sa jouissance.

Il se tint parfaitement immobile pendant qu'il luttait contre le besoin de se joindre à elle dans l'extase. Il ne voulait pas que ça se produise tout de suite, pas avant qu'il ait complètement exploré les profondeurs de sa capacité à réagir à lui.

La tentation du corps d'Eve était trop grande pour qu'il puisse l'écarter. Quand elle se tordit lentement et à répétition contre lui, Reno sentit le monde éclater en une série de douces explosions. En murmurant involontairement son nom, il jouit un battement de cœur à la fois, se donnant à elle en une longue vague ondulante de feu.

Eve retint son souffle puis exhala, émerveillée, pendant qu'elle tenait Reno et savourait le doux frémissement de son corps. Durant de longues et tendres minutes, ses doigts minces caressèrent son dos et ses épaules. Sa largeur et sa puissance étaient évidentes même en ce moment, alors qu'il gisait la tête entre ses seins, respirant lentement, complètement détendu.

Elle sourit et caressa son dos avec de lents mouvements de ses mains, jouissant de sa force et du fait de savoir qu'elle n'avait jamais été aussi proche de quiconque. C'était davantage que le simple entrelacement de leurs corps. Elle aimait Reno comme elle n'avait jamais aimé quelqu'un d'autre dans sa vie. Elle comprit qu'elle avait exprimé ses pensées à voix haute quand Reno leva la tête et la tourna en caressant ses seins avec sa joue pendant qu'il parlait.

— L'amour est une illusion, ma belle, dit-il. Mais pas la passion.

Elle sentit le lent passage de la langue de Reno sur ses mamelons. À chaque mouvement délicieux, le corps de Reno bougeait en elle, redoublant l'effet de ses caresses. Une réaction chaleureuse la traversa, et son souffle se brisa de manière audible.

Reno entendit la réaction d'Eve et la sentit dans le lent soulèvement de ses seins. Le rire qui s'empara de lui était velouté, sombre, exultant.

— La passion est très réelle, dit-il en mordillant délicatement les mamelons durcis d'Eve. Nous sommes excellents ensemble, vous et moi. Bon sang, nous sommes encore mieux que ça. Il n'y a pas de mot pour exprimer ce que nous avons quand nous sommes comme ça.

— Qu'est-ce que vous voulez dire ? murmura-t-elle.

— Petite fille innocente, souffla-t-il en absorbant le tendre frémissement de sa chair pendant que ses dents glissaient doucement sur elle. Vous ne le savez même pas, n'est-ce pas ?

— Quoi ?

— *Ceci.*

Ses hanches bougèrent, et il s'enfonça en elle comme s'il voulait fusionner leurs corps en un tout. Elle réagit en poussant un cri étouffé et en agitant impatiemment ses hanches. Il éclata de rire avec un pur plaisir puis se tordit à son tour contre elle et écouta son nom s'envoler rapidement de ses lèvres.

— Oui, dit-il. C'est moi. Encore. Mais ne me le reprochez pas, *gata.* Je n'ai jamais connu ça de toute ma vie.

Une autre torsion, un autre cri et une autre vague sensuelle s'abattirent à travers Eve et sur Reno, alimentant sa passion, le stimulant, l'exhortant à la stimuler elle aussi encore davantage.

Il bougea lourdement, n'épargnant à Eve rien de sa puissance, et elle n'en demandait pas moins. Elle s'agita en cadence avec lui, impatiente, accueillant sa force avec une grâce fluide, son appétit avec son désir, son feu avec son brasier. Quand la sueur perla sur la peau d'Eve, il pencha la tête et lécha les gouttes salées, mordit la chair qui se pressait pour devenir une partie de lui. Il séduisit ses seins avec ses dents et sa langue, exigeant et recevant un bourgeon durci de chacun pendant que ses hanches se mouvaient avec acharnement, exigeant un genre différent de floraison.

Sa main glissa entre leurs corps brûlants jusqu'à ce qu'il trouve son bourgeon satiné. Il traça des cercles autour, pressa ses doigts contre lui avec une délicatesse renversante.

– Qu'est-ce que vous… ? dit Eve d'une voix brisée. Mon Dieu… *Reno.*

L'extase explosa en elle avec la force d'un coup de poing, arquant son corps pendant que des courants terribles la traversaient et la stimulaient encore davantage. Il la tint ainsi, sauvage et frémissante, pendant qu'il se mouvait sur elle et en elle inexorablement, chevauchant la passion féroce qu'il avait suscitée chez elle. Il ponctuait chaque lourde pénétration d'une caresse durement retenue qui exigeait tout d'elle pendant qu'il tirait le délicat bourgeon jusqu'à ce qu'il commence à s'épanouir, un sombre pétale à la fois.

Eve poussa un cri quand son corps connut une jouissance qui n'avait ni commencement ni fin, la brisant en un millier de morceaux et la transformant. S'il était resté en elle assez d'espace pour la peur, elle aurait été terrifiée. Mais il n'y avait d'espace que pour le corps pressant de Reno et pour les paroles de désir et les exigences qu'il déversait sur elle.

Elle hurla en s'abandonnant, enfonçant ses ongles dans son dos pendant qu'elle tendait son corps comme un arc et succombait à la douce violence qu'il avait générée en elle.

Le sourire de Reno était aussi sauvage que le cri d'Eve. Il se tint parfaitement immobile, absorbant dans sa force son violent tremblement. Quand elle s'immobilisa de nouveau, il pencha la tête, fit glisser ses dents sur son épaule en une caresse féroce et recommença à se mouvoir en elle.

Eve émit un hoquet quand la passion s'empara de nouveau de son corps.

– *Reno.*

– Je vous avais prévenue, répondit-il d'une voix basse. Nous ferons ça jusqu'à ce que nous ne puissions même plus nous lécher les lèvres.

Reno bougeait puissamment, tirant la nuit autour d'eux comme un manteau de feu noir.

Et comme le feu, ils se consumèrent.

18

Le fouillis de rochers, de sable et de buissons coriaces semblait s'étendre à perte de vue dans toutes les directions, mais Reno savait que ce n'était pas le cas. Ce n'était qu'une autre immense marche dans la longue descente des Rocheuses jusqu'à un endroit à plus de 150 kilomètres à l'ouest, où le mystérieux et puissant Colorado sinuait invisiblement entre des berges de pierre.

Si ce n'était pas de Slater qui plane toujours à l'horizon comme un vautour, je serais heureux de camper près de l'eau fraîche et d'y rester pendant quelques semaines, se dit-il.

Ou quelques mois.

Reno sourit ironiquement. Pour la première fois de sa vie, il n'était pas vraiment pressé de trouver un trésor espagnol. Il ressentait beaucoup trop de plaisir à faire d'autres explorations, à cartographier le territoire inconnu d'une double sensualité à la fois sauvage et sublime, violente et tendre, exigeante et sans cesse renouvelée. Il ne voulait pas que cela se termine avant que tous deux aient bu ce vin enivrant jusqu'à la dernière goutte. C'est alors qu'il se rappela ses propres paroles :

« Jusqu'à ce que nous trouvions la mine, vous serez ma femme chaque fois que je le désirerai et de n'importe quelle façon. »

Eve avait respecté sa part du marché avec une générosité qui était aussi inattendue et dévorante que la douce violence de leurs corps réunis. L'idée de ne plus jamais tendre la main vers elle dans l'obscurité le perturbait. Chaque fois que cette pensée lui venait, il la repoussait.

À chaque jour suffit sa peine.

Le vieil adage se répercuta dans le silence de l'esprit de Reno. Il n'avait rien contre. Il avait déjà assez de problèmes pour cette journée ou n'importe quelle autre.

Maintenant, la rumeur de la présence d'un homme et d'une femme chevauchant le long du labyrinthe de pierre devait s'être répandue à travers les canaux mystérieux et efficaces qui existaient à travers tout l'Ouest, là où les étrangers se rencontraient à un point d'eau ou à un carrefour ou partageaient une tasse de café devant un minuscule feu de camp.

J'espère que Rafe n'a pas oublié les vieux signes que nous avions l'habitude de nous laisser quand nous chassions pendant notre enfance.

J'espère que Wolfe a entendu dire que je me trouvais ici avec une femme à la recherche d'or. Il connaît la région. Il saura que j'ai besoin d'un homme brave pour couvrir mes arrières si je trouve la mine.

Foutu Slater et son pisteur métis au regard d'aigle. N'importe qui d'autre aurait abandonné une semaine plus tôt.

Le lendemain soir, Reno et Eve campaient au bas d'une formation de grès rouge qui s'élevait contre le ciel comme une voile taillée dans un seul morceau de pierre. Très haut sur la paroi, la pierre s'était usée plus rapidement qu'à d'autres endroits de la formation. Il en était résulté une fenêtre sertie comme un joyau dans le mur de pierre solide. Un rayon de lumière du soleil couchant perçait l'ouverture, faisant briller tout ce qu'il touchait d'une couleur dorée des plus profondes.

Toutefois, encore plus renversant qu'une fenêtre dans la pierre, il y avait le murmure étouffé de l'eau fraîche tout près. Ils avaient grimpé hors du labyrinthe et traversé une fois de plus un paysage où les montagnes étaient suffisamment proches pour qu'ils puissent en discerner chaque sommet. Ils avaient dressé leur campement entre une série de courbes ensoleillées de la rivière.

Reno avait eu raison à propos de la réaction d'Eve en atteignant l'eau après avoir chevauché à travers un désert pierreux. La première fois qu'elle aperçut un filet d'eau coulant au milieu d'une vallée aride, elle avait parlé avec excitation de se rendre de nouveau à une « rivière ». Reno l'avait taquinée à ce sujet, mais il n'avait pas soulevé d'objection quand elle avait demandé de camper à l'endroit où le petit cours d'eau se dispersait en une série de bassins chauffés par le soleil et bordés de peupliers de Virginie à travers lesquels le vent murmurait.

Au crépuscule et à l'aube, la terre ressemblait à l'illustration d'un conte mythique tiré d'un livre que les hommes ne savaient plus lire. Et Eve se demanda si elle avait débouché sur une contrée enchantée où le temps s'était immobilisé.

— On dirait que c'est ici depuis toujours, dit-elle.

Reno suivit son regard jusqu'à la fenêtre dorée que le temps avait sculptée dans la pierre.

— Rien ne dure éternellement, dit-il. Pas même la pierre.

Eve le regarda puis tourna les yeux vers la voile de pierre qui s'élevait de manière improbable contre le ciel infini.

— On le dirait, fit-elle doucement.

— L'apparence ne compte pas beaucoup. Cette fenêtre s'élargit un peu plus chaque jour quand le vent cisèle l'une après l'autre les parcelles de grès, dit Reno.

Eve écouta et comprit le sous-entendu derrière les paroles, à savoir que le changement survenait qu'on le veuille ou non.

— Un jour, cette petite fenêtre pourrait être une grande arche, dit Reno. Puis l'arche s'usera tellement au fil du temps qu'elle s'effondrera en laissant un creux derrière dans le mur rocheux. Puis le vent et la pluie l'approfondiront et l'élargiront jusqu'à ce qu'il n'en reste rien d'autre que des gravats rouges sous le ciel bleu.

Eve frissonna.

— Je ne peux pas imaginer cette terre usée à ce point.

— C'est de là qu'est d'abord venu le grès, dit Reno en regardant l'immense mur rouge. Il provient des montagnes qui ont été usées — un grain à la fois. Le tout a été empilé par le vent dans les anciennes dunes entraînées par des mers si vieilles que même Dieu les a oubliées.

Le ton inhabituel de Reno fit détourner le regard d'Eve des formations rocheuses fantastiques. Immobile, elle l'observa tandis qu'il observait la terre et parlait calmement de milliers d'années inimaginables devenant éternité.

— Puis le sable est redevenu pierre, dit-il, et la terre a bougé. Et de nouvelles montagnes ont surgi dans le ciel pour être usées par de nouveaux vents, de nouveaux orages, de nouveaux cours d'eau coulant vers de nouvelles mers.

– « Les cendres aux cendres, la poussière à la poussière… » murmura Eve.

– C'est ainsi que va le monde, ma belle. Les fins et les commencements tous entremêlés, comme les pictogrammes sur les murs d'un canyon, les Indiens, les Espagnols et nous. Des symboles différents, des gens différents, des époques différentes.

Lentement, Eve regarda de nouveau la pierre rouge qui semblait si massive et éternelle. Puis elle se tourna vers l'homme qui refusait de reconnaître que quoi que ce soit puisse durer, même la pierre.

Ou l'amour.

Pendant que Reno et Eve suivaient la vieille piste espagnole, chaque vallée ou cuvette qu'ils traversaient comportaient plus d'eau et moins de roches que les précédentes. La montée était si graduelle que les gens qui la parcouraient n'en prenaient conscience qu'à de rares points de vue où ils pouvaient se retourner et regarder en bas vers le labyrinthe de pierre.

Lentement, les buissons de sauge cédèrent le pas à des forêts de pins à pignons, et ceux-ci laissèrent place à des pins. Les falaises rouges disparaissaient tandis que le grès était remplacé par différentes couches de roches qui avaient surgi des profondeurs de la terre où la chaleur transformait le grès en quartzite et le calcaire en marbre.

Une seule chose ne changeait pas. Chaque fois que Reno regardait sur la piste qu'ils venaient de parcourir, il y avait un mince nuage de poussière à des kilomètres derrière eux.

– Quelqu'un nous suit encore, dit-il en rangeant la lunette d'approche.

— Slater ? demanda Eve d'un air triste.

— Ils soulèvent beaucoup de poussière, alors il s'agit des hommes de Slater ou d'une bande d'Indiens hostiles.

— Tout un choix, marmonna Eve.

Reno haussa les épaules.

— Je pense plutôt qu'il s'agit de Slater. Nous n'avons rien que les Indiens veuillent suffisamment pour qu'ils passent deux jours à nous suivre.

— Allons-nous essayer de les semer ?

— Pas le temps, répondit sans ménagement Reno. Vous voyez ces plaques jaunes en haut des flancs de montagnes ?

Eve acquiesça de la tête.

— Les trembles changent de couleur, dit-il. Je parierais que ces nuages là-bas vont laisser un peu de neige sur les hauteurs ce soir.

— Combien de temps avons-nous avant que tout soit bloqué par la neige ?

— Dieu seul le sait. Certaines années, les hauteurs se ferment pendant la première semaine de septembre.

Eve laissa échapper un hoquet de surprise.

— Mais nous ne sommes plus en septembre, maintenant !

— Et d'autres années, elles peuvent rester ouvertes jusqu'à l'Action de grâce et même plus tard, ajouta Reno.

Eve poussa un soupir de soulagement.

— Alors, tout va bien pour nous.

— Ne comptez pas là-dessus. Une tempête peut faire monter la neige jusqu'à la poitrine d'un cheval du Montana en une seule nuit.

Eve se souvint des avertissements dans le journal à propos des courts étés et des hivers longs et brutaux dans la région autour de la mine. Don Lyon pensait que si les Indiens n'avaient pas tué ses ancêtres, les montagnes l'avaient fait.

– Ces montagnes ne vont pas facilement céder leur or, poursuivit Reno comme s'il lisait les pensées d'Eve.

– Si son exploitation était facile, quelqu'un d'autre aurait vidé la mine des Lyon depuis longtemps, souligna-t-elle.

Reno se tenait sur ses étriers et regardait de nouveau la piste derrière eux.

– Pourquoi Slater reste-t-il loin ? demanda Eve.

– Je soupçonne que la cupidité du vieux Jericho l'a finalement emporté sur son désir de vengeance, répondit sèchement Reno.

– Qu'est-ce que vous voulez dire ?

– Il ne croyait pas vraiment que le journal menait à une vraie mine d'or.

– Raleigh King le croyait.

– Raleigh King était un vantard, une brute et un idiot. Jericho n'attachait aucune importance à ce qu'il pensait. Mais à peu près au moment où nous avons passé l'inscription en espagnol sur la piste, Jericho doit avoir commencé à réfléchir.

– À l'or, dit Eve d'un air sombre.

Reno acquiesça.

– Mais il ne peut pas déchiffrer les signes alors que nous le pouvons. Il ne peut pas trouver la mine, mais nous le pouvons.

Elle tourna tristement le regard vers la piste.

– Et même si ses Comancheros peuvent déchiffrer les inscriptions, poursuivit Reno, je parie que Jericho s'est mis à penser au fait que c'est difficile d'extraire de l'or.

— Ça ne l'a pas fait abandonner.

— Non. Il va seulement attendre que nous trouvions la mine et accumulions un paquet d'or, dit Reno. Alors, il va fondre sur nous comme un vent du nord.

Le silence descendit après les paroles calmes de Reno.

Finalement, Eve demanda d'une voix douce :

— Qu'est-ce que nous allons faire ?

— Trouver la mine et l'or, puis espérer de tout notre cœur que Cal, Wolfe ou Rafe entendent parler de Slater avant qu'il s'impatiente et nous tue. Et au diable l'or.

— Et pourquoi Caleb ou l'un des autres hommes nous seraient-ils utiles ? Nous ne serions que trois contre je ne sais combien d'hommes de Slater.

— Il a au moins deux hommes qui nous suivent en éclaireurs, et d'après la poussière qu'ils soulèvent, les autres sont une douzaine. Et plus longtemps ils restent sur la piste, plus la rumeur se répand. Mais il a triplement remplacé les hommes qu'il avait perdus dans cette embuscade.

— Croyez-vous qu'il y ait la moindre chance que Caleb nous suive ?

— Plus qu'il y en a que nous trouvions l'or espagnol, répondit brièvement Reno.

— Comment saura-t-il où nous sommes ? demanda Eve.

— Les nouvelles voyagent vite sur une terre sauvage, et Cal est le genre d'homme qui écoute.

— Alors, Slater pourrait savoir que d'autres personnes nous suivent aussi.

— C'est possible, acquiesça Reno.

— Vous ne paraissez pas préoccupé.

— Cal ne me cherche pas pour me tuer, dit Reno. Slater connaît Cal comme étant l'Homme de Yuma. Il sera vraiment en colère s'il apprend qu'il est sur sa piste. Cal, Wolfe et moi avons abattu son frère jumeau dans une fusillade. Un homme plus futé ou moins méchant que Jericho Slater aurait tiré une leçon de ce qui est arrivé à Jed.

Deux jours plus tard, Eve surveillait encore aussi souvent la piste derrière eux et celle qui se trouvait devant. Une main protégeant ses yeux du soleil sous le rebord de son chapeau, elle se leva sur ses étriers et regarda la route qu'ils venaient de parcourir.

Elle crut apercevoir une sorte de brouillard dans l'air loin derrière eux, où les monts Abajo commençaient à s'élever à partir de la dernière marche du labyrinthe de pierre, mais il était difficile d'en être certain. Dans l'air sec, on pouvait voir à 100 ou 150 kilomètres. À cette distance, les choses plus petites que les montagnes et les mesas avaient tendance à se fondre en une masse indistincte.

Le léger brouillard qu'elle croyait voir pouvait avoir été causé par une horde de chevaux sauvages qui avaient été surpris par un autre animal et qui étaient partis au galop en laissant derrière eux un nuage de poussière. Un vague obscurcissement de l'air aurait pu également être causé par le vent soufflant la poussière, mais c'était sous un des amas de nuages bleu noir qui s'avançaient au-dessus de la terre. La poussière et la pluie se côtoyaient rarement. C'étaient peut-être simplement ses yeux qui lui jouaient des tours à force de regarder sans arrêt au loin à la recherche d'une chose qui pourrait être ou ne pas être là.

Ou ce pouvait être Slater et sa bande poursuivant Reno et Eve avec une patience énervante.

Eve cessa de regarder derrière elle.

Elle éprouva un frisson de plaisir en regardant Reno s'approcher. Il l'appelait *gata,* mais c'était lui qui bougeait avec une rapidité et une grâce félines dans tout ce qu'il faisait.

Avant même qu'il parle, elle sentit son enthousiasme à la façon dont il se tenait. C'était une différence que peu de gens auraient remarquée, mais elle en était venue à bien le connaître pendant les longues journées et les nuits passionnées sur la piste.

– Qu'avez-vous trouvé ? demanda-t-elle avant que Reno ouvre la bouche.

– Qu'est-ce qui vous fait penser que j'ai trouvé quelque chose ? demanda-t-il en arrêtant sa jument près de la sienne.

– Ne me faites pas languir, dit-elle avec impatience. Qu'est-ce que c'est ?

Reno lui sourit et enfouit une main dans une sacoche de selle. Quand elle en sortit, il tenait un morceau de bois sculpté enveloppé dans du cuir craquelé par le temps et la sécheresse et rendu presque blanc par le soleil.

Eve regarda l'objet dans la paume de Reno, puis elle leva les yeux sur lui, étonnée qu'il soit si enthousiaste. En souriant, il passa son bras autour de son cou et la tira vers lui pour un bref et tendre baiser avant de la relâcher et d'expliquer :

– C'est un morceau d'étrier, dit-il. Les Espagnols ne se servaient pas toujours d'étriers en fer. Celui-là a été sculpté dans le bois dur d'un arbre qui a poussé à des milliers de kilomètres d'ici.

Eve toucha le morceau d'étrier en hésitant. Quand ses doigts effleurèrent le bois lisse et usé par les années, elle sentit un étrange frisson le long de sa colonne, envahie par l'émerveillement et la curiosité.

— Je me demande si l'homme qui s'en est servi était un prêtre ou un soldat, dit-elle. S'appelait-il Sosa ou Leon ? Est-ce qu'il a écrit dans le journal ou regardé pendant qu'un autre homme écrivait ? Avait-il une femme ou des enfants en Espagne ou au Mexique ? Ou s'était-il consacré à Dieu ?

— Je me posais les mêmes questions, fit Reno. On peut se demander si dans deux siècles, quelqu'un trouvera cet anneau de sangle brisé que nous avons laissé près des cendres du feu de camp hier et s'il se demandera qui est passé là et quand et pourquoi et si nous savions d'une manière ou d'une autre que quelqu'un penserait à nous des centaines d'années après notre mort.

Eve frissonna de nouveau et retira sa main.

— Peut-être que Slater trouvera l'anneau de sangle et l'utilisera pour le tir à la cible, dit-elle.

Reno releva brusquement la tête.

— Avez-vous vu un indice de lui et de sa bande ?

— Je ne peux pas en être sûre, dit Eve en pointant un doigt derrière elle. C'est tellement loin.

Reno se dressa sur ses étriers et regarda la piste. Après une longue minute, il se rassit et regarda Eve.

— Tout ce que je vois dans cette direction, ce sont quelques nuages d'orage qui essaient d'éclater, dit-il.

— J'ai pensé que ce pouvait être le vent qui soulevait la poussière, dit-elle, mais les nuages se trouvaient exactement au-dessus de cet endroit, et l'obscurité semblait s'étendre presque jusqu'au sol. La pluie et la poussière ne se mêlent pas.

— Elles le font ici. En été, il fait si chaud et l'air est si sec que la pluie d'un petit orage comme celui-là n'atteint jamais le sol. Les gouttes s'assèchent simplement dans l'air et disparaissent.

Eve tourna les yeux vers les nuages. Ils avaient la couleur de l'ardoise à la base et étaient beiges au sommet. Un voile incliné et échancré d'un gris plus pâle se dessinait au bas du petit orage.

Plus elle regardait, plus elle était certaine que Reno avait raison. Le voile s'amincissait de plus en plus à mesure qu'il approchait du sol. Quand il atteignait la surface du sol, il n'y avait plus aucune humidité.

— Une pluie sèche, se dit Eve d'un air songeur.

Reno lui lança un regard oblique.

Quand elle se rendit compte qu'il la fixait, elle lui adressa un étrange sourire doux-amer.

— Ne vous inquiétez pas, mon cher. Vous êtes en sécurité. J'ai vu des navires de pierre et une pluie sèche, mais même la plus faible lumière projette une ombre.

Avant que Reno puisse trouver une réplique, Eve éperonna sa jument, s'enfonçant plus profondément dans les montagnes à la recherche de la seule chose sur laquelle pouvait compter l'homme qu'elle aimait.

L'or.

Pendant deux autres jours, ils suivirent une piste si ancienne qu'elle n'apparaissait que du coin de l'œil ou très tard dans la journée, quand les derniers rayons du soleil l'éclairaient et qu'elle prenait la couleur du trésor espagnol. Plus ils s'élevaient dans les montagnes, plus les vallées qu'ils traversaient s'amenuisaient et devenaient escarpées. Chaque après-midi, le tonnerre roulait à travers les montagnes pendant que des sommets consécutifs accueillaient la danse élémentaire des éclairs. La pluie survenait, froide et drue, coulant des arbres en des franges de dentelle argentée.

Entre les orages, les trembles sur les plus hautes pentes levaient leurs branches dorées comme des torches vers le ciel indigo. Les cerfs et les orignaux abondaient, des fantômes brunâtres qui disparaissaient devant les chevaux. Il y avait de nombreux ruisseaux d'une pureté renversante qui remplissaient les ravins ombragés de leur musique. Seules les pistes du gibier étaient visibles. Il n'y avait aucune trace de chevaux sauvages ou d'hommes, car il n'y avait rien sur les pentes abruptes ou dans les canyons de montagnes qu'on ne pouvait trouver plus facilement à de plus basses altitudes.

Quand Reno et Eve parvinrent à la dernière haute vallée qu'avaient décrite le chamane et le journal espagnol, ils la traversèrent silencieusement en regardant tout autour.

Il n'y avait aucun indice de la présence de la mine perdue de Cristobal Leon.

19

— Il est difficile de croire que nous ne sommes pas les premières personnes à voir cette terre, dit Eve pendant qu'ils revenaient à l'entrée de la petite vallée.

— On a cette impression, acquiesça Reno, mais il y a beaucoup de signes indiquant que des hommes sont passés par ici.

Il arrêta sa jument, fit passer sa jambe droite autour du pommeau de la selle et leva de nouveau sa lunette d'approche, mais pas pour regarder le pré. Lentement, il parcourut du regard le mélange de verts de la forêt et du pré qui descendaient jusqu'aux terres arides en contrebas, cherchant un indice de la présence des hommes qui, il en avait la certitude, les suivaient. L'étui d'étain de la lunette chatoyait faiblement chaque fois qu'il l'orientait dans une direction ou dans une autre.

— Quels signes ? demanda Eve au bout d'une minute.

— Vous voyez cette souche au bord du pré, droit devant cette grande épinette ?

Eve regarda.

— Oui.

— Si vous vous en approchez suffisamment, vous verrez des marques de hache.

— Les Indiens ? fit-elle.

— Les Espagnols.

— Comment pouvez-vous en être certain ?

— Ce sont des marques de hache en acier, et non en pierre.

— Les Indiens ont des haches d'acier, dit Eve.

— Ils n'en avaient pas quand cet arbre a été abattu.

— À quoi le voyez-vous ?

Reno abaissa la lunette et se tourna vers Eve. Il en était venu à apprécier sa curiosité et son esprit vif tout autant que sa grâce féline.

— Les racines de cette grande épinette ont poussé autour de l'arbre tombé qui a laissé cette souche, dit Reno. Puisque l'épinette se trouvait là depuis longtemps, l'arbre doit y avoir été depuis encore plus longtemps.

— Pourquoi quelqu'un se donnerait-il la peine d'abattre un arbre sans le prendre ?

— Ils ont probablement été forcés de partir à cause de la température, des Indiens ou encore des nouvelles disant que le roi d'Espagne avait trahi les jésuites. Et ils ne pouvaient pas envisager de retourner chez eux enchaînés.

Il secoua les épaules.

— Ou peut-être qu'ils ne voulaient que le sommet de l'arbre pour s'en servir comme couverture ou pour fabriquer une échelle à poulet pour la mine.

Eve fronça les sourcils.

— Qu'est-ce qu'une échelle à poulet ?

— Si nous pouvions trouver cette fichue mine, je pourrais probablement vous en montrer une, grogna Reno en ramenant la lunette devant son œil.

– Si vous arrêtiez de surveiller nos arrières, peut-être que vous trouveriez la mine, dit-elle sèchement.

D'un geste impatient, Reno referma la lunette et se redressa sur sa selle.

– Il n'y a personne derrière, dit-il.

– Vous devriez vous en réjouir.

– Je serais bien plus heureux si je savais où ils sont.

– En tout cas, ils ne peuvent pas être en train de préparer une embuscade devant, souligna Eve. Il n'y a qu'un seul chemin qui mène dans cette vallée.

– Ce qui signifie qu'il n'y en a qu'un seul pour en sortir.

Au loin, le tonnerre gronda dans au-dessus d'un sommet dissimulé par les nuages. Le vent serpentait dans la forêt comme une rivière invisible, agitant tout sur son passage. L'air sentait les conifères, et un froid automnal descendait des hauteurs, chevauchant la crête d'une vague dorée de trembles.

Reno regarda autour de lui, ses yeux verts plissés. Il était dérangé par quelque chose qu'il n'aurait pu vraiment définir à propos de la haute vallée.

Eve bâilla, ferma les yeux puis les ouvrit à moitié, réjouie par les riches couleurs de la lumière de fin d'après-midi et le fait de savoir qu'ils allaient camper bientôt. Elle regarda paresseusement autour d'elle en essayant de deviner si Reno choisirait cet endroit pour camper ou s'il poursuivrait sa route au-delà de la vallée pour voir s'il y avait un chemin à travers les sommets.

Un étrange motif végétal attira son attention dans le pré : des plantes disposées en un cercle presque parfait. Elle savait que les objets naturels étaient rarement géométriques. C'était l'homme, et non la nature, qui avait inventé les jardins aux courbes précises et aux angles droits, de même que les haies taillées dans des formes improbables.

L'étendue circulaire de plantes se trouvait près de plusieurs petites sources formant le cours supérieur de l'embranchement du ruisseau qui coulait à travers la vallée. Eve approcha sa jument louvette des plantes. Elle en descendit puis alla voir le cercle à pied. Sur ses bords, le sol était constitué d'une roche-mère couverte d'une mince pellicule de sol. Pourtant, dans le cercle lui-même, il y avait une profusion de plantes généralement mieux adaptées à une terre plus riche.

Quand Reno se retourna pour parler à Eve, il vit qu'elle était à quatre pattes au bord du pré. L'instant d'après, il comprit ce qui lui avait paru étrange à propos du paysage. Sous l'herbe et les arbres, il y avait des angles et des arcs. Cela laissait croire qu'autrefois, l'homme avait créé une clairière et érigé des constructions dans le pré.

Reno sauta de cheval, saisit une pelle accrochée à une des sacoches de selle et se dirigea vers Eve. Elle leva les yeux en l'entendant approcher.

– Il y a quelque chose d'étrange à propos de ça, commença-t-elle.

– Pas de doute.

Il enfonça la pelle avec son pied et frappa la pierre qui se trouvait 15 centimètres plus bas. Il fit de même plusieurs fois dans le cercle. C'était chaque fois pareil : 15 centimètres de plantes et de sol, puis de la roche solide.

Reno marcha lentement jusqu'au milieu du cercle en vérifiant à répétition la profondeur du sol. Parvenu au centre, la pelle s'enfonça sans frapper la pierre.

– Reno ?

Il se tourna vers Eve avec un grand sourire et un pur enthousiasme qui dansait dans ses yeux.

— Vous avez trouvé une *arrastra*, ma belle, dit-il.

— C'est bien ?

Le rire de Reno était aussi éclatant que la lumière du soleil.

— Absolument, dit-il. À part trouver la mine elle-même, c'est la meilleure chose qui pouvait nous arriver.

— Vraiment ?

Il émit un ronronnement de satisfaction.

— Ça, c'est le trou du milieu, dit-il en gesticulant avec la pelle pour souligner le fait. Il supportait le moulin qui tirait la pierre sur le métal et l'écrasait comme du sable.

Avant qu'Eve puisse poser une question, Reno se pencha et recommença à creuser, travaillant méthodiquement jusqu'à ce qu'il ait mis à nu une partie de la roche.

— Ils ont travaillé dur pendant longtemps avec ce concasseur, dit-il. La meule a tellement usé le soubassement qu'elle a laissé une dépression circulaire pour que les plantes puissent y pousser une fois la mine abandonnée.

— Qu'est-ce qui faisait tourner la meule ? demanda-t-elle. Même avec un barrage, il n'y a pas assez d'eau dans les petits ruisseaux pour accomplir la tâche.

— Il n'y a aucun indice de la présence d'un barrage autour d'ici, répondit Reno.

La pelle grinçait contre le soubassement, écartant la terre et laissant dessous la roche nue. Un sol plus foncé que la roche soulignait les fissures et les veines.

— Ils pourraient s'être servis de chevaux pour faire tourner la meule, poursuivit-il, mais c'étaient probablement des esclaves. Ils en avaient davantage que des chevaux.

Eve se frotta les bras. Même si elle portait une des chemises de Reno par-dessus la vieille chemise de Don Lyon, elle avait froid. C'était comme si le sol lui-même était imprégné de la cruauté des Espagnols et de la souffrance des esclaves.

Reno posa un genou par terre et utilisa la lame de la pelle pour écarter la terre d'une fissure, et il émit un petit cri de triomphe.

— Il y a du vif-argent dans les fissures, dit-il brièvement. Ça ne fait aucun doute. On utilisait cette *arrastra* sur le minerai.

— Quoi ?

— Les Espagnols se servaient de vif-argent sur le minerai écrasé. Le mercure s'attachait à l'or, mais pas le minerai lui-même. Ensuite, ils chauffaient l'amalgame, vaporisaient le vif-argent et fondaient l'or. Puis ils versaient l'or dans des moules.

Il se frotta les mains pour les dépoussiérer, se leva et jeta autour de lui un regard intense.

— Qu'est-ce que vous cherchez ? demanda Eve après un moment.

— La mine. Les Espagnols n'étaient pas stupides. Ils ne déplaçaient pas le métal plus loin que nécessaire avant de le raffiner.

— Il devrait y avoir trois gros sapins à droite de l'ouverture de la mine — quand on se tient dos au soleil à 15 h 00 le troisième samedi d'août, dit Eve avec enthousiasme.

Il grogna et continua de regarder.

— Reno ?

— Il y a beaucoup de gros sapins qui poussent par groupes de trois, nonobstant l'heure du jour ou le mois, dit-il après quelques instants.

Eve se concentra pour se souvenir des autres indices provenant du journal. Don et elle les avaient déjà récités tour à tour pendant que Donna restait assise en souriant et en secouant la tête devant ce rêve de richesse qui n'arrivait pas à disparaître.

— Il y a une tortue sculptée sur une pierre grise à 15 pas à droite de la mine, dit Eve.

— Un pas peut varier d'une soixantaine de centimètres à un mètre selon la taille de l'homme qui le fait. Mais si vous voulez chercher une tortue sur chaque rocher, je ne vais pas vous en empêcher.

Eve grimaça. La petite vallée était tapissée de rochers de toutes tailles et de toutes formes.

— Une cicatrice de brûlure du côté nord de... commença-t-elle.

— Les cicatrices de brûlure guérissent, l'interrompit Reno. Les petits arbres deviennent grands. Les grands meurent et tombent. Les éclairs provoquent de nouveaux incendies. Les arbres tombés pourrissent ou se couvrent de broussailles. Les glissements de terrain modifient la forme de la montagne.

— Mais...

— Regardez là-haut, fit Reno en pointant un doigt.

Eve regarda et vit une pâle cicatrice sur la montagne où la pierre et le sol mince avaient creusé un ravin et l'avaient rempli en enterrant ce qui aurait pu être un point de repère auparavant.

— Ç'aurait pu se produire il y a 20 ans ou 220 ans, dit Reno. C'est difficile à dire s'il n'y a ni conifères ni trembles qui ont poussé dans la fissure. Des épilobes et des saules ou des aulnes peuvent pousser en quelques saisons et repousser ensuite chaque année. Les points de repère qui se fondent sur des plantes sont pratiquement inutiles.

— Alors, comment allons-nous trouver la mine ? demanda Eve, consternée.

— De la même façon que vous avez trouvé l'*arrastra*. Cherchez quelque chose qui paraît déplacé, et cherchez-le jusqu'à ce qu'il vous saute au visage.

Pendant le reste de cette journée et tout le lendemain, Reno et Eve quadrillèrent la vallée comme des chiens patients, traversant et retraversant la zone autour de l'*arrastra*. Ils trouvèrent un rectangle qui avait déjà eu la forme d'un billot et qui n'était plus maintenant qu'un paillis dans lequel poussaient diverses plantes. Ils trouvèrent des petits morceaux de cuir presque pétrifiés par une longue exposition à l'air frais et sec des montagnes, mais ils ne virent aucun signe de la mine elle-même.

Eve grimpa une pente rocailleuse et trouva une cavité peu profonde sous un mur de roches, protégée de tout sauf des orages les plus violents. Le regard acéré par des heures de recherche, elle remarqua que les marques de bois pourri qui sortaient de la cavité étaient trop ordonnées pour être le fruit du hasard. Il y avait déjà eu là un appentis qui s'étendait jusqu'à l'extérieur.

Tout au fond de la cavité, Eve trouva une pile de débris et un sac écrasé fait de lanières de cuir entrelacées, et tout près, les restes calcinés d'un ancien feu. Elle s'empressa de se rendre au bord et d'appeler Reno dans le pré.

— J'ai trouvé des indices de la présence d'hommes ici !

Quelques minutes plus tard, Reno grimpa la pente comme un chat, rapidement et d'un pas assuré. Il observa la cavité d'un coup d'œil rapide qui ne ratait rien.

Des strates de pierres différentes traçaient des motifs pâles sur les murs, le plafond et le plancher. Il passa ses doigts sur la surface du plafond et sentit les marques qu'avaient faites les hommes quand ils se servaient de pioches et de marteaux de pierre pour élargir et approfondir la cavité naturelle.

Ç'aurait pu être un carreau de mine, un espace de vie ou un lieu de stockage. Près des restes de l'ancien feu se trouvaient des morceaux de poterie grossière et une forme en bois pourri qui aurait pu être une cuillère. Le tout laissait entendre qu'il s'agissait d'un feu de cuisson, ce qui suggérait que des hommes avaient vécu dans la cavité plutôt que d'en extraire du minerai.

Reno se tourna vers le sac de cuir, s'accroupit et le fouilla. Des petits morceaux de pierres blanches étaient coincés entre les lanières. En fronçant les sourcils, il regarda de nouveau la roche qui constituait les murs et le plafond de la cavité et n'aperçut pas de rayures blanches.

— Est-ce que c'est l'entrée de la mine ? demanda Eve quand elle ne put plus endurer le suspense.

— Possible, mais ça ressemble plus aux quartiers des esclaves.

— Oh !

— Vous voyez la longue courroie attachée au *tenate* ?

— *Tenate* ? Qu'est-ce que c'est ?

— C'est un sac ou un panier qui sert à transporter du minerai. Vous voyez cette épaisse courroie ? La partie rembourrée reposait sur le front de l'esclave, et le reste contournait ses épaules et s'attachait au sac.

Eve fronça les sourcils.

— C'est une étrange façon de transporter quoi que ce soit.

— Ça fonctionne mieux qu'on pourrait le croire, répondit Reno. On se penche vers l'avant, et on supporte le poids du *tenate* sur son front et son dos. Ça laisse les mains libres pour extraire le minerai, grimper ou se tenir en équilibre sur les échelles. On peut transporter 40 kilos comme ça toute la journée.

Elle lui jeta un regard incrédule.

— En fait, poursuivit Reno, j'ai transporté davantage que ça quand j'étais jeune et assez fou pour essayer d'extraire l'or d'un homme riche avec les outils d'un homme pauvre.

— Vous pouviez peut-être transporter une quarantaine de kilos toute la journée, dit Eve, mais moi, je serais chanceuse de porter la moitié de ça pendant quelques heures.

La moustache de Reno s'agita au-dessus d'un bref sourire, mais il n'ajouta rien. Il s'accroupit encore et commença à fouiller les restes du sac.

— Qu'est-ce que vous cherchez ? demanda-t-elle.

— Des fragments de minerai sont encore coincés dans le tissage.

Eve se pencha, curieuse.

— Vraiment ? Laissez-moi voir !

Il arracha un morceau de quartz pâle et opaque. En sifflant doucement entre ses dents, il tourna et retourna le fragment de minerai dans sa paume. Le morceau de quartz irrégulier n'était pas plus gros que son pouce.

— Joli, n'est-ce pas, murmura Reno.

— Vraiment ? demanda Eve sans être impressionnée.

Reno sourit, se tourna et leva la main près des yeux d'Eve.

— Vous voyez les taches brillantes mêlées au blanc ? demanda-t-il.

Elle acquiesça de la tête.

— C'est de l'or, dit-il.

— Oh, fit Eve. Mon Dieu, ç'aurait pu être une mine très riche.

Reno éclata de rire en entendant le ton déçu de sa voix. Il tira légèrement sur une mèche de ses cheveux.

— Ma belle, c'est une bonne chose que vous ayez distribué cette main gagnante à un prospecteur d'or à Canyon City. Vous auriez pu marcher toute une vie sur un filon incroyable sans le savoir.

— Vous voulez dire que cette mine vaut la peine d'être exploitée ? demanda Eve en indiquant le quartz d'un geste.

— J'ai rarement vu un morceau de minerai aussi riche, dit simplement Reno.

Eve lui lança un regard étonné.

— Si la veine avait un peu plus d'une vingtaine de centimètres d'épaisseur, dit-il, les prêtres espagnols avaient entre les mains une incroyable mine d'or quelque part autour d'ici.

— Quelque part ? Mais où ?

D'un air songeur, Reno glissa le minerai dans sa poche, descendit jusqu'à ses sacoches et en tira un étrange marteau ayant la forme d'une petite pioche à une extrémité et d'un marteau aplati à l'autre. L'outil était commode pour briser des morceaux de pierre et voir ce qu'il y avait derrière.

L'acier résonna contre la pierre pendant que Reno creusait à divers endroits le long du plafond et des murs de l'alcôve, vérifiant les différentes couches de pierre. Les fragments qu'il en tirait étaient de couleur plus pâle que la pierre de surface, mais aucun n'était aussi pâle que le morceau de minerai.

Eve examina un des trous que Reno avait creusés.

— Regardez! dit-elle soudain. De l'or!

Reno ne ralentit même pas son martèlement. Il avait déjà vu et écarté les particules brillantes qui enthousiasmaient Eve.

— De la pyrite, dit-il. De la pyrite de fer.

L'acier résonnait bruyamment contre la pierre.

— Ce n'est pas vraiment de l'or? demanda-t-elle.

— Non, répondit-il. Mauvaise couleur.

— Vous en êtes sûr?

— C'est la première chose qu'apprend un prospecteur.

Les fragments tombaient comme une pluie forte, et Reno regardait chaque nouveau trou.

— De l'ardoise et encore de l'ardoise, marmonna-t-il.

— Est-ce que c'est bien?

— Seulement si vous construisez une maison. Certaines personnes aiment bien un toit ou un plancher en ardoise.

— Et vous? demanda-t-elle, curieuse.

Il secoua la tête.

— À mon avis, ça n'en vaut pas la peine. Le bois convient mieux, est plus joli et a une meilleure odeur.

Reno retourna au fond de la cavité où le plafond s'inclinait brusquement jusqu'à la pile de débris. Il frappa du pied quelques pierres plus petites. C'était un mélange des mêmes couches de pierres qui constituaient la cavité elle-même.

Il posa les poings sur ses hanches puis regarda les couches de pierre peu prometteuses et le pré au-delà de la cavité qui ne l'était pas davantage. Eve et lui avaient trouvé toutes les preuves que puisse obtenir quiconque sur l'existence de la mine de Don Lyon… sauf la mine elle-même.

Cette partie leur avait échappé, et Reno n'avait pu trouver aucun affleurement rocheux prometteur.

Et pendant la nuit, les trembles sur les flancs de la vallée avaient jauni. S'ils voulaient trouver la mine cette saison, ils devraient le faire vite.

— Que faisons-nous, maintenant ? demanda Eve.

— Maintenant, nous allons quadriller encore le périmètre du pré. Mais cette fois, nous allons nous servir des aiguilles espagnoles.

Les nuages se rassemblèrent en des amas menaçants que dorait le soleil de l'après-midi. Les éclairs frôlaient délicatement les flancs de lointains sommets pendant que la pluie tombait en un voile brillant. Au-dessus de tout, même de l'orage, s'étendait un ciel d'un bleu profond. Au soleil, il faisait assez chaud pour transpirer, mais dans l'ombre, il faisait frais.

Reno et Eve aimaient l'ombre. Ils avaient déjà effectué un tour de la vallée, en vain. Le fait de marcher tout en gardant les baguettes en contact s'était avéré une tâche exigeante. C'était aussi étrangement épuisant, même s'ils n'avaient rien trouvé. Les courants bizarres, impalpables, tenaient Eve et Reno en alerte, et ils étaient conscients l'un de l'autre et de l'atmosphère sensuelle de cette journée en haute montagne.

— Encore une fois, dit Eve.

Reno la regarda, soupira et opina de la tête.

— Encore une fois, ma belle. Ensuite, je vais essayer d'attraper une truite pour le dîner. De cette façon, toute cette fichue journée n'aura pas été perdue.

Les chevaux entravés broutaient à l'entrée du pré, montant la garde tout en mangeant. Quand Reno et Eve sortirent des ombres entrelacées que projetait un petit bosquet de trembles, la jument louvette releva la tête et huma l'air. Elle reconnut rapidement leur odeur et recommença à brouter.

— Prêt ? demanda Eve.

Reno acquiesça d'un mouvement de tête.

Ils bougèrent légèrement leurs mains. Les encoches de métal se rencontrèrent, et les courants fantomatiques s'agitèrent. Peu importe le nombre de fois où cela se produisait, Eve ne pouvait s'empêcher de retenir son souffle en éprouvant la sensation. Il en était de même pour Reno, dont la respiration était hésitante alors que le monde bougeait avec une immense subtilité, faisant place à la fusion impossible de l'un avec l'autre.

— À trois, dit Reno d'une voix basse. Un… deux… trois.

Lentement, en accordant minutieusement leurs pas, Reno et Eve se frayèrent un chemin le long de l'orée de la petite vallée. Des heures plus tôt, ils avaient commencé à travailler avec les aiguilles ici, puis ils avaient exploré d'autres parties de la vallée. Ce n'est qu'en rétrospective que cette section du périmètre de la vallée leur sembla différente. Ici, les aiguilles avaient passablement vibré. Ici, elles s'étaient agitées et avaient tremblé.

Reno et Eve avaient cru qu'il s'agissait de leur propre manque d'expérience plutôt qu'autre chose qui avait rendu les aiguilles si agitées. Maintenant, ils se demandèrent si ç'aurait pu être la présence d'un trésor caché qui avait animé les minces baguettes.

Un petit ravin s'ouvrit à droite d'Eve, rempli de buissons et de débris provenant d'un ancien glissement de terrain. À gauche de Reno se trouvait la vallée elle-même. Devant eux et autour d'une saillie rocheuse, il y avait la cavité où un esclave indien avait déposé son *tenate* pour la dernière fois.

En silence et complètement concentrés, Reno et Eve parcoururent le bord de la vallée. Les aiguilles se séparèrent rarement malgré le terrain rocheux, irrégulier et les détours pour contourner des arbres debout ou tombés. À chaque pas, les baguettes métalliques frémissaient de manière presque visible.

– Arrêtez de tirer vers la droite, dit Reno.

– Arrêtez de pousser, répliqua-t-elle.

– Je ne le fais pas.

– Moi non plus.

Reno et Eve s'arrêtèrent à l'unisson et regardèrent les aiguilles. La sienne pointait presque directement devant elle plutôt que de rester le long de sa main. Celle de Reno était à angle droit, comme si on la poussait ou qu'elle était attirée.

Lentement Eve se tourna vers la droite. Reno la suivit en accordant ses mouvements aux siens comme s'il avait passé sa vie à partager sa respiration, son sang et même ses battements de cœur.

Quand les aiguilles se redressèrent de nouveau, Reno et Eve se tenaient ensemble devant le vieil éboulis. Pas à pas, ils s'avancèrent minutieusement le long du rebord incurvé du glissement de terrain. Les aiguilles pivotèrent lentement comme si elles étaient attirées vers un point situé plus haut sous la pile de gravats.

– En haut, dit brusquement Reno.

Ensemble, ils grimpèrent tant bien que mal l'éboulis, se déplaçant à l'unisson malgré l'irrégularité du terrain, comme deux chats pourchassant la même souris avec des enjambées sinueuses, presque égales. Malgré cela, il aurait été impossible de garder les aiguilles en contact, mais il se révéla impossible de les garder écartées l'une de l'autre.

Soudain, les aiguilles plièrent, tressautèrent et se dirigèrent vers le bas en vibrant si violemment qu'Eve eut du mal à tenir la sienne.

— Reno !

— Je le sens. Mon Dieu, je le sens !

Il prit le marteau à sa ceinture et en enfonça le manche dans les débris où pointaient les aiguilles pour marquer l'endroit.

— Continuons de monter, dit-il.

Ils grimpèrent les quelques derniers mètres de l'éboulis, et les aiguilles se calmèrent à mesure qu'ils montaient.

— Retournons au marteau, dit Reno.

Quand ils y revinrent, il regarda autour pour s'orienter.

— À gauche, fit-il en faisant un geste de sa main libre. Allons vers la cavité. Mais restons le plus possible en ligne droite par rapport à cette partie de l'éboulis. Prête ?

— Oui.

Tandis qu'ils s'avançaient, les sourcils fauves d'Eve se rapprochèrent en un froncement de concentration qui donna à Reno l'envie de la prendre dans ses bras et de faire disparaître ses petites rides par un baiser. Mais il n'allait pas faire une telle chose pendant qu'il tenait les aiguilles espagnoles. La seule fois où il avait posé sa main sur elle quand les baguettes se touchaient, le désir l'avait envahi si violemment qu'il avait failli tomber à genoux.

Même s'il ne comprenait pas l'énergie qui traversait si violemment les minces baguettes de métal, Reno n'en doutait plus. La lumière du soleil n'était pas concrète non plus quand elle se concentrait à travers une loupe, mais elle pouvait enflammer du bois. D'une manière mystérieuse, les aiguilles espagnoles concentraient les courants intangibles coulant entre lui et Eve.

Quand ils s'éloignèrent de l'éboulis, l'attirance des aiguilles diminua, mais pas aussi rapidement qu'elles l'avaient fait vers le haut. Quand ils revinrent sur leurs pas et marchèrent dans la direction opposée, l'attirance disparut rapidement, leur donnant l'impression que les bâtons de métal étaient presque sans vie dans leurs mains.

Ils revinrent en silence dans le pré et tournèrent les yeux vers l'éboulis.

— La sensation m'a paru plus forte à peu près aux deux tiers de l'éboulis, dit finalement Eve.

— Même chose pour moi.

Reno regarda sa boussole.

— C'est en se dirigeant vers la saillie rocheuse que les aiguilles s'attirent presque autant, ajouta-t-elle.

Il opina de la tête et vérifia encore la boussole.

— Qu'est-ce que ça signifie ? demanda-t-elle.

Il rangea l'instrument et regarda Eve. Sous l'ombre du rebord de son chapeau, ses yeux brillaient comme s'ils s'étaient trouvés sous la pleine lune. La courbe de sa lèvre inférieure lui rappela à quel point il était doux de faire courir le bout de sa langue sur la chair tendre et de sentir son frisson en réaction.

— Eh bien, ma belle, je vais vous le dire, fit Reno d'une voix profonde. Je suis sacrément heureux que des prêtres jésuites aient utilisé ces aiguilles avant nous. Sinon, j'aurais songé avec inquiétude à des pactes avec le diable et à mon âme immortelle.

Il lui adressa un sourire sarcastique après avoir parlé, mais elle savait qu'il était sérieux.

— Moi aussi, répondit-elle simplement.

Il enleva son chapeau, passa ses doigts à travers ses cheveux et le remit en place.

— À en croire les aiguilles, dit-il, il y a une concentration d'or pur quelque part sous cet éboulis.

Eve regarda les débris.

— Vous trouvez que ça ressemble à du minerai ?

— Ça ressemble à ce qui était au-dessus du carreau de la mine avant que le roi d'Espagne trahisse les jésuites et qu'ils en fassent exploser l'entrée.

20

Pour la troisième fois ce jour-là, le bruit d'une explosion se répercuta à travers la vallée jusqu'aux deux personnes accroupies derrière un arbre, les mains posées contre leurs oreilles. La pierre pulvérisée se trouvait projetée dans les airs puis retombait en une pluie de rocaille et de poussière sur un quart du petit pré.

Quand le dernier écho disparut et que les débris cessèrent de tomber, Eve abaissa lentement les mains. Même si elle avait bouché ses oreilles, ces dernières résonnaient encore à cause de la force de l'explosion.

Reno se redressa et regarda le ravin qui avait été obstrué par des débris rocheux. Tandis qu'il regardait, un trou noir apparu dans le flanc de la montagne derrière des rideaux de poussière. Il se sentit transporté de joie. Il retira son chapeau et le lança dans l'air avec un cri de triomphe.

— Nous avons réussi, ma belle!

Il releva Eve, la prit dans ses bras et la fit tourner encore et encore jusqu'à ce qu'elle en devienne étourdie. Il l'embrassa rapidement puis la déposa sur le sol et la soutint jusqu'à ce qu'elle retrouve son équilibre.

— Venez. Allons voir ce que nous avons, dit-il.

Avec un large sourire aux lèvres, Reno attrapa la main d'Eve et se dirigea vers la mine à grandes foulées, obligeant Eve à pratiquement courir.

Comme il l'avait espéré, l'explosion avait expulsé la majeure partie des débris de l'entrée du tunnel. Un aiguillon de débris irréguliers sortait de l'ouverture. La poussière flottait encore dans l'air à l'intérieur. Reno lâcha la main d'Eve et remonta son foulard sur son nez.

— Attendez ici, dit-il.

— Mais…

— Non, l'interrompit Reno. C'est trop dangereux. Il n'y a aucun moyen de savoir dans quel état se trouvait la mine avant l'explosion, et encore moins après.

— Vous y allez, souligna-t-elle.

— C'est vrai, ma belle. J'y vais. Seul.

Reno alluma le fanal, se pencha et franchit l'ouverture. Presque immédiatement, il s'arrêta, leva le fanal et commença à examiner les murs de la mine. Ils étaient faits de roche solide. Même s'il était parcouru de fissures naturelles, le tunnel semblait assez solide. Quand il en frappa la surface avec son marteau, très peu de pierres s'en libérèrent.

Prudemment, presque plié en deux, Reno continua d'avancer dans la mine. Très rapidement, la nature des murs changea. Une veine de quartz pâle de la largeur d'un doigt apparut. De minuscules éclats d'or incrustés dans la roche réagirent à chaque mouvement du fanal.

Si le quartz avait été un ruisseau, on aurait lavé l'or à la batée comme de la poussière. Pour libérer les minuscules fragments d'or de leur prison de quartz, il faudrait de la poudre noire, un dur labeur et un homme qui acceptait de risquer sa vie dans des passages rocheux sous la terre.

— Reno ? demanda Eve d'une voix anxieuse.

— Ça semble bien jusqu'ici, répondit-il. Des murs de pierre et une petite veine de minerai d'or.

— De l'or qui peut rendre riche ?

— Oui, mais pas tant que ça.

— Oh !

— Ne soyez pas tout de suite déçue. Je ne suis qu'à cinq mètres dans la mine.

Eve perçut l'amusement dans la voix de Reno et sourit malgré son anxiété.

— De plus, dit-il, le journal espagnol ne parlait-il pas de lingots d'or grossiers qui avaient été moulés, mais qui n'avaient pas encore été transportés en Nouvelle-Espagne ?

— Oui. Il y en avait 62.

Un sifflement flotta jusqu'à Eve de l'intérieur de la mine.

— Vous ne m'avez jamais dit ça, fit Reno.

— J'ai commencé hier soir, mais vous m'avez distraite.

Un rire résonna dans le tunnel alors que Reno se souvenait de quelle façon il l'avait distraite.

La veille au soir, elle se tenait penchée au-dessus du feu de camp pour s'occuper du ragoût de gibier et parlait d'une page gravement tachée qu'elle essayait de déchiffrer dans le journal. Il ne l'écoutait pas vraiment à cause de la courbe gracieuse de ses hanches qui retenait son attention. Ils venaient à peine de se débarrasser de tous leurs vêtements quand il s'était enfoui en elle avec le feu crépitant d'un côté et l'air frais de la nuit de l'autre, et au centre, une douce chaleur liquide qui lui allait plus parfaitement que n'importe quel gant.

— Non, c'est vous qui m'avez distrait, dit Reno.

Pour seule réponse, Eve éclata de rire.

Le sol du puits de mine commença à descendre abruptement sous les pieds de Reno. La veine de minerai d'or s'abaissa aussi, et il comprit que le tunnel avait été creusé en suivant une plus grosse veine minérale plutôt que selon un plan particulier de la part des Espagnols.

Reno avançait rapidement, mais prudemment dans le tunnel tout en éclairant les murs autour de lui. La mine était solide, sauf aux endroits où elle traversait une pierre plus fragile qui n'avait pas été chauffée dans les profondeurs de la terre. Là où les murs étaient faits de cette pierre ou lourdement fissurés, les Espagnols avaient installé des poutres pour solidifier le tunnel.

Il y avait plusieurs embranchements, des tunnels perpendiculaires apparemment creusés au hasard et qui étaient trop étroits pour qu'un adulte puisse y passer. Ces ouvertures n'avaient pas été solidifiées. Reno regarda dans chaque trou, mais il ne vit rien qui lui donna envie de les explorer.

— Reno ! Où êtes-vous ?

La voix d'Eve lui parvenait faiblement en se répercutant à travers la mine.

— Je viens, dit-il.

Reno remonta la pente abrupte puis franchit le tunnel jusqu'à l'embouchure de la mine. Eve attendait juste à l'extérieur, un fanal à la main.

— Je vous ai demandé de rester dehors, lui dit brusquement Reno.

— C'est ce que j'ai fait. Puis votre lumière a disparu et n'est pas réapparue. Quand j'ai crié, vous n'avez pas répondu. Je ne savais pas si vous alliez bien.

Reno regarda Eve droit dans les yeux et sut qu'il n'allait pas réussir à la garder hors de la mine à moins de la ligoter comme un veau pour le marquage.

— Restez derrière moi, dit-il à contrecœur. N'allumez pas votre fanal, mais gardez des allumettes à portée de main au cas où quelque chose n'irait pas avec celui que je transporte. J'ai des chandelles, mais seulement pour une situation urgente.

Eve opina de la tête et laissa échapper un soupir silencieux, heureuse de ne pas avoir à se quereller avec Reno pour entrer dans la mine. Mais elle l'aurait fait si nécessaire, parce qu'elle ne pouvait simplement pas supporter d'attendre à l'extérieur sans savoir si un malheur était survenu dans les profondeurs de la mine.

— Cette partie plus récente est assez sécuritaire, dit Reno.

La lumière du fanal s'agita comme si elle était vivante quand il l'orienta vers les murs, le plafond et le sol.

— Je pensais qu'il y avait des sortes de supports de bois dans toutes les mines, dit Eve en regardant la roche nue d'un air méfiant.

— Pas dans la pierre solide. On n'en a pas besoin, à moins que le gisement soit immense. Alors, vous laissez simplement du minerai en place pour servir de pilier.

Eve aperçut un éclair blanc du coin de l'œil.

— Qu'est-ce que c'est, sur la droite ? demanda-t-elle.

— Un petit filon.

— D'or ?

Reno émit un bruit d'acquiescement.

— C'est exactement comme ce morceau que j'ai extirpé du *tenate.*

— Comment les Espagnols ont-ils su qu'il y avait de l'or ici s'ils ne le voyaient pas de l'extérieur de la montagne ? Ont-ils utilisé les aiguilles ?

— Peut-être. Et peut-être que le filon ressortait à la surface ailleurs.

Reno pointa un index vers le mur.

— Ça, c'est la fin d'un puits plutôt que le commencement. La nature de la roche change à environ trois mètres de ce côté de l'ouverture. À la façon dont le filon plonge, il pourrait ressortir près de cette alcôve que vous avez trouvée.

Pendant quelques moments, il n'y eut que le son des bottes sur le sol irrégulier du tunnel.

— Attention, l'avertit Reno. Ça descend en pente raide sur six ou sept mètres.

Eve regarda. La nature des murs ne lui paraissait pas différente.

— Pourquoi ont-ils tout à coup décidé de creuser davantage ? demanda-t-elle.

— C'est la plus vieille technique d'exploitation minière du monde, dit-il. Trouver un filon, le suivre et laisser des tunnels partout où vous retirez du minerai ou cherchez de nouveaux filons.

À chaque embranchement d'un tunnel, il y avait une flèche pointant dans la direction opposée. Chaque fois que Reno empruntait un tunnel, il faisait une marque sur la flèche pour éviter d'explorer deux fois la même ouverture.

Certains tunnels portaient un numéro, mais la plupart n'en affichaient pas. Il en résultait un labyrinthe à trois dimensions qui avait été percé à travers de la roche qui était dure comme l'acier à certains endroits et presque aussi molle qu'un gâteau aux fruits à d'autres.

– Pourquoi toutes les flèches pointent-elles dans la direction opposée des entrées de tunnels ? demanda Eve.

– Dans une mine, tout pointe vers la sortie. De cette manière, si vous vous perdez, vous n'errez pas de plus en plus profondément.

Juste avant la descente abrupte, il y avait un endroit où on avait posé des poutres de soutien. Le bois était grossièrement taillé. Des morceaux d'écorce pendaient encore à certaines poutres alors que d'autres n'étaient que de petits rondins qu'on avait coupés et traînés sous la terre.

De petits tunnels latéraux s'étendaient dans toutes les directions et à tous les niveaux. Deux d'entre eux s'étaient effondrés et les débris au fond des autres indiquaient que le plafond ou les murs étaient instables.

– Que sont ces petits trous que j'aperçois sans arrêt ? demanda Eve. La plupart semblent simplement mener à un cul-de-sac.

– On les appelle des trous de coyote. Ce sont des sondages exécutés au hasard. Ils ont été faits pour trouver la direction du filon. Quand un des mineurs tombait de nouveau sur un filon ou en trouvait un meilleur, les autres abandonnaient les tunnels latéraux et se concentraient sur l'élargissement de celui qui menait au minerai.

– Ils sont tellement étroits. Je pourrais à peine m'y faufiler. Les Indiens doivent avoir été plus petits que Don Lyon.

– Seuls les enfants le pouvaient. C'étaient eux qui creusaient les trous de coyote.

– Dieu du ciel, fit Eve.

– C'est plutôt l'œuvre du diable, malgré la présence des jésuites. Faites attention à votre tête.

Elle se pencha et continua de marcher ainsi. Reno devait se pencher beaucoup plus pour éviter de frôler le plafond.

— Les garçons creusaient les trous, remplissaient les *tenates* et ramenaient le minerai à la surface, dit Reno. Celui-ci doit avoir été un filon important, parce qu'ils n'ont pas creusé davantage que nécessaire.

Reno s'arrêta, examina minutieusement la surface du tunnel et continua, toujours penché pour éviter le plafond.

— Quand le minerai était ramené à la surface, poursuivit-il, les filles et les garçons plus petits les martelaient avec des pierres jusqu'à ce que tout soit réduit en morceaux de la grosseur de votre pouce. Puis le tout passait dans l'*arrastra* pour être réduit en poussière par les esclaves adultes.

Des trous noirs et irréguliers apparaissaient encore sur le plancher, les murs et le plafond.

— Ils ont de nouveau perdu l'orientation du filon ici, marmonna Reno.

— Qu'est-ce qui est arrivé ?

— Le filon a pris une autre direction, ou il a été déplacé par une ligne de faille.

— J'ai toujours cru que les filons étaient droits.

— C'est le rêve de tout mineur, acquiesça Reno, mais il y en a sacrément peu qui sont droits. La plupart des gisements d'or ont la forme d'un érable ou d'un éclair. Ils partent dans toutes les directions sans raison apparente.

Le fanal s'agita quand Reno se pencha dans l'une des ouvertures béantes creusées dans le sol du tunnel. La lumière éclaira un des trous de coyote qui se trouvait à hauteur de sa taille sur la droite. Le trou avait été bouché avec des débris qui étaient depuis tombés dans le tunnel principal.

– Qu'est-ce que c'est? demanda Eve.

– Où?

– Tenez la lampe un peu plus haut, là où le côté du trou de coyote s'est effondré. Oui. Exactement là.

Eve scruta le tunnel latéral éboulé. Quand elle comprit ce qu'elle regardait, elle déglutit convulsivement et recula si rapidement qu'elle se frappa contre Reno.

– Eve?

– Des os, dit-elle.

Reno la contourna et tint le fanal devant le trou. Quelque chose brillait avec pâleur à l'intérieur. Il lui fallut un moment pour se rendre compte qu'il regardait des fragments d'une sandale de cuir autour d'un os du pied qui n'était pas plus long qu'une quinzaine de centimètres. L'air froid et sec de la mine avait très bien préservé les os.

– Est-ce que c'est un des ancêtres de Don Lyon? demanda calmement Eve.

– Trop petit.

– Un enfant, murmura-t-elle.

– Oui, un enfant. Il creusait quand le mur s'est effondré.

– Ils ne se sont pas souciés de l'enterrer décemment.

– Il est moins dangereux de remplir l'entrée d'un mauvais tunnel que de creuser pour en sortir un cadavre, dit Reno. De plus, les esclaves étaient moins bien traités que les chevaux, et même un Espagnol n'enterrait pas son cheval quand il mourait.

Le fanal s'éloignait, rendant le trou de coyote à l'obscurité de la tombe qu'il constituait.

Eve cligna des yeux. L'obscurité était devenue énervante, maintenant qu'elle savait que des os s'y trouvaient.

— Vous m'avez demandé ce qu'était une échelle à poulet, dit Reno quelques instants plus tard. Regardez.

Un long rondin sortait d'un des trous. On y avait fait des entailles qui servaient de marches. Le puits n'était pas vertical, mais la pente en était assez raide pour qu'il ait été impossible d'y passer sans le rondin.

— Certaines sont faites avec un tronc muni de branches, et non avec des rondins comportant des marches sculptées, dit Reno. D'une façon ou de l'autre, ça fonctionne.

Le bois semblait dur et froid sous la main d'Eve, sauf là où les entailles avaient été faites. Tant de pieds étaient passés sur elles qu'elles étaient devenues lisses comme du satin.

— Tenez le fanal, dit-il.

Eve le prit puis regarda en retenant son souffle pendant que Reno vérifiait la solidité de l'échelle. Bientôt, elle ne vit plus que ses larges épaules et son chapeau.

— Elle est solide, dit-il en levant les yeux vers la lumière. À moins qu'il y ait de l'eau autour, le bois dure très longtemps à cette altitude.

L'échelle primitive menait à un autre niveau de la vieille mine où davantage de trous de coyote se dispersaient dans toutes les directions. Plusieurs d'entre eux étaient trop petits pour que Reno puisse passer les épaules dans l'ouverture. Quelques-uns étaient si étroits qu'Eve pouvait à peine avoir assez d'espace pour insérer le fanal devant elle.

— Vous voyez quelque chose ? demanda Reno.

Il n'avait pas voulu qu'Eve scrute chaque trou de coyote, mais la logique sous-jacente était incontournable. Elle pouvait aller plus loin et le faire plus vite que lui.

— Ça continue, dit-elle en se tordant, le souffle court. Mais une fois que la courbe est passée, un autre tunnel commence. Il a deux fois la taille de celui-ci.

Elle se redressa et se dépoussiéra.

— Mais il y a quelque chose de bizarre à propos de ce gros tunnel. Les flèches pointent dans l'autre direction. En tout cas, elles le faisaient. Quelqu'un a gratté la pointe des vieilles flèches et en a gravé une nouvelle sur la queue.

Reno fronça les sourcils, sortit sa boussole et vérifia.

— Vers où se dirige la courbe du trou de coyote ? demanda-t-il.

Eve pointa un doigt.

— L'autre tunnel vient de cette direction aussi.

Reno se retourna pour s'orienter par rapport au tunnel caché et à ses flèches à deux pointes.

— C'est le même angle ? Ou est-ce que ça change aussi ? fit-il.

— Il va à peu près comme ça, répondit Eve en tenant sa main inclinée.

— Est-ce que ces tunnels étroits vous rendent nerveuse ?

Elle secoua la tête.

— Vous en êtes sûre ? insista Reno.

— Tout à fait. Je préfère de loin les tunnels à des saillies rocheuses au-dessus d'un gouffre de 300 mètres, dit-elle d'un air ironique.

Le sourire de Reno brilla dans la lumière du fanal.

— C'est tout le contraire pour moi. Je choisirais n'importe quand une saillie rocheuse plutôt que des trous de coyote.

Elle éclata de rire.

— Vous voulez que j'aille voir où mène ce tunnel ?

Il hésita puis acquiesça à contrecœur.

— Mais seulement si les murs sont solides. Je ne veux pas que vous rampiez à travers n'importe quelle roche instable, comme certaines que nous avons vues. C'est compris ?

Eve comprenait parfaitement. Même si les trous de coyote ne la dérangeaient pas autant que les hauteurs, elle n'avait aucune envie de finir enterrée vivante comme l'enfant esclave.

– Allez-y, alors, dit-il de mauvaise grâce.

Avant qu'elle se tourne pour partir, Reno l'attira contre lui et l'embrassa fermement.

– Soyez prudente, ma belle, dit-il d'une voix dure. Je n'aime pas ça du tout.

Reno aima encore moins la situation à mesure que les bruits du passage d'Eve le long du tunnel se perdaient dans le silence et que les minutes s'étiraient.

La troisième fois qu'il sortit sa montre, il la regarda et découvrit que moins de 30 secondes s'étaient écoulées. Il poussa un juron et commença à compter lentement.

Finalement, il entendit Eve se rapprocher difficilement à travers les trous de coyote. Aussitôt que sa tête et ses épaules apparurent, il la tira et l'étreignit presque au point de lui couper le souffle.

– C'est la dernière fois que vous entrez seule dans un trou de coyote, dit-il. J'ai vieilli de 10 ans en vous attendant.

– Ça en valait la peine, mon cher, dit Eve d'une voix essoufflée en riant et en l'embrassant. Je l'ai trouvé ! J'ai trouvé l'or.

Deux lingots d'or brillaient sous la lumière du fanal, de l'or aussi pur maintenant qu'il l'avait été au moment où les esclaves avaient pour la première fois versé le métal fondu dans des moules pour qu'il refroidisse. Reno détacha son regard des lingots et regarda la fille dont les yeux étaient exactement de la même teinte que le trésor espagnol qu'ils avaient trouvé caché dans l'obscurité.

Eve lui rendit son regard, sourit puis rit doucement.

— Je n'arrive pas à croire qu'il y en a 16 autres comme ceux-là, dit-elle. Vous auriez dû me laisser chercher les autres. J'aurais pu tous les rapporter pendant le temps qu'il vous aurait fallu pour élargir le trou de coyote qui rejoint les deux gros tunnels.

— L'or a attendu aussi longtemps, alors il pourra attendre jusqu'à demain.

— Si nous nous y mettons tous les deux, ça ne devrait pas...

— Non, répondit Reno en l'interrompant d'un ton sec. Vous ne retournerez pas dans ce trou de coyote. La partie où ce tunnel traverse le deuxième tunnel est beaucoup trop dangereuse.

— Mais je suis plus peti...

— La raison pour laquelle ils ont fermé ce deuxième gros tunnel, fit-il, c'est parce que la section du milieu est instable. Elle s'est effondrée à plusieurs reprises. Chaque fois qu'ils ont creusé un trou de coyote autour de l'effondrement et ont continué à creuser jusqu'à ce qu'ils en sortent le bon minerai, les choses ont continué à s'effondrer. En fin de compte, ils sont arrivés au minerai par l'autre côté où ils avaient commencé.

— Croyez-vous vraiment que ce deuxième gros tunnel mène jusqu'à la cavité ?

Il haussa les épaules.

— Les couches de roche semblaient identiques.

— Dieu du ciel, dit Eve en frissonnant. Cette montagne doit être truffée de trous.

— Avez-vous froid ? demanda Reno en remarquant qu'elle venait de frissonner.

— Non, murmura-t-elle. Je me demandais seulement combien d'esclaves étaient morts pour ces 18 lingots d'or.

— Sans parler des 44 autres lingots cachés quelque part au fond, dit-il.

Un autre frisson traversa Eve. Elle savait que Reno allait chercher les lingots manquants. En l'imaginant fouiller les dangereux trous de coyote pour trouver de l'or qui pourrait s'y trouver ou non, elle souhaita ne pas avoir trouvé la mine.

— Je n'ai pas vu d'autres symboles d'un serpent enroulé sur lui-même ciselé dans le mur, dit-elle. Peut-être que les jésuites sont partis avec la majeure partie de l'or. Peut-être que ce serait une perte de temps de le chercher.

— Peut-être qu'ils n'ont pas eu de temps à perdre à ciseler des serpents dans les murs de pierre pour indiquer où le trésor était enterré, dit-il sèchement. Ils ont peut-être simplement empilé les lingots dans un trou de coyote et se sont enfuis à toute vitesse avant que les soldats du roi arrivent et les ramènent enchaînés en Espagne.

Reno but ce qui lui restait de café et commença à éparpiller les braises du petit feu. Bientôt, il n'y eut plus aucun éclairage à part celui de la lune.

— Ça vaut la peine de rester jusqu'à ce que le temps change pour chercher 44 lingots d'or, n'est-ce pas ? demanda-t-il.

Sa sombre voix veloutée agit sur Eve comme une caresse. Soudain, elle sut qu'il ne parlait pas de rester pour l'or ; il demandait si elle resterait avec lui un peu plus longtemps. Elle se rappela alors ses mots :

« Jusqu'à ce que nous trouvions la mine, vous serez ma femme. »

Et ils avaient trouvé la mine.

— Avec ou sans l'or, je resterais, répondit-elle doucement.

Reno lui tendit la main. Quand elle la prit, il lui embrassa la paume et l'entraîna vers l'endroit où il avait coupé des branches de conifères pour en faire un lit. Celui-ci se trouvait à quelques centaines de mètres parce que n'importe quel intrus s'attendrait à les trouver près du feu de camp.

La bâche bruissa quand Reno et Eve se laissèrent tomber ensemble sur le tapis de couchage.

— Je n'oublierai jamais l'odeur des lilas, murmura-t-il contre son cou. Ni le goût de votre peau.

Avant qu'Eve puisse répondre, il l'embrassa longuement et avec ferveur. Quand le baiser se termina, tous deux respiraient rapidement et étaient rouges d'excitation. Les longs doigts de Reno bougèrent sur la chemise d'Eve, la dénudant jusqu'à la taille. Sa camisole brillait comme de l'argent sous le clair de lune. Lentement, il se pencha et frôla ses lèvres sur le pouls rapide dans le cou d'Eve.

— La première fois que je vous ai vue dans votre camisole, dit-il, j'aurais voulu vous l'enlever et enfouir mon visage entre vos seins.

Eve sourit, délaça la camisole et la jeta de côté.

— Les lilas et les bourgeons de rose, murmura-t-il. Bon Dieu, vous êtes si douce.

— C'est mon savon.

Reno sourit lentement.

— Non, ma belle. Ce sont vos seins.

Reno en embrassa une extrémité, puis il s'attaqua à l'autre. Les caresses soyeuses de sa moustache et de sa langue firent durcir ses mamelons. Elle émit un petit son de plaisir quand il commença à les mordiller.

— Je pourrais vous lécher en entier, dit-il. Des pieds à la tête, puis de la tête aux pieds. Vous aimeriez ça, *gata* ?

— Est-ce que je pourrais vous lécher aussi ?

Pendant un instant, Reno devint immobile. Puis un frémissement sensuel traversa tout son corps.

— Vous n'avez pas à le faire, dit-il. Je n'ai jamais demandé ça à une femme.

— Je le veux, murmura Eve. Je veux vous connaître de toutes les façons dont une femme peut connaître un homme.

Entre les baisers et les caresses fugitives, ils se déshabillèrent l'un l'autre jusqu'à ce qu'il ne reste plus entre eux que le clair de lune et l'air frais de la nuit. Reno ramena une couverture sur eux pendant qu'il enveloppait Eve dans une longue étreinte.

— J'ai voulu faire ça aussi, la première fois que je vous ai vue, dit-il. Je voulais sentir votre corps complètement nu contre le mien.

Eve essaya de parler, mais le frisson de plaisir qui la traversa quand la chaleur de la peau de Reno se pressa contre son corps lui coupa le souffle, l'empêchant de parler.

Sa réaction silencieuse suffisait. Un son rauque surgit de la poitrine de Reno quand il sentit le délicat tremblement d'Eve.

— C'est chaque fois meilleur, murmura-t-il. Vous êtes la seule à me faire cet effet. Je ne comprends pas ça, mais je ne m'en soucie plus. Je vous désire ce soir, Eve. Davantage chaque fois. Seulement vous.

— Oui, je peux le sentir. Davantage chaque fois…

Reno l'entendit à peine. Les doigts d'Eve autour de sa chair excitée lui donnaient l'impression que des flammes dorées l'enveloppaient. Le plaisir était si intense que son corps entier se raidit.

Puis Eve écarta la couverture, glissa lentement le long de son corps et lui apprit ce que c'était que d'être aimé par le feu. Il chuchota son nom tandis qu'elle le goûtait avec toute la curiosité et la délicatesse d'une chatte. La douce rugosité de sa langue léchait et titillait chaque différence de sa texture masculine à partir de sa base rigide jusqu'à son extrémité satinée.

Quand Eve l'entoura de sa bouche, Reno essaya de parler, mais il n'y parvint pas. Elle lui avait coupé le souffle et laissé à sa place des vagues de chaleur. Tout son corps se couvrit de sueur tandis qu'il luttait pour maîtriser l'incendie qui faisait rage dans son bas-ventre. Les poings serrés, il émit un son rauque de passion retenue.

— Reno ? demanda Eve d'une voix basse. Je vous ai fait mal ?

Le rire de Reno était aussi saccadé que sa respiration.

— Non, ma belle, vous me tuez, mais vous ne me faites pas le moindre mal.

Le soupir d'Eve balaya sa peau sensible et humide, provoquant chez lui une pulsation évidente de plaisir.

— C'était bon ? demanda-t-elle.

— Il n'y a qu'une seule chose qui soit meilleure.

— Quoi ?

— Quand je m'enfouis dans votre doux…

Ses paroles se perdirent dans le grognement qui surgit de ses lèvres quand Eve l'entraîna de nouveau dans l'incendie amoureux. Il absorba tout ce qu'il pouvait et plus encore, parce que c'était une extase à la fois douce et sauvage qu'il ne voulait pas voir se terminer.

Soudain, il fut incapable d'en supporter davantage.

— Eve, je…

Reno frémit, inondé de plaisir.

Elle murmura contre lui, lui disant à quel point elle aimait son goût.

Une autre pulsation lui échappa avant qu'il tire Eve le long de son corps jusqu'à ce qu'elle chevauche ses hanches, sa taille, sa poitrine.

— Plus haut, dit Reno d'une voix rauque. Plus haut. Facilitez-moi la tâche. C'est ça. Comme ça… C'est tellement doux… Restez là, ma belle.

La délicate exploration de sa langue transperça Eve comme un éclair sensuel. Elle émit un son rauque qui se termina en un gémissement tandis qu'un long doigt découvrait son impatience sensuelle.

Le fait de savoir qu'Eve avait vraiment apprécié les caresses intimes qu'il lui avait prodiguées le fit éclater d'un grand rire de pur plaisir. Il redoubla sa présence dans son corps, entendant sa réaction dans sa respiration saccadée, la sentant dans la chaleur lisse de son corps.

— Vous avez aimé me goûter, dit Reno en frottant son visage contre la peau douce et chaude d'Eve.

— Oui, je…

Ses paroles se perdirent au moment où les dents de Reno se refermèrent délicatement sur sa chair la plus sensible. Elle réussit à peine à contrôler la chaleur liquide qui jaillit d'elle.

— Ne luttez pas, dit Reno. Laissez-la venir.

— Mais…

Ses dents la mordillèrent avec un soin exquis pendant que sa langue la caressait.

— Jouissons ensemble, ma belle.

L'extase s'empara du corps d'Eve. Reno le sentit, le goûta et rit contre elle, la caressant encore et encore, savourant la pluie soyeuse de sa réaction. Quand elle fut incapable d'en supporter davantage, il la souleva et la retourna, puis il l'étendit sous lui. Elle s'accrocha à lui jusqu'à ce que le frémissement sauvage disparaisse.

Quand elle ouvrit les yeux, Reno se tenait sur un coude, en pleine érection, et l'observait. Il avait à la main les deux minces baguettes de sourcier. Il se pencha, l'embrassa doucement et attendit d'un air interrogateur. Sans hésitation, elle posa une main sur une des baguettes.

La chaleur du corps de Reno l'avait réchauffée. Lentement, il s'installa entre les jambes d'Eve en même temps qu'elle les enserrait autour de lui, lui abandonnant sa chaleur. Il s'arrêta un instant avant de se mettre en position.

— Êtes-vous sûre ? murmura-t-il. Ça pourrait me rendre… sauvage.

Eve sourit et bougea des hanches, prenant Reno en même temps qu'il la prenait. Les extrémités des baguettes se rencontrèrent, se mirent à vibrer… et s'épanouirent en une silencieuse explosion de feu. Le monde s'évanouit tandis qu'ils s'unissaient plus profondément que jamais auparavant, ne connaissant aucune différence entre leurs corps. Ils s'embrassèrent et se caressèrent jusqu'à ce qu'un ravissement à la fois délicat et primaire traverse leurs corps entrelacés, les fusionnant en une seule chair, un seul être, une seule vie.

Ainsi unis, ils apprirent que l'extase était comme le feu lui-même ; elle était immuable et pourtant jamais la même, brûlant tout sauf elle-même, un mystérieux phénix renaissant de ses propres cendres, s'élevant et s'envolant pour mourir et renaître encore.

21

Quand Reno et Eve étaient sortis de la mine la veille, les chevaux étaient nerveux, et ils l'étaient restés pendant la majeure partie de la nuit. Peu après l'aube, ils se réveillèrent au son de trois coups de feu rapides tirés par un six-coups.

Sans un mot, ils se levèrent et s'habillèrent rapidement. Plutôt que de mettre des bottes, Reno enfila de hauts mocassins du type que préféraient les Apaches, certains Comancheros et Caleb Black. Il ne connaissait pas un seul homme plus silencieux que ce dernier pendant une traque.

J'aimerais être aussi bon, songea-t-il sombrement. *Je l'enverrais voir ce qui dérange les chevaux pendant que je ferais ce pour quoi je suis doué : tirer au pistolet et extraire du minerai. Et non me faufiler comme une ombre.* Il inséra la lunette d'approche dans sa ceinture, attacha son six-coups et sa cartouchière, et il prit son fusil à répétition.

— Restez avec les chevaux, dit-il à Eve.

— Mais…

— Promettez-le-moi, l'interrompit-il d'un ton urgent. Je ne veux pas vous abattre par erreur.

— Qu'est-ce que je fais si j'entends d'autres coups de feu ?

— Quand je vais revenir au camp, je vais arriver de l'autre direction. Tirez sur quoi que ce soit qui vient du devant de la vallée.

Eve ferma les yeux puis les rouvrit et regarda Reno comme si elle craignait que ce soit la dernière fois.

— Combien de temps serez-vous parti ? demanda-t-elle.

— Je vais revenir avant l'obscurité.

Reno s'écarta puis se retourna et lui appliqua un baiser à la fois tendre et féroce.

— Ne me suivez pas. Soyez ici quand je reviendrai, ma belle.

Eve l'étreignit fermement avant de le laisser aller et de reculer d'un pas.

— Je serai ici, dit-elle.

Sans ajouter un mot, Reno se retourna et commença à marcher vers l'embouchure de la vallée. Il se déplaça rapidement dans le pré en restant près du couvert de la forêt. Les chevaux levèrent la tête quand ils l'aperçurent, puis recommencèrent à brouter en reconnaissant son odeur.

Il arriva rapidement à l'endroit où la vallée se rétrécissait et où le ruisseau devenait une cascade blanche dévalant entre des murs de pierre noire. Un sentier emprunté par le gibier serpentait d'un côté de la cascade. Au-dessus se trouvait un bosquet d'épinettes rabougries par le vent. Dessous, au bout de la cascade, il y avait un minuscule pré marécageux, une autre cascade, puis une autre vallée beaucoup plus large avec un lac entouré de rochers à une extrémité. Il se glissa parmi les épinettes et attendit, immobile, jusqu'à ce que les oiseaux et les petits animaux reprennent leurs mouvements habituels. Un vent capricieux soufflait du flanc de la montagne, transportant une odeur de fumée.

Et aussi des voix d'hommes.

Reno s'installa plus profondément sous le couvert des arbres et attendit. Quelques minutes plus tard, deux hommes apparurent le long de la deuxième cascade. Leurs chevaux étaient minces et robustes, tout comme leurs cavaliers. Ceux-ci observaient chacun leur tour le terrain et les environs. Chacun portait un six-coups et une carabine dans une gaine de selle.

Reno connaissait l'un d'eux. La dernière fois où il avait vu Short Dog, c'était au-dessus du canon d'un six-coups au campement de Jed Slater dans les monts San Juan où Willow avait été retenue prisonnière. Short Dog avait levé son fusil, Reno avait tiré le premier, et Short Dog était tombé. Quand le temps était venu d'enterrer les corps, il ne s'était pas trouvé parmi eux.

Reno ne connaissait l'autre homme que de réputation. Bandana Mike était un voleur de diligence et un pistolero à la petite semaine qui se prenait pour un don Juan. Sa marque de commerce était un foulard de soie noir et rouge assez grand pour servir de couverture de pique-nique. En ce moment, le mouchoir se trouvait autour de son cou malpropre.

Leur conversation lui parvenait au gré du vent, des phrases et des mots que Reno devait rassembler.

— Personne n'a été ici… jours, dit Bandana Mike.

— Pourquoi donc… ?

— … mangé des fèves ici, mangé des fèves là-bas… dit Short Dog. Les mêmes fèves.

Puis le silence se fit, ponctué par le son occasionnel de cailloux qui roulaient tandis que les chevaux grimpaient de peine et de misère la partie rocheuse du sentier juste sous les épinettes.

Reno craignait que les chevaux des Comancheros captent son odeur s'ils continuaient à grimper jusqu'à ce qu'il se trouve sous le vent par rapport à eux, mais les hommes descendirent de leurs montures au bout de la pinède, à une dizaine de mètres de distance. À moins que le vent change de direction, les chevaux n'allaient pas sentir son odeur.

— Ça ne sert à rien de s'installer ici sur un rocher quand nous pourrions nous étendre là-bas dans l'herbe, grogna Bandana Mike. Ils ne peuvent pas sortir sans traverser notre campement, et même un Mexicain soûl ne pourrait pas les rater alors.

— Parles-en à Slater, dit Short Dog.

— J'aimerais mieux me tirer dessus moi-même et en finir avec ça plutôt que de lui parler, grommela Bandana Mike.

— Jericho n'avait aucune raison d'abattre le vieux Walleye. Il ne faisait que rigoler avec ce serpent.

— Peu importe, Walleye Jack est mort, et le serpent aussi.

— Jericho est un homme dangereux, acquiesça Bandana Mike.

Reno n'entendit rien pendant quelques minutes. Puis le bruit d'un bouchon de liège qu'on retirait d'une bouteille lui parvint. Les bruits de satisfaction et les toussotements qui suivirent lui apprirent qu'il ne s'agissait ni d'eau ni de café qu'on se passait.

– À ton avis, qu'est-ce qui est arrivé à Crooked Bear ? demanda Bandana Mike.

Short Dog rota.

– Il est mort ou est parti voir une squaw. Même chose.

– Merde, mais l'idée de l'or motive un homme, dit Bandana Mike après un moment. Tu penses qu'ils l'ont déjà trouvé ?

– Ils ne sont pas partis. Pas d'or encore, dit brièvement Short Dog.

Pendant un moment, il n'y eut que le silence et le bruit incessant du vent. Un cheval hennit et piaffa.

Reno attendit, immobile.

– Tu crois que ce Reno est aussi bon qu'on le dit avec un six-coups ?

– Tu parles, il est foutrement rapide, dit Short Dog en opinant énergiquement de la tête.

Reno se dit qu'il aurait dû tirer juste un peu mieux quand il ciblait Short Dog. Il aurait eu affaire à un Comanchero en moins.

Toutefois, il ne manquait jamais d'hommes paresseux, cupides ou cruels pour grossir les rangs des bandes que dirigeaient des hommes comme Jericho Slater.

– Et la fille ? Tu l'as vue ? Elle est belle ?

– Les femmes sont toutes pareilles. Mauvaises.

Bandana Mike éclata de rire.

– C'est de ne pas en avoir qui est mauvais. J'espère être un des premiers. Ce n'est pas drôle quand la fille est à moitié morte après que les autres lui soient passés dessus.

Le silence se fit de nouveau, puis d'autres toussotements se firent entendre quand les hommes burent encore.

— On joue au jaquet ? demanda Bandana Mike.

Short Dog grogna.

Reno entendit le bruit de cartes qu'on mélangeait.

Il attendit avec la patience d'un homme dont la vie en dépendait. Et pendant qu'il attendait, il souhaita encore une fois avoir le talent de Caleb pour se déplacer silencieusement. Il aurait donné beaucoup pour pouvoir se glisser derrière Bandana Mike et trancher sa sale gorge.

Pendant une heure, il écouta les deux hors-la-loi se quereller à propos des cartes. Puis il se retira lentement en profitant du vent capricieux pour couvrir les sons qu'il pourrait faire.

Quand il revint au campement, il en fit le tour et y arriva par l'arrière. Eve attendait, le fusil levé et les deux canons chargés. Aussitôt qu'elle le vit, elle abaissa le fusil et courut vers lui. Il l'enlaça et la serra contre lui. Quand il la relâcha finalement, elle le regarda avec des yeux qui ne lisaient en lui que trop bien.

— Slater, dit-elle.

Ce n'était pas une question.

— Slater, confirma Reno. Il a posté deux hommes pour garder ce petit pré marécageux juste en dessous de celui-ci. Tous ses autres hommes campent dans le grand pré plus bas.

— Qu'allons-nous faire ?

— Chercher de l'or, ma belle.

— Et ensuite ?

Reno sourit froidement.

— Ensuite, je vais faire connaître à ces garçons la poudre noire.

Et prier très fort pour que Cal, Wolfe ou Rafe soient en chemin.

Eve attendait à l'endroit où le trou de coyote rejoignait le tunnel principal. La veille, Reno avait suffisamment élargi le trou pour pouvoir s'y glisser. Ce n'était pas confortable, mais ça fonctionnait : il avait pu se rendre là où les 16 lingots d'or avaient été enterrés des siècles auparavant.

Le bruit qu'il faisait en rampant tout près rassurait Eve, mais elle voulait quand même entendre sa voix. Elle s'allongea sur le sol et l'appela.

– Reno ? Est-ce que tout va bien ? J'ai cru entendre tomber quelque chose.

Sa réponse vint rapidement, déformée par les sinuosités du trou de ver dans lequel il rampait.

– C'est seulement moi qui écarte les débris de mon chemin, dit-il.

Ce n'était que la moitié de la vérité, mais c'était la seule moitié qu'il prévoyait dire à Eve. Le milieu de l'ancien tunnel était terriblement instable. En élargissant le trou de coyote, il avait déclenché deux petits effondrements. La roche instable continuait de tomber. Un véritable glissement pouvait survenir à tout moment. Plus il passait de temps dans un des deux tunnels ou dans le trou de coyote, plus le danger grandissait.

Mais il savait que s'il le disait à Eve, elle insisterait pour l'aider à sortir l'or. Il ne voulait pas qu'elle se trouve le moindrement près des tunnels fragiles.

En fait, il n'avait pas voulu qu'elle se trouve à quelque endroit de la mine cette fois, mais elle s'était entêtée. Finalement, il avait accepté qu'elle vienne dans la mine, mais seulement aussi loin qu'allait la roche solide dans le tunnel principal. Après ce point, elle devait rester au même endroit.

– Reculez, dit Reno.

Puis il ajouta d'un ton ironique en sachant qu'elle ne pouvait pas se tenir debout :

— Rampez en vous éloignant, *gata*. Je viens.

Eve s'écarta de l'ouverture qui paraissait encore trop petite pour laisser passer les larges épaules de Reno. Pendant qu'elle regardait, deux lingots d'or apparurent. Ils brillaient dans la lumière du fanal comme s'ils venaient d'être versés dans un moule.

En se tordant, Reno émergea de l'étroite ouverture. Son visage était marqué par la sueur et la poussière, tout comme ses vêtements. Toutefois, ses armes étaient propres. Il les avait déposées d'un côté d'un trou de coyote avant de se mettre à ramper. Il prit un lourd lingot dans chaque main et les plaça avec les autres qu'il avait retirés.

— En voilà 16, et il en reste deux, dit-il en s'étirant.

— Laissez-moi aller chercher les…

— *Non.*

Reno entendit le refus sec dans sa propre voix et pria pour qu'Eve n'y ait pas perçu la peur sous-jacente pour sa sécurité. Il se força à sourire pendant qu'il relevait la tête pour lui donner un rapide baiser.

— Je vais revenir dans un instant avec un lingot dans chaque main.

Eve aurait voulu rouspéter même si elle savait que cela n'aurait servi à rien, alors elle plaqua un sourire sur son visage pendant qu'elle frôlait les lèvres de Reno du bout des doigts.

— Dépêchez-vous, mon cher, murmura-t-elle.

Après que Reno eut disparu de nouveau dans le trou de coyote, elle s'accroupit et se mit à prier.

Elle priait encore quand elle entendit le son d'un éboulis. Une bouffée d'air jaillit de l'embouchure du trou, emportant avec elle un nuage de poussière et le son de la pierre qui s'écroulait.

Le trou de coyote s'était effondré.

— Reno ! hurla-t-elle. *Reno !*

Aucun son ne lui parvint, à part celui des pierres qui cessaient de rouler.

Quand elle regarda dans le trou de coyote, elle ne vit aucun rayon de lumière provenant du fanal de Reno. Elle attrapa vivement sa propre lanterne et rampa dans l'étroit tunnel en poussant la lumière devant elle. Il y avait tellement de poussière dans l'air que la lumière semblait avoir été enveloppée dans de la gaze.

Au bout de quelques secondes, Eve toussa et s'étouffa dans la poussière environnante. Elle remonta son foulard sur sa bouche et rampa aussi vite qu'elle le pouvait, ignorant les pierres qui lacéraient et contusionnaient son corps.

Après chaque respiration, elle hurlait le nom de Reno. Aucune réponse ne lui parvenait à part l'écho de ses propres cris.

Le fanal frappa quelque chose puis refusa de bouger. Tout en pleurant et en appelant Reno, elle lutta aveuglément contre l'obstacle inattendu. Finalement, elle comprit ce qui n'allait pas. À l'endroit où le trou de coyote aurait dû aboutir à l'ancien tunnel plus large, le plafond s'était effondré. Désormais, il n'y avait plus qu'un mur de gravats.

Elle s'agrippait de ses ongles aux débris, les repoussant de chaque côté de son corps. À chaque poignée qu'elle retirait, deux autres prenaient sa place.

— *Reno.*

Elle n'entendit que le son de ses propres sanglots. Il en était de même une heure plus tard, quand elle comprit finalement qu'elle n'avait pas la force de creuser seule à travers l'effondrement.

Sale, échevelée, les yeux hagards, Eve dépassa en rampant l'endroit où Reno avait dit que les gardes de Slater étaient postés. Même s'il lui arriva deux fois de faire rouler des cailloux, aucun homme ne donna l'alerte ni ne vint la chercher. Elle remarqua à peine la chance qu'elle avait. Elle se concentrait sur ce qui devait être fait, à savoir soudoyer Jericho Slater avec un mélange de lingots d'or et de balles de plomb.

Ils veulent l'or. Ils sont venus pour l'avoir. Mais ils vont devoir d'abord creuser pour libérer Reno.

Et je vais les surveiller sans arrêt avec un fusil chargé.

Au fond d'elle-même, Eve savait que son plan était stupide au point d'être suicidaire, mais le reste de son esprit ne s'en souciait tout simplement pas. Elle n'était pas assez forte pour extirper Reno de la montagne. La bande de Slater l'était.

Alors, elle irait voir Slater et laisserait le diable s'occuper du reste. Elle traversa la zone marécageuse comme un spectre poussiéreux. Sa chemise jadis blanche était de la couleur gris noir de la roche, comme l'étaient ses pantalons. Tout était ainsi, sauf les pistolets qu'elle portait. Elle les avait nettoyés avec soin, tout comme Reno lui avait appris à le faire. Les armes étaient propres, complètement chargées et prêtes à faire feu.

La forêt et des broussailles bordaient la deuxième cascade. Il lui était impossible de rester silencieuse, mais ça n'avait pas d'importance, parce que l'eau faisait assez de bruit pour enterrer celui d'un mustang en pleine course. Instinctivement, elle déplaça fusil de chasse et la cartouchière pour qu'ils ne s'accrochent pas dans les buissons et les arbres qui poussaient de chaque côté d'elle.

Juste avant que la cascade se disperse à travers l'embouchure parsemée de rochers de la vallée plus large, l'eau faisait un dernier saut par-dessus une saillie de grès. Eve rampa sur la roche pour jeter un coup d'œil au camp. Elle avait déjà décidé que Jericho Slater serait le premier prisonnier qu'elle allait capturer. Il ne lui fallait que trouver où il était.

En regardant par-dessus la saillie, elle comprit qu'elle était chanceuse de ne pas être elle-même une prisonnière. La bande de Slater était campée à une trentaine de mètres de la chute dans un épais bosquet de conifères. Les chevaux étaient entravés dans le pré. Elle compta rapidement 20 hommes.

Un profond désespoir l'envahit. Elle aurait pu en surveiller 10. Même 12.

Mais 20 ?

Il n'y a pas d'autre solution. Attraper Slater, faire un marché avec lui et régler ça. Peu importe à quel point la situation semble mauvaise, celle de Reno est pire, coincé comme il l'est là-dessous, sans lumière, sans nourriture et sans eau.

Il n'a jamais aimé les tunnels. Il ressent la même chose à propos d'eux que moi à propos des étroits sentiers de calcaire.

Je dois le retrouver vite. Je ne peux pas le laisser là seul.

Elle refusait d'envisager la possibilité qu'il soit déjà mort sous des tonnes de débris, enterré comme l'avait été l'enfant esclave, un sacrifice de plus aux larmes dorées du dieu Soleil. Elle était certaine que s'il était mort, elle l'aurait su, l'aurait senti tout aussi sûrement qu'elle sentait sa propre vie maintenant.

Elle s'essuya les yeux avec sa manche puis regarda de nouveau le camp. Une mouvance gris pâle attira son attention. Jericho Slater portait toujours la cape de l'armée confédérée. Son chapeau blanc de planteur lui était aussi familier ; il ne l'avait même pas enlevé quand il s'était assis à sa table pour jouer aux cartes.

Je me demande ce qu'il éprouve à propos des tunnels. J'espère qu'il les déteste, parce que jusqu'à ce que Reno soit libéré, Slater va devoir passer beaucoup de temps dans l'obscurité.

Elle sourit d'un air triste, s'éloigna de la saillie rocheuse et gagna le couvert des arbres. Aussitôt que les branches vertes se refermèrent autour d'elle, une main d'homme apparut soudainement et se referma sur sa bouche. En même temps, un bras puissant la serra à la taille, retenant ses bras contre son corps. Même si elle tenait un fusil de chasse, elle ne pouvait pas s'en servir.

Un instant plus tard, elle se sentit soulevée, incapable de faire quoi que ce soit à part battre sauvagement des pieds.

— Calmez-vous, tigresse, lui dit calmement une voix profonde près de son oreille. C'est Caleb Black.

Eve s'immobilisa puis regarda par-dessus son épaule. Caleb la fixait de ses yeux couleur de whisky. Il n'y avait plus dans ses yeux la chaleur dont elle se souvenait. Il paraissait exactement comme Reno l'avait déjà décrit : un ange de la vengeance.

Eve opina de la tête pour montrer qu'elle avait compris qu'elle était en sécurité. Lentement, Caleb la remit sur pied. Quand elle fut debout, il lui indiqua du pouce qu'ils devaient s'enfoncer davantage sous le couvert des arbres.

Aussitôt, un autre homme s'avança. Il avait la même chevelure noire que Caleb, mais c'est là que s'arrêtait la ressemblance. Les cheveux de Caleb étaient légèrement bouclés alors que ceux de Wolfe Lonetree étaient droits comme une règle.

Ses yeux étaient d'un indigo si foncé qu'ils paraissaient presque noirs. Son visage affichait les hautes pommettes de sa mère cheyenne et la bouche clairement définie de son père écossais. Même s'il n'était pas aussi grand que Caleb ou Reno, il se déplaçait avec une confiance qui était plus impressionnante que ce que sa taille seule aurait pu justifier.

Les mains de Caleb s'agitèrent dans un langage des signes aussi gracieux que précis. Wolfe opina de la tête et passa près d'Eve en touchant son chapeau noir en guise de salutation. La main qu'il avait levée tenait deux boîtes de cartouches, et son autre agrippait deux carabines à répétition.

Eve le fixa pendant un instant puis recula encore entre les arbres, tirée par la main de Caleb sur son bras.

Aussitôt qu'elle put parler, elle dit :

— Il y a eu un effondrement. Reno est coincé. Il y a deux gardes à la prochaine cascade.

Caleb la regarda d'un air inquiet.

— Il est vivant ?

Elle acquiesça de la tête, incapable de dire quoi que ce soit par crainte que sa gorge se serre.

— Est-il blessé ?

— Je l'ignore. Je n'ai pas pu l'atteindre.

— Qu'est-ce qu'il a dit ?

— Rien. Il ne pouvait pas m'entendre.

Caleb ne lui demanda pas comment elle savait que Reno était vivant. Il avait perçu la violence et la profonde détermination dans ses yeux.

— Je me suis occupé des gardes, dit Caleb. Retournez au marécage et attendez. Nous allons revenir bientôt.

— Mais Reno…

— Allez. Nous ne pouvons rien faire pour lui tant que Jericho Slater se prépare à nous tirer dans le dos.

Caleb se retourna puis s'arrêta et la regarda par-dessus son épaule.

— Rafe Moran est quelque part autour d'ici. Alors, si vous voyez un homme aussi grand que Reno qui vient vers vous — il a les cheveux blonds et le corps leste, avec un fouet dans une main et un six-coups dans l'autre —, ne l'abattez pas.

Eve opina de la tête d'un air hébété.

— Il y a une petite rousse du nom de Jessi Lonetree à environ un kilomètre le long de la piste, poursuivit Caleb. Elle est censée ne pas bouger, mais il pourrait lui venir l'idée de chercher son homme après la fusillade.

— Jessi ? Alors, c'était Wolfe ?

Caleb sourit.

— Absolument. Maintenant, allez au marécage et attendez-nous. Avec Wolfe et une carabine à répétition sur ce rocher qui va les haranguer à propos du prix du péché[7], les gars de Slater vont vite constater leur erreur. Il y aura toute une débandade de convertis se dirigeant vers le bas de la montagne.

— Je peux aider.

— Vous le pouvez certainement, acquiesça Caleb. Vous pouvez ramener vos fesses au marécage et rester en sécurité.

7. N.d.T.: La mort (Épitre aux Romains, chapitre 6, verset 23).

S'il vous arrivait quelque chose, personne ne saurait où chercher Reno.

— Alors, je vais retourner à la mine. Il pourrait être en train de m'appeler.

— N'y entrez pas jusqu'à ce que j'arrive, dit platement Caleb.

Eve ouvrit la bouche pour protester.

— Je suis sérieux, Eve. Si je dois le faire, je vais vous attacher comme un poulet sur la broche.

— Mais…

— Mettez-vous ça dans la tête, fit durement Caleb en l'interrompant. Sans vous, nous n'avons aucune chance d'aider Reno.

Eve acquiesça lentement et se tourna sans même remarquer les pleurs qui dessinaient de nouveau des sillons argentés à travers la poussière sur ses joues.

Elle était à mi-chemin le long de la cascade quand Wolfe Lonetree ouvrit le feu avec une de ses carabines. Le bruit des balles siffla dans l'air de la montagne, se répercutant d'un sommet à l'autre. Plus bas, d'autres carabines répondirent dans un crescendo de bruits.

Au moment où Eve atteignit le marécage, les coups de fusil étaient devenus moins fréquents. Pendant qu'elle grimpait la deuxième cascade, un six-coups commença à se faire entendre à intervalles. Le silence redescendit sur la montagne avant qu'elle atteigne la minuscule vallée où se trouvait la mine.

Caleb avait eu raison. La bande de Slater n'avait pas aimé se trouver confrontée aux talents mortels de Wolfe Lonetree avec une carabine.

22

– Ce que vous dites n'a pas de sens, fit Eve.

Les mains sur les hanches, elle faisait face aux trois hommes à l'air endurci et à la mince femme rousse qui s'étaient rassemblés devant la mine.

– C'est vous qui n'êtes pas raisonnable, répondit Caleb. Tantôt, vous alliez vous attaquer à la bande de Slater avec un fusil de chasse, et maintenant, vous parlez de descendre seule dans ce trou infernal et…

– J'ai voulu pourchasser Slater parce que je me fichais de tuer quelques-uns de ses hommes pendant qu'il creusait pour retrouver Reno, l'interrompit Eve. Vous avez une femme et un enfant qui vous attendent.

Elle se tourna vers Wolfe.

– Et vous avez une femme qui a besoin de vous. Il n'y a que moi qui puisse atteindre Reno, et il n'y a personne au monde qui se soucierait de ma mort. De plus, il n'y a de place que pour une personne à la fois qui puisse creuser. Quand je ne pourrai plus le faire, vous pourrez tirer à la courte paille.

Au moment où Eve pivotait sur elle-même pour entrer dans la mine, une lanière de fouet s'enroula autour de ses genoux, la tenant en place sans lui faire le moindre mal.

— Attendez, mademoiselle. Je vais avec vous.

Eve se retourna pour faire face au grand homme blond qui souriait, parlait et bougeait tellement comme Reno qu'elle pouvait à peine supporter de la regarder. La couleur des yeux était différente, grise plutôt que verte, mais leur apparence féline et leur clarté étaient si semblables qu'elle en éprouvait comme un coup de couteau au cœur.

Et comme Reno, le regard de Rafe était aussi froid que la glace quand il était résolu à obtenir quelque chose.

— Ne me faites pas perdre mon temps en rouspétant, dit-il sans ménagement. J'y vais avec vous, ou j'y vais seul. Je connais bien les mines et les indices que peut laisser Reno sur une piste. Je vais le trouver.

Eve n'en doutait pas.

— D'accord, dit-elle sur un ton douloureux. J'aimerais ça. Mes épaules sont loin d'être aussi fortes que les vôtres.

Rafe agita son poignet. La longue lanière tomba des genoux d'Eve. Ignorant les objections de Wolfe et de Caleb, elle prit un fanal et pénétra dans la mine. Rafe laissa tomber son fouet et la suivit en s'arrêtant un moment pour attraper une pelle et un fanal.

Caleb et Wolfe leur emboîtèrent le pas avec un troisième fanal. Jessi resta à l'embouchure de la mine avec un fusil pour monter la garde au cas peu probable où un des Comancheros de Slater aurait fui dans la mauvaise direction quand les balles avaient commencé à voler.

Eve entendit le bruit de plusieurs personnes qui la suivaient, regarda par-dessus son épaule et éprouva un soulagement. Même s'il n'y avait vraiment pas assez d'espace pour que plus d'un homme puisse creuser à la fois, elle se sentait mieux simplement en sachant que tant de personnes étaient là et pouvaient l'aider au besoin.

Rafe se penchait de plus en plus à mesure que le plafond irrégulier de la mine s'abaissait. À chaque embranchement du tunnel, il remarquait les signes qu'avait laissés Reno.

Eve traversa le gros tunnel à une vitesse qui faisait osciller le fanal. Rafe la suivait comme une grande ombre musclée. Caleb et Wolfe se tenaient à quelque distance, marquant les embranchements des tunnels à leur propre façon.

Une poussière aussi fine que de la poudre de talc flottait encore dans l'air là où le trou de coyote effondré se séparait du tunnel principal. Rafe regarda rapidement autour de lui. Quand il vit la pile de lingots, ses yeux s'écarquillèrent.

Il tourna vivement la tête vers Eve. Elle ne prêtait pas plus d'attention à l'or que s'il s'était agi d'une pile de pierres semblable au bord d'une rivière.

— Ça s'étend sur environ trois mètres avant d'être bloqué, dit-elle en indiquant du doigt le trou de coyote. J'ai crié et crié, mais il n'a pas répondu.

Rafe fit une moue triste, mais dit seulement :

— Laissez-moi essayer. Ma voix porte beaucoup plus loin que la vôtre.

Eve opina de la tête et regarda Rafe se mettre à genoux et déposer le fanal. Le trou paraissait aussi invitant qu'une tombe. Il jeta un coup d'œil à la pelle. Dans cette étroite ouverture, il serait chanceux s'il avait assez d'espace pour s'en servir.

— Je suis surpris que Reno soit allé là, marmonna Rafe. Il n'a jamais beaucoup aimé la noirceur et les endroits restreints.

— Peut-être qu'il n'y a jamais eu de lingots d'or espagnol qui l'attendaient de l'autre côté, répondit laconiquement Eve.

— Il y en a d'autres ? demanda Rafe pendant qu'il rampait par-dessus la pile de lingots jusque dans le trou sombre.

— Deux autres, à notre connaissance. Il est censé y en avoir beaucoup plus qui sont enterrés quelque part là-dessous. En ce qui me concerne, ils peuvent rester sous terre.

Rafe n'émit qu'un juron à voix basse tandis qu'il se glissait dans le trou étroit.

Eve se mit à genoux et s'adossa au mur froid du tunnel. Elle s'aperçut vaguement qu'elle tremblait. Quand Caleb lui toucha l'épaule, elle sursauta.

La voix profonde de Rafe se fit entendre bruyamment à travers le trou de coyote quand il appela Reno. Le silence suivit. Rafe appela encore. Ils n'entendirent rien. Et ce fut la même chose la troisième et la quatrième fois que Rafe hurla le nom de son frère.

— Cal, Wolfe, apportez ces lingots à Jessi là-haut, dit Rafe après une minute. Ils ne sont qu'un obstacle ici.

Le son d'une pelle de métal frappant les débris rocheux leur parvint du tunnel quand Rafe commença à creuser.

— Tu vas avoir besoin de quelqu'un pour retirer les débris du chemin, dit Caleb.

— Ça devra être Eve. Deux hommes ne tiendront pas là.

Wolfe se pencha, abaissa le fanal dans le trou de coyote et commença à pousser des jurons dans un mélange de cheyenne et d'anglais britannique.

— Il a raison, Cal. Rafe est déjà à l'étroit là-dessous.

Caleb se pencha et commença à prendre les lourds lingots d'or en poussant des jurons à qui mieux mieux à propos du lien entre les idiots, l'or et le type d'enfer que l'on pouvait découvrir sans mourir.

La cadence de la pelle ne changea pas le moindrement pendant que Rafe creusait à travers les pierres lâchement empilées et les roches instables, poussant les débris de chaque côté de son corps et priant pour que le reste du trou de coyote puisse tenir.

Pendant que Rafe creusait dans l'obscurité comme une vrille vivante, Caleb et Wolfe firent des allers-retours jusqu'à ce qu'une pile de gros lingots s'entasse à l'embouchure de la mine. Eve remarqua à peine l'absence des lingots ; elle remarqua surtout le fait que leur absence lui facilitait le travail pendant qu'elle rampait dans le trou et en faisait sortir les débris, aménageant un peu plus d'espace pour que Rafe puisse travailler.

– Envoie Eve à l'entrée quand tu auras besoin que quelqu'un te remplace, dit Wolfe en prenant le dernier lingot.

Rafe grogna une réponse et continua de creuser.

Au bout d'un certain temps, les premiers tremblements de la lumière du fanal brillèrent à travers les débris empilés devant Rafe.

– Je vois de la lumière ! cria-t-il.

– Est-ce que Reno est là ? cria Eve.

– Je ne peux pas le dire. Le plafond n'arrête pas de…

Les paroles de Rafe se perdirent sous une pluie de pierres. Il poussa une série de jurons appris dans les ports les plus malfamés de la terre. Et pendant qu'il jurait, il creusait en sachant qu'à chaque coup de pelle, il pouvait être en train de creuser sa propre tombe.

Malgré l'ardeur qu'il mettait à creuser, il ne parvenait pas à garder un trou ouvert qui soit assez grand pour que quelqu'un puisse y ramper. Son rictus sévère quand il revint jusqu'à Eve dans le tunnel lui fit comprendre davantage que ce qu'elle voulait savoir.

— Plus je creuse, plus je m'éloigne, dit-il brusquement en essuyant la sueur de ses yeux. J'ai écarté les plus grosses pierres, mais les petites n'arrêtent pas de tomber. C'est comme creuser dans le lit d'une rivière. Je peux à peine dégager assez d'espace pour un chat et encore moins pour un homme de ma taille.

— Un quelconque signe de la présence de Reno ?

Rafe regarda les yeux fatigués et le visage tendu d'Eve. Il caressa ses cheveux emmêlés avec une délicatesse étonnante.

— Ma pelle a traversé deux fois les débris, dit Rafe, mais plus de pierres sont tombées chaque fois. J'ai crié à travers l'ouverture, mais…

Il détourna le regard, incapable de faire face à l'espoir mêlé d'anxiété dans les yeux d'Eve. Elle ne demanda pas davantage d'informations. Si Reno avait répondu à ses cris, Rafe l'aurait entendu.

— Eh bien, nous sommes en meilleure position que nous l'étions, dit-il. Au moins, nous savons qu'il y a de l'air qui passe dans le trou et qu'il y a assez d'espace de l'autre côté pour faire écho quand je crie. Et il y avait pendant tout ce temps assez d'air pour que le fanal de Reno continue de brûler.

Eve opina de la tête, mais son attention était concentrée sur le trou de coyote.

— S'il n'a pas été tué sur le coup, poursuivit Rafe, il est probablement assommé, ou il se trouve dans une autre partie de la mine à la recherche d'une sortie.

– Est-ce que je dois appeler Caleb ou Wolfe ?

– Non, dit Rafe d'un ton brusque. Vous aviez tout à fait raison. Ce trou n'est pas un endroit pour un homme marié.

– Reposez-vous quelques minutes, dit Eve d'une voix tremblante. Il y a de l'eau dans la gourde. C'est de l'eau d'hier, mais je suppose que ça ne vous dérangera pas.

Le sourire de Rafe brilla sur son visage poussiéreux et couvert de sueur.

– Sûrement pas, acquiesça-t-il.

Il déposa la pelle et alla chercher la gourde qu'Eve avait ramenée plus loin le long du tunnel, hors du chemin. Aussitôt que Rafe prit la gourde, Eve saisit la pelle et descendit dans le trou de coyote. Quand il se retourna et comprit ce qu'elle avait fait, elle était hors d'atteinte.

– Revenez ici ! hurla-t-il. C'est trop dangereux. Ce plafond peut s'effondrer au moindre mouvement !

– Je peux passer par n'importe quel trou où un chat peut se glisser, répondit-elle. Demandez à Reno. Il m'appelle *gata.*

Rafe frappa de sa main ouverte la paroi rocheuse et poussa violemment un juron.

Mais malgré sa colère, il ne se glissa pas dans le trou de coyote pour en ramener Eve. Si elle pouvait passer par l'ouverture, elle représentait la meilleure chance de survie de Reno.

Et si Reno était mort, elle pouvait s'en rendre compte aussi avant que Caleb ou Wolfe se fassent tuer en essayant d'extirper un homme qui n'était plus vivant.

Eve se fraya un chemin à travers les débris, attirée par la vague lumière du fanal devant elle. Les 30 derniers centimètres furent les plus durs, car l'éboulis avait presque rempli l'ouverture. Il y avait juste assez d'espace pour qu'elle puisse y glisser la tête et un bras. En poussant avec ses pieds, elle se glissa à travers le trou.

Tout à coup, le plafond s'effondra.

Pendant un instant, Eve sentit un poids écrasant. Puis une partie des débris fut projetée vers l'avant en l'entraînant avec elle. Elle s'étendit de tout son long sur le sol inégal du tunnel et tenta de reprendre son souffle.

La première chose qu'elle vit fut le fanal de Reno. La deuxième fut la tête et les épaules de Reno sortant d'une pile de débris laissés par la série d'éboulis. La troisième chose qu'elle vit fut que Rafe avait fait accidentellement ce que les Espagnols avaient souvent fait volontairement : il avait creusé un nouveau trou de coyote relié au gros tunnel.

Elle ne se rendit pas compte qu'elle criait le nom de Reno jusqu'à ce que l'écho lui revienne. En toussant, elle remonta son foulard sur sa bouche et rampa vers Reno à travers les tourbillons de poussière qu'avait provoqués le nouvel éboulement.

— Eve ! murmura Rafe. Vous n'avez rien ?

— J'ai trouvé Reno !

— Il est vivant ?

Elle tendit la main vers Reno, mais elle tremblait tant qu'elle ne pouvait sentir le pouls dans son cou. Puis elle vit du sang qui se coulait lentement d'une coupure à son front. Elle prit vaguement conscience du fait que Rafe criait son nom.

— Il est vivant ! lui hurla-t-elle.

— Que Dieu soit loué. Faites attention, je viens.

Quelques instants plus tard, une autre pluie de débris s'abattit de la paroi instable où les trous de coyote criblaient le vieux tunnel. Des pierres aussi grosses que le poing d'Eve tombaient. L'une d'elles frappa le fanal puis le renversa, et il s'éteignit. Une autre frappa Reno, qui grogna doucement. Les autres pierres ajoutèrent une autre couche au tas qui le recouvrait.

— Arrêtez ! cria Eve. Rafe, arrêtez ! Chaque fois que vous bougez, Reno se trouve un peu plus enterré !

— D'accord. J'arrête. Qu'est-ce qui est arrivé au fanal ?

— Une pierre l'a renversé, et l'huile s'est répandue.

Rafe poussa un juron. Eve fouilla ses poches dans l'obscurité. Finalement, elle trouva un bout de chandelle ; Reno avait insisté pour qu'elle le garde au cas où quelque chose arriverait au fanal.

Soudain, la lumière du fanal de Rafe se répandit à travers la petite ouverture qui représentait tout ce qui restait du trou de coyote.

— Vous pouvez voir, maintenant ? demanda-t-il.

— Oui. Attendez.

Une allumette grésilla. Bientôt une flamme de chandelle brilla dans l'obscurité environnante. Eve rampa plus loin dans l'ancien tunnel et coinça la chandelle dans une crevasse.

— J'ai de la lumière, maintenant, dit-elle.

— À quel point Reno est-il blessé ?

— Je ne sais pas. Il a le visage contre terre, et il est en bonne partie recouvert de débris. Il a une coupure au front.

Des pierres tombèrent et roulèrent pendant que la mine s'ajustait à sa nouvelle forme.

— Pouvez-vous le mettre hors d'atteinte d'un autre éboulis ? demanda Rafe d'une voix inquiète.

Eve glissa les mains sous les bras de Reno et tira. Il grogna de nouveau. Elle ferma les yeux et tira plus fort.

Les pierres qui le recouvraient bougèrent à peine.

— Je dois d'abord enlever les débris sur lui, dit Eve.

— Faites vite. Cette ouverture est sacrément instable.

Elle travailla avec frénésie, écartant les pierres jusqu'à ce que Reno soit libéré jusqu'aux hanches.

— Eve ? cria Rafe.

— J'ai tout déblayé sauf ses jambes.

— Vous voulez que j'essaie de venir pour vous aider ?

Alors même que Rafe parlait, d'autres pierres tombèrent sur Reno.

— Arrêtez de creuser ! s'exclama Eve.

— Je n'ai pas bougé !

Les pierres bondissaient et roulaient sur le sol.

— Remontez le tunnel le plus loin possible du trou de coyote, ordonna Rafe.

— Mais Reno…

Une autre vague de débris tomba du mur instable tandis qu'un son bas et grinçant vibrait à travers la mine.

— Vous ne pouvez pas l'aider maintenant ! hurla Rafe d'une voix sauvage. Sauvez-vous !

Comme dans un rêve, Eve vit le mur frémir et bouger légèrement alors qu'il commençait à s'effondrer.

L'adrénaline coula dans ses veines en une folle frénésie. Elle ne s'arrêta pas pour réfléchir ou se poser des questions. Elle agrippa simplement Reno sous les bras et tira avec toute la force et la détermination qu'elle avait, le traînant en un seul coup à l'abri du mur instable.

Les pierres s'écrasèrent en une pluie de débris qui léchèrent les bottes de Reno. Eve continua désespérément de reculer, le traînant avec elle jusqu'à ce qu'elle trébuche et tombe. Elle se remit sur pied et continua de tirer, mais ses élans d'énergie frénétique l'avaient épuisée, et elle se retrouva incapable de le bouger. Malgré cela, elle continuait de tirer et tirer, en pleurant et en criant le nom de Reno.

– Ça va, Eve. Vous pouvez le lâcher. Vous l'avez tiré assez loin.

Pendant une folle seconde, elle pensa que c'était Reno qui lui parlait, puis elle se rendit compte que c'était Rafe, agenouillé près d'elle.

– Comment… ?

Une toux interrompit sa question.

– Quand le mur est tombé, il a ouvert un nouveau passage. Mais je ne sais pas combien de temps il tiendra le coup. Pouvez-vous marcher ?

Eve se releva en tremblant.

– Prenez le fanal, dit Rafe. Nous allons vous suivre.

Il se pencha, souleva son frère sur ses larges épaules et suivit Eve. Bientôt, ils rencontrèrent Caleb et Wolfe, qui avaient entendu le grondement au cœur de la mine et étaient venus en courant.

L'air frais et la bousculade à travers la mine ravivèrent Reno. Il reprit conscience dans un brouillard de douleur et d'étourdissement au moment où il était transporté hors de la mine. La lumière du soleil fut comme un coup de marteau dans ses yeux. Il grogna puis ferma les paupières et se demanda pourquoi le monde cahotait à ce point.

– Ne bouge pas, dit la voix de Rafe. Tu as été blessé.

Reno entendit d'autres voix, des voix d'hommes. C'étaient Caleb et Wolfe qui parlaient pendant qu'ils le transportaient en sécurité jusqu'au campement. Reno n'entendit pas la voix d'Eve ni ne sentit son toucher ou son odeur. Quand il ouvrit les yeux, l'éclat du soleil l'aveugla.

– Eve ? demanda-t-il d'une voix rauque.

— À part le fait qu'elle a été assez folle pour essayer de s'entendre avec Slater, elle va bien, dit sèchement Caleb. Déposons-le là-bas. Les pieds d'abord, Wolfe.

Reno n'entendit rien d'autre que les paroles à propos d'Eve. Elles se répercutèrent dans son esprit comme les ondes d'une explosion, lui faisant comprendre l'ancienne vérité à propos des hommes, des femmes et de la trahison :

« À part le fait qu'elle a été assez folle pour essayer de s'entendre avec Slater... S'entendre avec Slater... S'entendre avec... »

Les paroles produisaient un écho terrible dans l'esprit de Reno, entraînant dans leur sillage une douleur incomparable à tout ce qu'il avait connu. Quand il avait senti le tunnel s'effondrer autour de lui, sa dernière pensée avait été qu'au moins, Eve serait en sécurité.

Et elle avait tout de suite pensé à prendre l'or puis à s'entendre avec Jericho Slater avant de le laisser mourir dans la mine.

— J'aurais dû apprendre... Savannah Marie, dit-il amèrement.

— Quoi ? demanda Caleb.

— Est-ce que cette fille de saloon tricheuse a... ? Est-ce qu'elle a laissé un peu d'or ?

Avant que Caleb puisse répondre, Reno perdit encore conscience.

Eve souhaita avoir pu faire de même. Elle vacilla comme si le sol lui avait glissé sous les pieds.

Rafe la rattrapa avant qu'elle tombe.

— Restez tranquille, dit-il d'une voix douce. Vous êtes au bout du rouleau.

Elle secoua simplement la tête et ne dit rien.

– Qui est cette Savannah Marie ? demanda Caleb à Rafe.

– Une fille chez nous qui avait l'habitude de rendre les garçons fous en les allumant. Pendant un moment là-bas, Reno a été assez jeune pour penser qu'il l'aimait, dit Rafe en redressant Eve sur ses pieds. Qui est cette fille de saloon ?

– C'est moi, fit Eve d'un ton neutre.

Caleb se rendit soudain compte que Reno avait mal interprété ses paroles à propos d'Eve qui avait voulu s'entendre avec Slater.

– Reno a perdu l'esprit, dit durement Caleb. Quand il va se réveiller, je vais le ramener à la raison.

– Ça n'a pas d'importance, dit Eve en se détournant.

– Eve, dit Caleb. Attendez.

Elle secoua la tête et continua de s'éloigner.

Tout ce qui importait avait déjà été dit. Reno avait sans doute aimé sa compagnie, il avait été tendre avec elle, et il avait partagé avec elle la plus intense des passions. Mais il ne l'aimait pas.

Ça n'arriverait jamais. L'amour exigeait la confiance, et Reno n'oublierait jamais qu'elle avait été une tricheuse aux cartes et une fille de saloon. C'est alors qu'elle se rappela les paroles de Reno :

« Je comprends que les femmes doivent compenser par l'audace ce qu'il leur manque de force. Mais comprendre n'est pas la même chose qu'aimer.

On ne peut pas compter sur les femmes, mais on peut compter sur l'or.

Vous sentiriez-vous mieux si je vous racontais de doux mensonges à propos de l'amour ? »

Pendant que les autres entouraient Reno, Eve se rendit dans un bosquet puis lava la poussière de la mine sur tout son corps. Et ce faisant, elle souhaita pouvoir faire disparaître du même coup le passé.

Mais elle ne le pouvait pas. Elle pouvait seulement le laisser derrière elle, comme l'eau sale qu'elle déversait de la bassine sur le sol pierreux.

Avec un calme provoqué par une perte si profonde qu'elle n'arrivait plus à sentir la douleur, Eve prit son seul vêtement restant – la robe rouge avec les boutons de jais et un trou de balle dans la poche secrète où elle cachait son derringer.

Elle fit ses préparatifs avec des gestes mécaniques. La partie la plus difficile était de trouver la façon de transporter l'or. Finalement, elle amena sa monture près de l'entrée de la mine, attacha ses sacoches de selle vides et les remplit. Puis elle attacha celles de Reno au pommeau de la selle et les remplit aussi. Les lingots cliquetaient et bougeaient dans les lourdes poches de cuir.

Seul Caleb remarqua la transformation d'Eve d'un mineur sale à une fille de saloon à la chevelure fauve. Le regard de ses yeux tristes passait de Reno à moitié conscient aux préparatifs rapides et efficaces d'Eve.

Il se leva tout à coup et se rendit auprès d'elle.

– Vous vous préparez à partir ? dit-il.

Elle acquiesça.

– Où allez-vous ? demanda-t-il.

Elle haussa les épaules.

– À Canyon City, je suppose. C'est là que se trouve le saloon le plus proche.

— Vous aurez besoin que quelqu'un vous accompagne. Je serai prêt dans quelques minutes.

— Je vais vous payer.

— Il n'en est pas question. De toute façon, je prévoyais rejoindre Willow aussitôt que possible. Pig Iron est un bon gardien, mais il n'est pas très doué en société.

Caleb partit à grands pas en poussant un sifflement strident. Un hongre noir arrêta de brouter dans le pré et trotta vers lui. Il sella et attela le cheval avec des gestes rapides avant de revenir au campement pour prendre ses sacoches. Il s'attendait si peu à ce qu'elles soient si lourdes qu'il faillit en perdre l'équilibre.

Il se tourna vivement vers Eve au moment où elle montait la jument louvette dans un tourbillon de soie écarlate et traversait le pré vers les gens qui entouraient Reno.

Rafe et Wolfe levèrent les yeux sur elle et virent la robe et la beauté sévère de la fille aux cheveux brillants et aux yeux dorés. Ils furent trop surpris pour parler.

Jessi la vit aussi. Elle écarquilla les yeux, mais dit seulement :

— Reno va beaucoup mieux. Son pouls est stable, et ses respirations sont profondes. Il va bientôt revenir à lui. Je ne pense pas qu'il soit gravement blessé. Il est fort comme un bœuf.

Jessi n'avait jamais vu un sourire aussi triste que celui que lui adressa Eve.

— Oui, dit doucement Eve. Il est très fort.

Caleb arriva, fit freiner son cheval près de celui d'Eve et attendit sans dire un mot.

Jessi se leva et se tint près de la fille qui paraissait avoir épuisé ses dernières réserves. Elle savait ce que c'était que d'être bousculée à ce point par la vie.

— Caleb m'a raconté ce qui s'est passé, fit-elle d'une voix basse. Reno ne savait pas ce qu'il disait. En se réveillant, il va se traiter de tous les noms.

Eve aurait voulu rire et pleurer à la fois en voyant la compassion dans les yeux bleus de Jessi.

— Vous êtes très gentille, dit-elle d'une voix rauque. Et vous avez tout à fait tort. Reno savait exactement ce qu'il disait. Il l'a dit assez souvent auparavant.

Jessi se mordit la lèvre et secoua la tête d'un air malheureux.

Eve continua de parler avec un calme qui n'avait rien de naturel.

— Ma moitié de l'or représentait huit lingots. J'en ai laissé deux pour vous et Wolfe et deux pour Rafe. Caleb a déjà les siens.

Wolfe et Rafe prirent la parole en même temps. Eve les ignora. Avec une agilité à couper le souffle, elle se pencha et tira le couteau de Caleb de l'étui à sa ceinture. La lame acérée brilla un instant puis trancha l'attache qui retenait les sacoches de Reno au pommeau de selle. Elles atterrirent avec un bruit mat à un mètre des jambes de Reno.

— Cet or appartient à Reno, dit-elle. Il peut compter dessus.

La jument louvette pivota sur ses sabots et bondit vers l'avant pendant qu'une fois encore, Eve s'éloignait de Reno dans un bruit de sabots et un tourbillon de jupe écarlate.

23

Reno était tranquillement assis à l'ombre d'un sapin et regardait le pré à travers ses yeux mi-clos. Pour la première fois depuis cinq jours, il n'était plus le moindrement étourdi. Le tintement dans ses oreilles avait disparu, tout comme la nausée qui l'avait tourmenté. Même si ses traits étaient tirés en une expression de douleur, son mal de tête s'était atténué jusqu'à n'être plus qu'agaçant.

Ce n'était pas le mal de tête qui provoquait sa douleur ; c'était le fait de penser à une fille qui préférait se soucier de son propre bien-être plutôt que de se soucier qu'il soit en vie ou non.

Reno n'avait pas vu Eve depuis qu'il était sorti de la mine. Quand il avait demandé où était Caleb, Rafe lui avait dit qu'il raccompagnait Eve jusqu'à Canyon City. Reno n'avait plus mentionné son nom, et les autres non plus.

Le rire de Wolfe lui parvint à travers l'air pur, suivi de sons argentés de celui de Jessi alors que son mari la soulevait du sol et la faisait tourner. Finalement, il s'étendit avec Jessi et disparut dans les longues herbes du pré.

Reno était tourmenté par une amertume qu'il refusait de reconnaître comme du chagrin, les souvenirs le lacérant comme des lames de rasoir et le faisant saigner en secret. Jadis, il avait pourchassé Eve à travers ce pré, et il l'avait rattrapée et couchée dans l'herbe pendant qu'elle riait. Cela appartenait au passé. Maintenant, même le souvenir de leur passion commune représentait un chagrin auquel il ne pouvait faire face, alors il le repoussa au fond de son esprit, le condamnant à l'obscurité.

Pourtant, la douleur demeurait et se lisait dans les nouvelles rides de chaque côté de sa bouche alors qu'il se remémorait les paroles de Caleb :

À part le fait qu'elle a été assez folle pour essayer de s'entendre avec Slater… S'entendre avec Slater… S'entendre avec… »

Lentement, Reno prit conscience de la présence de son frère tout près de lui. Ce dernier le regardait de ses yeux gris sévères et tenait une paire de sacoches de selle sur ses bras.

— C'est vraiment merveilleux d'entendre rire Wolfe, dit Rafe. On se sent mieux simplement en l'observant avec Jessi.

Reno grogna.

Le sourire de Rafe était un avertissement que tout autre homme que Reno aurait compris. Il avait attendu impatiemment jusqu'à ce que la commotion cérébrale et la douleur physique ne brouillent plus le regard de son frère. Il voulait s'assurer que Reno entende et comprenne clairement chaque parole qu'il allait lui adresser.

Il avait fini d'attendre.

— Comment va ta tête ce matin ? demanda-t-il platement.

Reno secoua les épaules.

— Heureux que tu te sentes mieux, frérot, dit Rafe. Nous nous inquiétions vraiment tous pour toi.

Le regard que Reno porta sur son frère aîné n'invitait pas à la conversation. Rafe l'ignora et continua de parler.

— Oui, monsieur, dit-il d'une voix traînante. L'histoire s'est répandue aux alentours comme un feu de brousse. Un pistolero du nom de Reno, une carte au trésor espagnol et la fille du Gold Dust Saloon.

Reno tressaillit à la mention d'Eve, mais ce fut sa seule réaction.

Si Rafe n'avait pas été attentif, il n'aurait pas perçu cette réaction. Mais il vit tout. Son sourire s'élargit sans acquérir la moindre chaleur.

— Je me trouvais dans les Spanish Bottoms quand j'ai entendu dire que tu étais coincé dans un canyon sans issue et que tu allais être mis en pièces par Slater et une ribambelle de Comancheros, dit-il.

— Ils ont essayé.

— Au moment où je suis arrivé ici, il ne restait plus rien que de la chair pour les coyotes.

Le sourire de Reno était aussi froid que celui de son frère.

— Nous l'avons échappé belle.

— C'est ce qu'a dit Caleb. Il est apparu quand je déchiffrais les signes après la bataille et que j'essayais de deviner quelle direction prendre. Cet homme est comme un fantôme. Il a failli me faire bondir hors de mes bottes tellement il m'a fait peur quand il est apparu.

D'autres rires fusèrent en provenance du pré, les voix d'un homme et d'une femme qui étaient tous les deux unis dans la célébration du pur plaisir d'être en vie.

Reno détourna les yeux du soleil et des herbes, essayant d'oublier les fois où il avait ri et respiré l'odeur enivrante de lilas dans les cheveux d'Eve, sur sa peau, sur ses seins.

— Apparemment, Cal l'a appris par cette squaw comanchero que garde un de ses hommes, poursuivit Rave. Je te le dis, mon frère, c'était une piste à faire dresser les cheveux sur la tête que tu as trouvée pour sortir de ce canyon.

— C'était mieux que le sort que me réservait Slater.

— Eh bien, Cal et moi avons décidé de faire ce qu'il y avait de plus logique. Nous avons suivi Slater. Il avait laissé une piste beaucoup plus évidente que la tienne.

— Je ne m'attendais pas à ce que des amis me suivent, dit sèchement Reno.

— Tu as laissé des indices pour moi.

— J'assurais seulement mon pari.

— Vraiment ? fit Rafe d'un ton sarcastique. Apparemment, tu es devenu tout un parieur depuis Canyon City. Ça doit avoir été la mauvaise influence d'Eve.

La bouche de Reno s'amincit encore davantage sous la barbe de plusieurs jours qui recouvrait ses joues.

Rafe fit semblant de ne pas remarquer la sombre réaction de son frère chaque fois qu'Eve était évoquée.

— Nous avons rejoint Wolfe et Jessi à l'autre bout de la mesa que vous aviez traversée à toute vitesse, poursuivit Rafe. Un des amis indiens de Wolfe lui a dit que vous ne pouviez pas vous sortir seuls de cette situation, alors Wolfe et Jessi sont venus en renfort.

Reno l'entendait à peine. Il était trop occupé à essayer d'oublier les rires qui venaient du pré où Wolfe et Jessi profitaient ensemble du soleil et de la journée. Le rire musical de Jessi hantait Reno, lui rappelant tout ce qu'il voulait oublier.

— Caleb est tombé sur les gardes de Slater juste après qu'ils aient été remplacés, dit Rafe. Ensuite, il a entendu passer quelqu'un. Il s'est trouvé que c'était Eve, qui s'en allait espionner le camp de Slater.

Soudain, Reno essaya de se lever.

D'un rapide coup de pied, Rafe fit rassoir son frère. Le coup fut aussi inattendu qu'il était précis. Reno regarda son frère aîné d'un air hébété.

— Reste assis, frérot, dit Rafe d'un ton neutre. Tu ne vas nulle part avant que je t'aie dit ce que j'ai à te dire. Si tu veux te battre pour m'en empêcher, n'hésite pas. Je vais gagner, et tu le sais.

— Toi et ces foutus trucs de lutte chinois, répondit Reno avec colère.

— Je vais te les enseigner quand tu iras mieux. Mais maintenant, tu vas m'écouter.

Reno fixa le regard gris aussi froid que le sien. Même s'il restait sur ses gardes, il acquiesça brusquement de la tête.

Rafe s'éloigna d'un mouvement nonchalant et s'accroupit sur ses talons, les sacoches de selle près de lui. Même si son frère paraissait détendu, Reno voyait clair dans son jeu. S'il paraissait vouloir se relever, il serait repoussé aussi lestement qu'il l'avait été la première fois.

— Cal a attrapé Eve avant que Slater la voie, dit Rafe. Apparemment, elle avait eu cette idée foutrement idiote de menacer Slater de son arme et de lui offrir de l'or si ses hommes te sortaient de ce trou.

— C'est ce qu'elle a dit à Cal ?

Rafe opina de la tête.

— Et il l'a crue ? demanda Reno avec ironie.

Rafe acquiesça de nouveau de la tête.

La bouche de Reno se tordit en une imitation de sourire.

— Le mariage a ramolli le cerveau de Cal, dit Reno d'une voix atone. Cette petite fille de saloon allait marchander *sa* vie, et non la mienne.

— Moins tu en dis, moins tu auras à le regretter, répliqua Rafe. Mais que ça ne t'empêche pas de déblatérer. Quand tu seras fatigué de vomir tes paroles, je serai impatient de te les faire ravaler une à une.

Reno plissa les yeux de colère, mais il n'ajouta rien. En ce moment, il n'aurait pas été en état d'affronter son frère même s'il l'avait voulu. Tous deux en étaient conscients.

— Après nous être occupés de la bande de Slater, nous sommes allés à la mine, dit Rafe. Eve s'y trouvait, recouverte de poussière des pieds à la tête, lacérée et contusionnée à force d'essayer de te tirer de là. Elle a refusé de laisser Wolfe ou Caleb entrer dans la mine en disant que c'était trop dangereux.

La tension commença à envahir de nouveau le corps de Reno pendant qu'il écoutait.

— Elle a dit que ça ne l'aurait pas dérangée de tuer des Comancheros pour te retrouver, poursuivit Rafe d'une voix traînante, mais qu'elle ne voulait pas risquer la vie d'hommes mariés. Elle a dit qu'elle allait le faire seule parce qu'elle n'avait aucune famille qui l'attendait.

— Vous ne l'avez pas laissée retourner dans la mine, n'est-ce pas ? demanda Reno d'une voix dure.

— Elle était la seule à savoir où tu étais, dit platement Rafe. Elle m'a conduit jusqu'à l'effondrement, et j'ai creusé comme un fou sans savoir si tu étais vivant ou mort. Et ce fichu plafond n'arrêtait pas de me tomber dessus comme une pluie d'automne.

Reno saisit le bras de son frère.

— Bon sang, tu aurais dû sortir de là. La pierre dans ce trou de coyote était beaucoup trop instable !

— Serais-tu sorti si j'avais été coincé dans un foutu trou ? répliqua Rafe.

Reno secoua la tête.

— Aucune chance.

L'expression de Rafe se radoucit pendant un moment. De tous ses frères, c'était Reno dont il avait toujours été le plus proche.

— J'ai finalement dégagé un trou à travers lequel un chat aurait eu du mal à se faufiler, dit-il. J'ai vu de la lumière, mais tu ne répondais pas à mes cris. Chaque fois que j'essayais d'agrandir le trou, le plafond s'effondrait.

— Alors, comment es-tu arrivé jusqu'à moi ?

— Ce n'est pas moi. C'est Eve.

— *Quoi ?*

— J'ignore comment elle a fait, mais elle a réussi à se faufiler dans ce petit trou. Elle a commencé à te dégager, et à ce moment, tout s'est mis à trembler. Je lui ai hurlé de te laisser et de se sauver.

La main de Reno se serra assez fermement sur le bras de son frère pour laisser des contusions.

— Mais elle ne l'a pas fait, continua Rafe d'une voix dure. Elle a réussi à te tirer de sous les débris avant que le mur s'effondre. Quand je l'ai rejointe, elle te tirait encore en criant ton nom et en essayant de te sauver la vie au mépris de la sienne.

Reno ouvrit la bouche, mais aucun son n'en sortit parce que sa gorge était trop serrée.

— Tu as peut-être trouvé cette fille dans un saloon, fit Rafe d'une voix sauvage, mais elle vaut bien davantage que tout l'or que tu as pu tirer du sol.

Les yeux fermés, Reno tentait de se maîtriser.

— Elle est restée assez longtemps pour t'entendre déblatérer à propos des filles de saloon, poursuivit Rafe. Ensuite, elle s'est lavée, elle a enfilé une jolie robe rouge, et elle est partie à toute vitesse sur cette jument louvette.

Reno posa sa tête dans ses mains. Il avait pensé ne pas pouvoir souffrir davantage qu'au moment où il avait appris la trahison d'Eve.

Il s'était trompé.

Mais Rafe parlait toujours, et Reno apprenait encore à quel point il pouvait souffrir.

— Elle t'a laissé un message, dit Rafe.

D'un geste d'une nonchalance à laquelle il ne fallait pas se fier, Rafe renversa les sacoches de selle qu'il avait apportées avec lui. Des lingots d'or se déversèrent bruyamment sur le sol.

— Voici ton or, mon frère. *Tu peux compter là-dessus.*

L'expression douloureuse sur le visage de Reno fit regretter à Rafe sa dureté. Il tendit la main vers son frère, mais Reno était déjà sur pied et s'éloignait des lingots étincelants.

— Où vas-tu ? demanda Rafe.

Reno ne répondit pas.

— Qu'est-ce que je fais avec l'or ? lui cria Rafe.

— Au diable l'or, lui cria Reno. Il y en a encore plus d'où il vient.

Mais il n'y avait qu'une femme qui l'avait aimé encore plus qu'elle aimait son propre bien-être, et il l'avait perdue.

— S'il te plaît, restez dans la grande maison ce soir, dit Willow. Il y a trop de courants d'air dans cette petite cabane.

— Non, merci, répondit Eve. Je vous ai déjà assez dérangée. Je vais repartir au matin.

— Vous ne m'avez pas dérangée du tout, répliqua rapidement Willow. J'aime la présence d'une autre femme.

Eve se tourna vers Caleb.

— J'aimerais que vous me laissiez vous payer pour…

— Evelyn Starr Johnson, l'interrompit Caleb, si vous ne souffriez pas déjà à ce point, je vous coucherais sur mes genoux, et je vous donnerais une fessée pour avoir encore abordé ce sujet.

Un pâle sourire apparut brièvement sur le visage d'Eve. Elle se haussa sur la pointe des pieds et l'embrassa sur la joue.

— Vous êtes un homme bon, Caleb Black, murmura-t-elle.

— Ce sera toute une nouvelle pour un tas de gens, répondit-il. Puisque vous êtes tellement résolue à partir, nous allons prendre la route à l'aube. Autrement, vous partiriez seule, et ce n'est pas une contrée pour une femme seule.

— Merci.

— De rien, dit Caleb. Mais quand Reno sera furieux d'avoir à chevaucher jusqu'à Canyon City pour vous rejoindre, prenez le soin de lui dire que ce n'était pas mon idée.

— Reno ne traverserait pas un pâturage pour moi, et encore moins la ligne de partage des eaux.

Eve pivota et se dirigea rapidement vers la cabane où Caleb et Willow avaient vécu pendant qu'ils construisaient la grande maison.

L'air triste, Willow regarda Eve jusqu'à ce qu'elle disparaisse dans la cabane et ferme la porte derrière elle.

— Pourquoi ne veut-elle pas rester dans la maison avec nous ? demanda-t-elle.

— Je soupçonne que c'est pour la même raison qui explique qu'elle ne restera pas ici. Elle sait ce que pense Reno à propos du fait qu'une fille de saloon fréquente sa sœur.

— Eve a peut-être travaillé dans un saloon, mais ce n'est pas une fille de saloon, répliqua Willow sur un ton exaspéré. Dieu du ciel. Comment peut-il être si aveugle ?

— J'ai été comme ça avec toi pendant un temps. Et la même chose est arrivée entre Wolfe et Jessi.

— Seulement parce que vous êtes des hommes ? suggéra aigrement Willow.

Caleb éclata de rire tandis que son bras jaillissait pour l'enlacer.

— Peu importe, je pourrais secouer Reno par les oreilles, marmonna-t-elle en passant ses bras autour de la taille mince de Caleb.

— Ne t'en fais pas, chérie. J'ai laissé ce boulot à Rafe. Il en avait tellement envie que je me suis senti presque désolé pour Reno.

Avant que Willow puisse parler, Caleb l'embrassa. Il s'écoula un long moment avant qu'il relève la tête.

— Ethan dort-il ?

— Oui, murmura Willow.

— Est-ce que ça t'intéresserait d'en apprendre un peu plus à propos de l'art délicat d'attraper une truite à mains nues ?

— Qui de nous deux sera la truite, cette fois ? demanda Willow en souriant.

Caleb rit doucement.

– Nous serons une truite chacun notre tour.

Eve était assise à la seule table dans la cabane, regardant le clair de lune et la lumière du fanal projeter des ombres sur la table de bois. Pendant qu'elle regardait, elle mélangeait distraitement un jeu de cartes. Chaque fois qu'elle les mélangeait, plusieurs cartes s'échappaient de ses mains et glissaient sur la table.

Fronçant distraitement les sourcils, Eve plia ses doigts. Ils allaient beaucoup mieux qu'au moment où elle était arrivée au ranch de Caleb, quelques jours plus tôt, mais ils étaient encore maladroits, encore raides après qu'elle ait déblayé toutes ces pierres dans la mine en creusant frénétiquement à travers les débris pour trouver quelque chose de bien plus précieux que l'or. Elle se rappela alors les mots durs de Reno :

« Est-ce que cette fille de saloon tricheuse a laissé un peu d'or ? »

Lentement, elle serra les poings, et tout aussi lentement, elle les desserra. Elle posa ses mains à plat sur la table et les pressa tellement que le tremblement qui lui était venu alors qu'elle se souvenait des paroles de Reno disparut.

Après plusieurs minutes, elle prit une profonde inspiration et rassembla les cartes.

Puis elle recommença à les mélanger. Quand des cartes lui échappaient, elle les ignorait. Après plusieurs brassages, elle plia les mains, rassembla les cartes et les mélangea encore.

Elle savait qu'elle aurait dû être en train de dormir parce que la chevauchée jusqu'à Canyon City allait être longue et épuisante. Pourtant, le sommeil lui échappait. Chaque fois qu'elle fermait les yeux, elle entendait les roches grincer et s'effondrer sur Reno en une longue vague brutale. Des voix d'hommes lui parvinrent de la direction de la grange. Elle prêta l'oreille, regarda l'angle de la lune et décida que Pig Iron faisait ses rondes nocturnes un peu tôt.

Elle plia distraitement les doigts, prit les cartes qui lui avaient échappé et les fixa des yeux. Plus elle faisait travailler ses mains, plus elles devenaient souples, mais elles étaient loin d'avoir retrouvé leur dextérité normale.

Une brise fraîche souffla du devant de la cabane au moment où Eve s'efforçait de mélanger les cartes sans en laisser tomber une seule. Surprise, elle leva les yeux.

Reno se tenait dans l'embrasure de la porte et la regardait comme il l'avait fait dans le Gold Dust Saloon, observant attentivement sa robe rouge, ses yeux calmes et ses lèvres qui tremblaient.

Les traits tirés après son long voyage, son visage toujours lacéré et contusionné, il était encore plus beau que dans son souvenir. Et ses yeux verts débordaient de sensualité. Quand il marcha vers Eve, les cartes tombèrent de ses mains. Sans les regarder, elle commença à les rassembler de nouveau, mais ses mains tremblaient trop. Elle serra les poings et les cacha sur ses genoux.

Reno prit l'autre chaise à la table et s'assit. D'un grand geste de la main, il repoussa les cartes, qui flottèrent comme des feuilles d'automne jusqu'au plancher. Il déboutonna sa veste et tira un nouveau jeu de cartes de sa poche de chemise.

— Poker à cinq cartes, dit-il d'une voix rauque. Deux cartes maximum, les enjeux sur la table, une mise de cinq dollars. Et c'est moi qui distribue.

Les mots étaient familiers aux oreilles d'Eve. C'étaient les paroles qu'elle avait prononcées une vie entière plus tôt, quand elle avait tiré une chaise, s'était assise entre deux hors-la-loi et avait apporté des cartes à sa table dans le Gold Dust Saloon.

Elle essaya de s'écarter de la table, en vain. Ses bras refusaient de bouger. Elle fixa les ombres sur la table plutôt que Reno. Elle ne pouvait supporter de le regarder en sachant ce qu'il voyait quand il la fixait des yeux.

Fille de saloon. Tricheuse aux cartes. Une chose achetée sur un train.

— Je n'ai pas d'argent à miser, dit-elle.

Sa voix était neutre et sans émotion — celle d'une étrangère.

— Moi non plus, dit Reno. Je suppose que nous allons devoir nous parier nous-mêmes pour rester dans la partie.

Eve regarda la scène d'un air incrédule pendant que Reno distribuait les cartes. Quand les cinq cartes se trouvèrent devant elle, elle les prit automatiquement, et aussi automatiquement, elle rejeta la carte qui n'allait pas avec les autres. Une autre carte apparut devant elle. Elle la prit et la regarda.

La reine de cœur lui retournait son regard.

Pendant une seconde, Eve eut du mal à croire ce qu'elle voyait. Lentement, toutes les cartes glissèrent une à une de ses doigts.

Reno tendit la main et les retourna. Immédiatement, un dix, un valet, une reine, un roi et un as de cœur brillèrent sous la lumière du fanal.

— Ça bat tout ce que j'ai, maintenant ou n'importe quand, dit Reno en rejetant ses cartes sans les regarder. Je vous appartiens, ma belle, pendant aussi longtemps que vous voudrez de moi, de quelque manière que ce soit.

Il glissa la main dans sa poche de chemise et en tira l'anneau d'émeraudes.

— Mais je préférerais être votre mari plutôt que votre homme d'agrément, ajouta-t-il d'une voix basse.

Il mit l'anneau dans sa paume et le tendit à Eve, lui demandant silencieusement de le prendre. Des larmes apparurent dans les yeux de la jeune femme. Elle ramena ses mains sur ses genoux pour atténuer la tentation d'accepter l'anneau et l'homme.

— Pourquoi ? demanda-t-elle d'une voix douloureuse. Vous ne… me faites pas confiance.

— C'était de moi que je me méfiais, répondit Reno d'une voix tendue. J'ai été si idiot à propos de Savannah Marie que j'ai fait le serment de ne jamais plus accorder à une femme ce pouvoir sur moi. Puis je vous ai vue.

— Je triche aux cartes, et je suis une fille de saloon.

Reno fit un geste en direction de la main gagnante qu'il lui avait distribuée.

— Je triche aux cartes, et je suis un pistolero, dit-il. Nous ferions une bonne paire.

Comme les mains d'Eve demeuraient sur ses genoux et qu'elle ne disait rien, Reno ferma les yeux alors qu'une vague de douleur déferlait en lui. Il se leva lentement et s'accroupit près d'elle en posant une main sur ses doigts froids.

Elle regarda la table plutôt que de croiser ses yeux.

— Ne pouvez-vous même pas me regarder ? murmura Reno. Est-ce que j'ai détruit tout ce que vous éprouviez pour moi ?

Eve prit une longue inspiration frémissante.

— Je vous ai montré des navires de pierre et une pluie sèche… mais je ne trouverai jamais une lumière qui ne projette aucune ombre. Certaines choses sont tout simplement impossibles.

Reno se releva avec les gestes raides d'un vieillard. Sa main bougea comme pour caresser les cheveux d'Eve, mais il résista et la tendit plutôt vers la suite de cœur qu'il lui avait distribuée.

Au moment où l'anneau tomba sans bruit sur les cartes, la lumière du fanal éclaira le léger tremblement de ses doigts. Reno regarda sa main comme s'il ne l'avait jamais vue auparavant. Puis il regarda la fille dont la perte allait le hanter pendant le reste de sa vie.

— Vous auriez dû me laisser dans la mine, murmura-t-il.

Eve essaya de parler, mais les sanglots l'en empêchèrent.

Reno se retourna rapidement puis se dirigea vers la porte, incapable d'en supporter davantage.

— Non ! cria Eve.

En un instant, elle était sur pied et courait vers lui. Reno la prit dans ses bras et enfouit son visage dans le cou d'Eve, la serrant contre lui comme s'il s'attendait à ce qu'on la lui arrache. Quand elle sentit la caresse brûlante de ses pleurs contre sa peau, son cœur s'arrêta, puis elle émit un son écorché qui ressemblait au nom de Reno.

— Ne partez pas, dit-elle d'une voix tremblante. Restez avec moi. Je sais que vous ne croyez pas en l'amour, mais je vous aime. Je vous aime !

Reno la serra encore davantage. Quand il put parler, il releva la tête et chercha les yeux d'Eve.

– Vous m'avez montré des navires de pierre et une pluie sèche, murmura-t-il en embrassant doucement les larmes d'Eve. Et ensuite, vous m'avez montré la lumière qui ne projette aucune ombre.

Eve frémit puis s'immobilisa en le regardant d'un air interrogateur.

– L'amour est la lumière qui ne projette pas d'ombre, dit-il simplement. Je vous aime, Eve.

Épilogue

Avant que les derniers trembles se soient transformés en sentinelles rouges qui brûlaient contre le ciel d'automne, Reno et Eve se marièrent. Quand ils se tinrent devant leurs amis et jurèrent de partager leur vie, Eve affichait le cadeau que Reno lui avait offert : un collier de perles étincelantes, un ancien anneau espagnol fait d'émeraudes et d'or pur et un éclat qui serrait douloureusement la gorge de Reno au point où il pouvait à peine parler.

Ils restèrent avec Caleb et Willow durant tout l'hiver, riant et travaillant pendant qu'ils s'échangeaient Ethan et chantaient des airs de Noël dans une harmonie qui aurait rendu les anges envieux.

Quand vint le printemps, ils chevauchèrent vers l'ouest pendant une journée jusqu'à l'endroit où la mesa verte et touffue et les montagnes enneigées montaient la garde au-dessus d'une vallée longue et luxuriante. Sur les berges d'une rivière fougueuse, ils construisirent un foyer qui était un abri contre l'hiver et un refuge contre la chaleur de l'été qui sentait les bouquets de lilas, un cadeau qu'avait plus tard offert Reno à Eve le jour de la naissance de leur premier enfant.

Les enfants d'Eve et Reno connurent ce que c'était de marcher librement sur une terre sauvage. Ils sentirent le soleil dévorant du labyrinthe de pierre et regardèrent avec émerveillement les signes martelés dans la roche par une culture et un peuple qui avaient depuis longtemps disparu. Deux des enfants devinrent propriétaires de ranch. Un autre apprit à chasser les mustangs avec Wolfe Lonetree. Un quatrième vécut parmi les Utes et coucha sur le papier leur langue et leurs légendes avant qu'eux aussi disparaissent de la terre.

Un cinquième se tint debout, un ancien journal dans une main et une sangle de selle brisée dans l'autre, avec tout autour de lui les ruines de pierre élégantes et énigmatiques abandonnées par une civilisation si ancienne que personne ne se souvenait de son véritable nom. Sa sœur était debout près de lui, les yeux émerveillés. Elle tenait dans ses mains un cahier à croquis rempli des paysages mythiques du labyrinthe de pierre dont seul Dieu connaissait les mystères les plus profonds.

Avec le temps et chacun à sa façon, les enfants d'Eve et de Reno Moran prirent la mesure des rêves réalisés et des rêves perdus, de la souffrance endurée et du plaisir inscrit dans la mémoire. Mais surtout, chaque enfant découvrit la vérité des navires de pierre et de la pluie sèche, ainsi que celle du nom de la lumière transcendante qui ne projetait pas d'ombre.

L'amour.